Lo verdadero es
un momento de lo falso

Lucía Etxebarria

Lo verdadero es un momento de lo falso

SUMA
de letras

© 2010, Lucía Etxebarria

© De esta edición: 2010, Santillana Ediciones Generales, S. L.

Torrelaguna, 60. 28043 Madrid

Teléfono 91 744 90 60

Telefax 91 744 92 24

www.sumadeletras.com

Diseño de cubierta: Arkaitz del Río / Nitidos Diseño

Fotografía de cubierta: Marta Fernández Etxebarria

Primera edición: febrero de 2010

ISBN: 978-84-8365-174-2

Depósito legal: B-2.042-2010

Impreso en España por Printer Industria Gráfica, S. A. (Barcelona)

Printed in Spain

*Para Susana Saludes, que me regaló
el ordenador en el que escribí esta novela.*

Dicho ordenador falleció en acto de servicio cuando mi editor, Pablo Álvarez, me envió un pdf con las cuatro cubiertas de la novela y desconfiguró el disco duro o algo así. A Pablo le agradezco el entusiasmo, el esfuerzo y los ánimos, amén del hecho de haber dirigido el único videoclip de SLA. Y a su prima Betty, la ducha. A Ingrid Riesco Puente le agradezco su profesionalidad y su paciencia (el ordenador vale 1500 euros, pasarse doce horas en busca de la errata perdida mano a mano con la autora, no tiene precio). A todos los amigos que leyeron las primeras versiones del manuscrito les agradezco sus sugerencias, muy especialmente las de Curro Cañete, Goyo Bustos, Emma Placer, Eduardo Soto Trillo, Carmen Villanueva, Isabel Jiménez, Beatriz Santos Arrate, Zaida Sabatés, Teresa Byrne, Franz Ruz y Josep Rocafort (a este último le debo más cosas que no puedo reseñar aquí). Cito a Valentín Gómez Bóveda y a las Raqueles (Franco y Llopart), porque sí. Quedo en deuda con Sabela Núñez Parada, que le puso banda sonora a Pumuky. Gracias a Marta Fernández Etxebarria por las fotos, tanto las mías como las del grupo.

Mi inmensa admiración y afecto a todos los chicos de Ultraplayback, a todos (Aida C. Rodríguez *Ponytail,* Ika Miranda, Lis Blanco *Lalalá,* Jordi Vía *Way,* Roger Marin) les debo mucho porque sin ellos Sex & Love Addicts no existirían, pero muy en especial a Toni Blanco, el Capitán Minifalda, por sus aportaciones tanto musicales como filosóficas, y por hacer de muso para dar vida a Romano.

Ultraplayback en MySpace:
http://www.myspace.com/ultraplayback

Y a todos los amigos que me quieren, por estar ahí. Vosotros sabéis cómo y por qué.

«Él y yo éramos hermanos y lo éramos por vínculos más sólidos que los fraguados por natura».

FRIEDRICH VON SCHILLER, *Don Carlos*

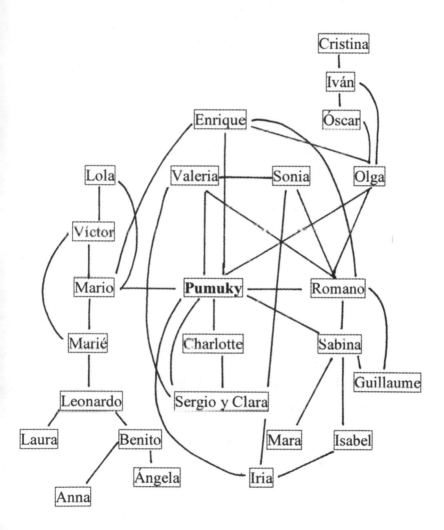

Pumuky en París

Cuando uno crece se le caen muchos mitos. Por ejemplo, hasta hace poco, yo creía que tenía muchos amigos, pero después de haber visto muchas cosas que he visto, he empezado a entender una máxima de La Rochefoucauld que nos enseñaron en el Liceo, que venía a decir algo así como que por raro que sea el verdadero amor, lo es menos aún que la verdadera amistad. Más o menos lo que decía Oscar Wilde, que nada hay en el mundo más noble y raro que una amistad sincera. Y lo mismo te dicen los camellos marroquíes que pasan hachís de La Taberna Encendida: Tener muchos amigos equivale a no tenerlos. Es un proverbio árabe, creo.

Desde que nos hicimos famosos nos salían amigos de debajo de las piedras. En cada bar nos venía a saludar alguien, nos invitaban a copas, a rayas, a lo que quisiéramos. Ciudad en la que tocábamos, había mazo de peña rodeándonos, dispuestos a pasearnos por ahí. La agenda de mi móvil estaba llena, *no aceptaba más teléfonos. Y a Pumuky, en teoría, le quería muchísima gente. Joder, si era el ídolo de la juventud alternativa y tal. La cosa es que quererle, lo que se dice quererle, no le quería tanta gente. Muy poca. Porque no es lo mismo amigo que compañero de fiesta. Que la amistad puede potenciar virtudes, pero nunca vicios. O eso le diría a usted mi madre. Y yo ahora la creo.*

Además, todos sabemos que, como dice otro refrán, y éste no es árabe, hay pocos lazos de amistad tan fuertes que no puedan ser cortados por un cabello. Por el de una mujer, sin ir más lejos. Cuando Pumuky se lió con Valeria yo dejé de verlo. No es que cortase lo nuestro de plano, pero empecé a verlo menos. Y fue una gilipollez. Porque yo ahora he aprendido que tengo pocos amigos, y que Pumuky fue uno de los mejores. Mire, hay dos momentos en que uno se da cuenta de los pocos amigos que tiene: en la prosperidad y en la desgracia. Y yo he vivido ambas.

Cuando Pumuky la palmó muchos de aquellos colegas que nos invitaban a copas en los bares desaparecieron. Les daba miedo lo que había ocurrido, o no querían pasarse una noche entera escuchándome llorar. Sí, molas mucho cuando eres el que liga más, y el que vende más, y el más guapo. No molas tanto cuando estás hecho polvo, la peña huye de ti, les aburres. La amistad sincera se alimenta de recuerdos y la interesada de esperanzas, así de simple. Es otro pro-

*verbio, creo. Me temo que le debo de estar breando
a usted con los proverbios, no hago más que citar, me
vienen todas esas frases a la cabeza como si las hubiera almacenado, no sé, igual me estoy volviendo loco.
Lo que venía a decir es que los buenos momentos
hacen amigos, pero los chungos los prueban. Y no crea,
que ahora que lo pienso, los buenos momentos no
hacen amigos, sólo falsos amigos. Porque la fama atrae
a una horda de presuntos amigos, pero hace falta mucho ojo y muchas malas experiencias para caer en la
cuenta de que amigo o amiga no es sólo aquel que se
entristece con la noticia de cualquier desgracia de uno,
sino aquel que no le envidia a uno los golpes de buena suerte. Que cuando nos hicimos famosos nos iban
poniendo verdes por la espalda muchos que se decían
nuestros amigos, y nuestra propia oficina, sin ir más
lejos, nos tangó una pasta.*

*La publicidad de los teléfonos móviles, la de
Coca-Cola, la de las cervezas, siempre habla de la
amistad. Si tú ves la tele parecería que los amigos sólo
están para eso, para salir de copas. Necesitas el móvil
para quedar con ellos, la cerveza para reírte con ellos.
Y la coca para poder pasarte tres pueblos con ellos, aunque eso el anuncio no lo diga, pero muchas veces lo
sugiera. Yo he aprendido que una persona puede salir
con un grupo o sentirse aceptado por un grupo, pero
que siempre debería integrarse en el grupo con cuidado, con tiempo, con cierta distancia emocional, sin
excesivo entusiasmo ni prisa, sin olvidar que los gran-*

des amigos pueden convertirse en enemigos, de la misma manera que también hay que odiar con moderación a los grandes enemigos, pues suelen tener mucho más en común con nosotros de lo que pensamos. Alguien que en el fondo no nos admire no dedica tanto tiempo a construir nuestra imagen en su cabeza como para odiarnos.

Supongo que me estoy yendo de madre, porque usted lo que quiere es que le hable de Pumuky. Pumuky era mi amigo, pero a veces también le odiaba. Me cargaba. Pero le quería. Es así. Yo siempre pensé que Pumuky estaba loco, desde que le conocí, no tuve ninguna duda. A fin de cuentas, nadie hay que esté absolutamente cuerdo, y eso se lo podrá confirmar mi madre, que es psicoterapeuta, o psicoteraputa, como la solía llamar Pumuky, ya que estamos hablando de él. Lo decía de buen rollo, ¿eh?, en plan coña, que Pumuky a mi madre la adoraba, siempre lo decía: «Yo es que estoy enamorado de Sabina». Y lo decía en serio, no crea. De todas formas, Pumuky tenía fijación con las mujeres mayores, se lo dirá todo el mundo. Una de sus muchas frikadas. Mi madre no diría que Pumuky estaba loco, diría más bien que era narcisista. Exhibicionista sí era, por eso le venía tan bien ser el cantante del grupo, por mucho que todos supiéramos que ni tenía voz ni oído. Pumuky era exhibicionista y excesivo y exorbitante incluso, y había quien no podía soportarlo, a mucha gente le cargaba, pero era mi amigo, le quería.

Yo sentí algo por él desde la primera vez que lo vi, una necesidad de protegerlo, creo, que no quiero analizar porque eso lo he aprendido de mi madre, a analizarlo todo, y a veces quiero evitarlo, no quiero jugar a desmontar el mecanismo del juguete, para acabar entendiendo cómo funciona pero no poder volver a jugar con él, y por eso no quiero pararme a pensar si me dio por esa necesidad de protegerlo para poder sentirme superior, que es lo que probablemente me diría mi madre. El caso es que cuando lo vi por primera vez, ya le digo, me dio pena, me inspiró compasión. Y yo pensé: «A este pobre se lo van a merendar vivo», y me presenté inmediatamente y le dije cómo me llamaba, y desde entonces. Cómo miraba el cabrón, que ya nació con mal bajío. Y el mal bajío no se quita así como así... Era un chico delgadísimo, de una flexibilidad... no sé... como deshuesada, con todo el desaliño de una criatura que ha crecido demasiado deprisa. Pero entonces la delgadez no era un rasgo así como chic ni era tendencia ni era na, entonces Pumuky no había aprendido a sacar partido de su cuerpo flaco, no creo que él supiese lo que era el look heroine chic, y lo que vi yo fue un enano esmirriao, con unos enormes ojos azules que casi no le cabían en la cara chupada, parecía un muñeco de dibujos animados, un dibujito de manga o algo así. De ahí le vino el apodo luego, claro. Con el tiempo llegaría a ser un tío guapísimo, pero entonces todavía estaba disimulado dentro de un mocoso feúcho, aunque *ya con un poco de ojo se adivinaba el chulazo que Pumuky llegaría a ser en unos años, a sus anchas como dentro de un cuerpo a medida, pero conservando del niño aquellos ojos de un azul intenso en los que brillaba la luz.*

Me hice amigo de Pumuky en sixième, *cuando teníamos once años. Era raro en el Liceo que un alumno entrara tan tarde, lo normal era entrar a los cuatro, había muchas solicitudes de ingreso y muy pocos alumnos que se fueran dejando plaza libre, resultaba dificilísimo que le admitieran a uno en el Liceo, aún más difícil a partir de según qué edad. Más tarde me enteré de que el abuelo de Pumuky tenía el dinero y las relaciones para conseguir lo inconseguible, para robarle a quien fuera la tan ansiada plaza, pero entonces no lo sabía, ni lo hubiera imaginado viendo la cara de susto del chiquillo aquel. Lo que le puedo decir que ya desde aquel primer día pensé que se le había chalado la olla, por la manera en la que hablaba, a trompicones, por la forma en la que desviaba los ojos cuando le hacían una pregunta, por las incoherencias que musitaba a modo de respuesta.*

Pues eso, que yo siempre pensé que estaba loco, un jarto, le digo, que nada de lo que Pumuky hiciera o dijera podía sorprenderme, y que desde luego siempre supe que era autodestructivo, temerario incluso, pero si alguna vez lo tuve claro como el agua fue en París, la última vez que estuvimos en París, hace ya tres años, para ver a mi padre.

Mi padre se casó con una señora rica y vive en pleno boulevard Saint-Michel, *frente a los jardines de Luxemburgo, en un apartamento inmenso que debe de costar una pasta, un verdadero fortunón. Mi padre no curra, es el dueño de un restaurante en ese barrio, o uno de los accionistas, o algo por el estilo, y por allí aparece a diario, pero no precisamente a trabajar. Con la excusa de que va a controlar el negocio lo que hace es beberse unas cuantas botellas de champán diarias y luego va de mesa en mesa, saludando a los famosillos que comen y cenan allí, a los habituales del sitio, haciendo relaciones públicas según él, y el ridículo según yo. Nosotros, Pumuky, Mario y yo, nos preguntábamos a menudo qué coño habría hecho para engatusar a una de las mayores fortunas no ya de París, sino de Francia entera, y yo me acordaba de que mi madre suele decir que mi padre, de joven, fue escandalosamente guapo, pero hay que subrayar lo de que fue, porque ahora tiene la típica pinta de beodo: la nariz roja, la cara hinchada, la tripa prominente... Parece una caricatura, un personaje de los que salen en* Astérix. *Pero hay que decir en honor de mi padre y de su señora que se portaron de puta madre aquel verano, que nos acogieron a los tres, a Mario, a Pumuky y a mí durante quince días, y que mi madrastra —porque supongo que eso es lo que es, mi madrastra— no se quejó ni una sola vez de nuestra presencia, ni un mal gesto ni una mala cara. Eso es lo que tiene la educación exquisita, creo.*

LO VERDADERO ES UN MOMENTO DE LO FALSO

La mujer de mi padre estuvo casada antes. Y fíjese que digo la mujer de mi padre y no la nueva mujer de mi padre porque nunca he pensado en mi madre como en su mujer, ya que no tengo recuerdos de ellos juntos, nunca los vi como pareja ni los imagino ahora, se separaron cuando yo no había cumplido aún los tres años, y poco después mi padre pegó el braguetazo y pilló a la que sí que es definitiva y legítimamente su mujer, la señora que lo mantiene, porque yo tengo clarísimo que el restaurante no puede sostener semejante tren de vida, pero, y sobre todo, la señora que lo aguanta, porque hace falta valor para aguantar a semejante elemento, y conste que me jode hablar así de mi propio padre, pero es que es inaguantable, todo el día pedo, todo el día dando la nota, todo el día pegándole gritos a la pobre por cualquier gilipollez. Es un bocachancla de cojones, mi padre, siento decirlo pero es así. Se levantaba gritando: «MARIE CHANTAAAAAAAAL, ¿DÓNDE ESTÁ MI CHAQUETA AZUL?», *y así el resto del día, a todas horas, Marie Chantal esto y Marie Chantal aquello, y siempre a berrido limpio, y la pobre Marie Chantal divina e impecable, en su sitio, sin quejarse.*

En la casa vivía también la hija de Marie Chantal, que era una monada de cría, pijísima por supuesto, pero preciosa como una muñequita, es lo que tienen las niñas ricas y bien criadas: primero los genes, porque las mujeres muy guapas buscan hombres muy ricos, hipergamia se llama el fenómeno —que se lo diga Mario, que es el que ha estudiado Políticas—, y por eso los ricos suelen ser guapos, se trata de un fenómeno sociológico estudiado; y luego la crianza, la alimentación, las clases de equitación y de danza, la postura, los modales... Una monada, le digo, y Pumuky enseguida lo vio claro, «la niña es la heredera de todo esto, ¿no?, porque es hija única y tu padre evidentemente no le va a hacer un bombo a estas alturas a la Marie Chantal, que no creo que ni ella tenga edad ni a tu padre se le levante... Pues si la niña es la heredera, habrá que pegar el mismo braguetazo que pegó tu padre», y no lo decía en broma, le digo que Pumuky estaba mal de la cabeza. Se pasaba el día coqueteando con la cría y mi padre es tan gilipollas y la Marie Chantal no sé si tan sumisa o tan bien educada que ninguno le paraba los pies, y yo estaba acojonado porque pensaba que si Pumuky se la tiraba (a la niñata, digo) nos íbamos a meter en un follón de mil pares de narices, y ya le he dicho que Pumuky estaba loco y además adoraba meterse en líos, pero lo más tremendo era que él no quería tirársela, lo que quería era casarse con ella, no lo decía en broma aunque Mario pensara que sí, pero yo conocía bien a Pumuky y veía claro de cojones, como el agua, por dónde quería ir. Así que Pumuky empezó a seguirle la bola al jarto de mi padre, y a sus delirios alcohólicos, estábamos en plena campaña electoral y mi padre era fan total de Sarkozy, yo lo flipaba, claro, pero Pumuky le seguía la bola el muy cabrón.

«Que sí, que sí, Guillaume, que este país necesita un líder, un hombre fuerte, de convicciones». Y Guillaume por aquí y Guillaume por allá. Un par de jartos, los dos, lo que yo le diga.

Recuerdo una cena completamente surrealista. Marie Chantal no sabe cocinar, así que había encargado la cena a un restaurante libanés y nos había puesto la mesa toda apañada, con mantel de hilo y servilletas planchadas, maciza la vajilla de plata, espléndida la cristalería, no pegaba nada con la comida libanesa, si le digo la verdad, por más que la manduca viniera de un libanés de diseño y estuviera todo muy presentado y muy mono, no pega lo del mantel de hilo con el fatoush *y el* babaganoush, *pero supongo que allí radicaba el encanto, o se suponía que era así, cosas de pijos que ni entiendo ni entenderé. Mi padre ya llegó a la mesa mamao, porque venía de su restaurante, y cuando nos disponemos todos a sentarnos a la mesa Pumuky se sienta al lado de Coralie, y en ese momento Marie Chantal, en un rapto de lucidez, debió de darse cuenta de qué iba la cosa y le dijo: «No, Coralie, tú hoy presides la mesa», y Coralie, que sabía perfectamente que Pumuky le bailaba el agua y que estaba más que encantada con el pretendiente —porque Pumuky, quieras que no, siempre le había gustado a las mujeres, y aquella niña ya era prácticamente una mujer—, le replica: «No, mamá, aquí estoy perfectamente», y Marie Chantal, muy tensa, le repite: «Coralie, he dicho que hoy presides la mesa y no*

se hable más», *y la niña que no y la madre que sí, todo*
muy cortésmente y entre sonrisas, eso sí, y de pronto
el jarto de mi padre que se le va la pinza: «JODER,
MARIE CHANTAL, ¿ES QUE TIENES QUE PASARTE LA VIDA
DIRIGIENDO A TODO EL MUNDO?». *Acompañó el grito*
de un puñetazo en la mesa, y todo el contenido del
burdeos de su copa carísima de cristal de Bohemia se
derramó sobre el mantel de hilo. Nos quedamos pa-
ralizados, Coralie, Pumuky, Mario, yo, pero sobre todo
Marie Chantal, que no rechistó, no movió un múscu-
lo de la cara, no apretó los labios ni contuvo una lá-
grima, en mi vida había visto yo semejante prodigio
de autocontrol. Marie Chantal se sentó a la mesa como
si tal cosa y empezó a servirnos la comida. Nos senta-
mos todos y mi padre siguió picoteando sobre esto y
sobre aquello en un delirio incoherente, mezclando a
Sarkozy con Ségolène, a las churras con las merinas y
al culo con las témporas, y nosotros, por imitación de
Marie Chantal, fingíamos que aquello era normal,
que allí no había pasado nada, achantaísimos, hasta
que de pronto mi padre se levanta y se va a sentar al
sofá del salón contiguo al comedor, y pone un disco de
Renaud y empieza a cantarlo a voz en grito, desafi-
nando como una hiena, y en éstas se levanta Pumuky,
se sirve una copa de vino, se sienta al lado de mi padre
y allá que los ves a los dos cantando a pleno pulmón:
Camarade bourgeois, camarade fils-à-papa, la Triumph
en bas de chez tooooooooooi, le p'tit chèque en fin de
mooooooois, *que, como usted comprenderá, resulta-*

*ba tan absurdo como un nazi judío, porque si hay en
París un burgués acomodaticio es mi padre, que no es
hijo de papá, o puede que sí, pero que desde luego sí
se ha casado con una hija de papá, y es el padrastro
de otra, y yo me daba perfecta cuenta de que Pumuky
en parte se estaba descojonando de él pero en parte
quería seducirlo, y luego se me vino a la cabeza otra
explicación digna de mi madre: que Pumuky quería
un padre, y que le daba igual si mi padre era un borracho impresentable, si al fin y al cabo su madre también lo había sido. Pumuky quería un padre y me
estaba robando el mío. Pues que con su pan se lo comiera, o con su* fatoush, *y al final entre Marie Chantal y Pumuky le metieron al viejo en la cama, mientras yo pensaba que qué suerte tan grande he tenido
de vivir toda la vida con mi madre.*

*Lo más fuerte vino dos días más tarde, cuando
el gilipollas del Sarkozy, que por entonces era ministro del Interior, envió a las CRS a contener las manifestaciones de estudiantes. Los chavales se manifesta-
ban en contra del contrato de primer empleo, y no sé
si usted lo recuerda, pero en la* banlieue *habían quemado coches y todo. Para restablecer el orden, el presidente Chirac, el primer ministro Villepin y el ministro del Interior, que por entonces era Sarkozy, antes
de que fuera presidente, estuvieron, por una vez, completamente de acuerdo, pese a que Villepin y Sarkozy
se odiaban a muerte: había que imponer la mano dura,
la represión brutal. Cada vez que bajábamos a la*

calle nos encontrábamos en las mismas: manifestaciones, paros, caos, la ciudad tomada. Se desplegaron helicópteros y casi diez mil policías, incluidas las famosas Compañías Republicanas de Seguridad. No sé si usted ha visto fotos de las CRS. Más que policías, parece que se han escapado de una viñeta de cómic, como hermanos de carne y hueso del Robocop de titanio. Se protegen la parte superior del cuerpo con unos minichalecos de un material ultrarresistente..., espere que me acuerde del nombre..., esto..., policarbonato, sí, como politoxicómano, policarbonato, chalecos antitrauma les llaman, que les dan un aspecto así como de armadillos gigantes e inexpugnables, o como los hermanos azules y macarras del muñeco de Michelin. Para acabar de blindarse, usan protectores en las rodillas y espinillas, por lo de la defensa ante las patadas, y guantes anticortes. Llevan también cascos de fibra negros con dos rayas amarillas, la cara tapada por un pasamontañas y un escudo enorme, de no sé qué plástico ultramoderno supermolón y superresistente, antibalas. Todo este difraz de ciborg no está diseñado, creo yo, solamente para proteger a los maderos, sino, además y sobre todo, para impresionar a los manifestantes, porque es verdad que ya sólo con verlos te acojonan, es un truco psicológico más que una defensa real, creo. Los veíamos allí, en la calle, y no daban una impresión humana, sino que parecían más bien un ejército de androides..., aaaargh..., entrenados para matar. Villepin y Chirac habían pedido *la restauración del orden. Si no recuerdo mal, el cabrón de Villiers también había defendido el orden e incluso había recomendado el envío del ejército para sofocar la rebelión. ¿Pero de qué tipo de orden hablaban? Del orden de una república que está podrida hasta la médula, basada en la estafa y la corrupción. Del orden en el que un pequeño número de grandes capitalistas sometía a toda la sociedad a su sed de beneficios y poder. De un orden en el que los jóvenes deben aceptar pasivamente su suerte: trabajos precarios, vivienda escasa, futuro imposible. De un orden en el que los trabajadores deben estar sometidos a las leyes del mercado, en el que los ricos son más ricos y los pobres, más pobres. De un orden mentiroso que niega que la gente de los suburbios se hacina y se muere de hambre, presentándolos alegremente como un terreno abonado para el fundamentalismo islámico, para los criminales e incluso los terroristas... En fin, perdone que me exalte de esta manera, no quería soltarle arengas, es que se me pega el discurso político de Mario. Todo se contagia, menos la belleza.*

El día del Martes Negro, por supuesto, bajamos a ver la que se había montado en el boulevard *Saint-Michel. Mi viejo también, claro, iba tajao como una cuba y largando su rollo de siempre sobre la necesidad del puñetero orden. Setecientas mil personas en la calle, cuatrocientos detenidos, y mi viejo borracho, desvencijado sobre el sofá de su no menos desvencijado sillón de anticuario. En la calle, las CRS se habían agrupado en formación, varias filas unas tras otras, los escudos en alto, no sé cuántos podría haber, cien quizá, quizá más, no podía contarlos, pero el efecto era impresionante. Parecían unos insectos transgénicos, enormes, a punto de devorar a los manifestantes. La primera fila había colocado los escudos a modo de barrera, de forma que cuando algún manifestante intentaba lanzarles una piedra, o cualquier otro proyectil, rebotaba contra el escudo. Había dos tanques, o lo que a mí me parecieron tanques, camiones negros. De vez en cuando, de la inmóvil formación de insectos surgía algún bote de gas lacrimógeno hacia los manifestantes, y la masa reculaba mientras se tapaba la cara con los pañuelos, muchos de ellos palestinos, que llevaban alrededor del cuello en previsión de casos así. Algunos se cubrían con el pañuelo también para evitar ser reconocidos o fotografiados. Mario estaba encantado con lo que veía y teorizaba y peroraba, largando excitadísimo, sin poder parar, como si le hubieran dado cuerda. Nos decía que revueltas ciegas como la que estábamos presenciando no sólo eran el resultado directo del callejón sin salida del capitalismo, sino también fruto de quince años de fracaso de los gobiernos de izquierdas, que se habían contentado con aprobar algunas reformas menores pero que no cambiaron en nada el carácter rapaz y reaccionario del sistema. Mario, no sé si se lo he dicho, estudiaba y estudia Políticas, y va de izquierdoso por más que es hijo de dos pijos de la muerte. Tiene un discurso cui-*

dadísimo, ahora ya no larga tanto, desde lo de Pumuky, pero entonces era como una máquina de oratoria, una verdadera ametralladora verbal, se lo juro, con sus palabras y sus frases aprendidas de memoria. Yo ya no voy de nada, no intento cambiar las cosas, sólo cuento lo que veo. Nosotros lo contemplábamos todo desde una esquina, sin implicarnos, nos habíamos colocado cerca de la prensa internacional porque Mario se había encontrado a uno de Antena 3 al que conocía de Madrid, el tipo era amigo de su madre (que es una escritora famosa, creo que usted ya lo sabe) o le había hecho una entrevista o algo, y el periodista nos había sugerido que mejor nos estuviéramos en la esquina y quietecitos, que los Robocops podían cargar en cualquier momento, en cuanto les dieran la orden. Y en éstas que a Pumuky le da una de sus pájaras y se va con el grupo de locos, precisamente con los que se habían plantado frente al batallón de CRS y ya se le va la pinza del todo y hace la gilipollez del siglo. Agarra un cascote del suelo (había cientos), se acerca al grupo de los Robocops y lo estrella contra un escudo. Yo me dije: «Este tío está loco, lo van a matar». Y por primera vez lo vi claro y meridiano, que el Pumuky era un suicida y que era cuestión de tiempo que se matara de una manera u otra, drogándose o conduciendo borracho o pegándose un tiro. Le vi ese brillo de jarto en los ojos que ya le había visto antes, ese resplandor destructivo, esa ira ciega. Pumuky siempre había odiado al mundo y de paso se odiaba a sí mismo, o al revés. Y por eso acabó como acabó, varios años más tarde, usted ya sabe cómo, con un tiro en la cabeza. En algún momento la formación recibió la orden de cargar y empezaron a avanzar, atronando con los pisotones de sus botazas, tump, tump, tump, y aporreando los escudos para hacer ruido. No se imagina usted el estruendo, dolían los oídos, en serio se lo digo. El de Antena 3 nos dijo que nos quedáramos quietos, que no nos moviéramos, que era mucho peor correr, y Mario y yo nos quedamos clavados en el suelo, temblando como hojas. La formación se abrió para evitarnos y siguió adelante, ciega. De vez en cuando pillaban a alguno y lo rodeaban haciendo círculo con los escudos, para poder emprenderla a hostia limpia con el pobre infeliz sin que las cámaras pudieran grabarlo. Todo era descontrol, humo y ruido, fragor de batalla. Pumuky había desaparecido. No volvió por casa de mi padre hasta la mañana siguiente, sudoroso, exhausto y feliz. Se había ido de marcha con los manifestantes. Y en los ojos de la niñata Coralie se adivinaba una encendida devoción de colegiala.

Una mujer carnívora

Hojeando el suplemento dominical del periódico, Olga se topa con la sección de Ideas de Belleza y ve ¡dos dildos, dos! No da crédito a sus ojos hasta que, fijándose en la letra y no en las ilustraciones, descubre que el dildo *a* es en realidad un tratamiento localizado que rellena las arrugas y combate la flacidez envasado, precisamente, dentro de un recipiente metalizado de forma claramente fálica, y el dildo *b* es, sí, otro tratamiento antiarrugas que se presenta en formato sospechosamente similar. Piensa Olga entonces en la máscara de pestañas que ella usa, y que también recuerda a lo que recuerda, porque el capuchón es cilíndrico y de punta redondeada, no roma como antaño, y el envase es claramente más grande y más ancho que el de su antiguo rímel, cambio al que Olga no le ve ninguna utilidad práctica teniendo en cuenta que el cepillo de aplicación no ha cambiado de tamaño y que, siendo su neceser de maquillaje más bien mínimo, para poder llevarlo en el bolso sin problemas de espacio o peso, siempre agradece los productos que se presentan en formato pequeño. E inevitablemente piensa en la clásica barra de labios de toda la vida, cuyo mecanismo siempre le ha recordado al de una erección. Y se pregunta: ¿el envase de los antiarrugas me sugiere que si rejuvenezco voy a tener más vida sexual, o más bien me permite comprarme un consolador sin tener que arriesgarme a entrar en un sex shop y que me vean y que luego los conocidos lo comenten?

Olga concluye que los diseñadores de productos cosméticos pasan por alto una verdad como un templo pero que la gente tiende a olvidar: las señoras con arrugas también follan.

Cuando tenía veinte años los obreros silbaban a su paso por la calle, los ejecutivos trajeados se quedaban mirándola embobados en la sala de espera de los aeropuertos y los adolescentes le sonreían tímidamente en los vagones de metro. Ella nunca concedió mayor importancia a la atención que despertaba. Creía a ciegas en las palabras que su madre solía repetir: los hombres sólo piensan en lo único. Y estaba convencida de que la ojeaban como a cualquier otra presa, que nada de excepcional había en su atención.

Cuando tenía veinticinco se lió con su profesor de Ética, que había decidido perder el respeto al nombre de su asignatura y saltarse a la torera la regla no escrita de que un docente nunca intima con sus alumnas. Este señor tenía una amiga de su misma edad con la que a menudo salía a tomar café. Se trataba de una mujer muy interesante, pero ella nunca sintió celos. Sabía de sobra que por muy vivida y culta que fuese la amiga, nunca resultaría sexualmente atractiva para su novio, porque a la experiencia y las lecturas de aquella señora contraponía ella su cuerpo joven, sus senos airosos, sus nalgas turgentes, su entusiasmo y su energía, y que el profesor, por muy profesor que fuera, era como todos los demás hombres, y sólo pensaba en lo único.

A los cuarenta parece que una barrera de invisibilidad se ha erigido en torno a su persona. Aquellas miradas que antaño la atravesaran han encontrado otros objetivos y ahora se abaten sobre alguna chica joven que en la acera, en la sala de espera del aeropuerto o en el vagón de metro, avanza orgullosamente encaramada sobre sus tacones. Ahora Olga se ha convertido en la amiga interesante de varios señores maduros que de vez en cuando quedan a tomar café con ella o la acompañan al cine, y que a veces le cuentan incluso sus problemas con sus novias y amantes, siempre mucho más jóvenes que ellos.

Estos amigos son hombres que se separaron hace un año de mujeres que tenían su edad, y que se han encontrado, de la noche a la mañana, sin vida social, pues la mayoría de los que antaño constituyeron su farra querida (que diría Gardel) viven en un adosado en las afueras de la ciudad, junto con su mujer y sus niños, y casi nunca salen ni a tomar café ni al cine, y mucho menos de copas. Ella no se ha quedado sin vida social, porque sus amigos gays no tienen ni mujer ni hijos, y sí mucho tiempo libre para dedicárselo a una mujer interesante y leída, y a veces piensa que prefiere la compañía de estos hombres a la de sus confidentes heterosexuales, que la aburren con la nostalgia de sus ex novias y los alardes de las proezas de la nueva. Cuenta también con algunas amigas separadas de ese tipo de hombres cuarentones que a día de hoy salen con chicas monas de veinticinco años. De vez en cuando tiene la impresión de que sus amigos heterosexuales no ven en ella sino una mascota, pues la nueva novia jovencita suele vivir en casa de sus padres y no está siempre disponible, y se pregunta si su ex marido, que sale con una chica que no ha cumplido los treinta, no habrá encontrado también una amiga interesante de cuarenta años a la que le cuente lo que vivió con ella, y los problemas que tiene con la nueva novia. La vida se le presenta así como una enmarañada red de relaciones en la que todos, a la postre, están conectados unos con otros con apenas dos grados de separación. A veces siente pena por sí misma, y se siente utilizada. Y por momentos siente pena de esos niños grandes que todavía no han conseguido superar la necesidad de contar con una mamá que los proteja, que los escuche y los acune, y que los envuelva en una cálida manta de amor incondicional.

Olga casi nunca cuenta a nadie que ella también tuvo sus historias con chicos de veintipocos años. No lo suele contar porque acabaron muy mal.

Todo empezó antes de su separación, —antes de que el grupo fuera famoso y antes, por supuesto, del trágico accidente de Pumuky—, en la sala de espera de la Terminal 4. Olga taconeaba, y le encantaba escuchar el repiqueteo de sus zapatos, toctoctoc-toctoctoc. Se sentía guapa, en parte, por los tacones —casi nunca llevaba zapatos altos, por incómodos, pero con ellos se sentía otra mujer, poderosa, con el trasero erguido y, además, había leído en algún suplemento que los tacones ejercitan los músculos vaginales, lo cual le había parecido una soberana chorrada aunque había contribuido a reforzar subliminalmente la asociación tacones-sexo—, y en parte por los pantalones nuevos, unos vaqueros que le venían ligeramente grandes y cuyo roce era como una caricia en la cintura.

Años atrás, cuando Olga era todavía una joven promocionera, tenía que coger el puente aéreo a menudo. Por entonces el puente aéreo era aún caro, y novedoso, una forma de viajar diseñada casi exclusivamente para ejecutivos. En la sala de embarque ella era una de las pocas mujeres, casi siempre la única que no iba vestida de traje de chaqueta y, en apariencia, la más joven. Las miradas de los ejecutivos trajeados se flechaban hacia ella en todas las direcciones, desde las diagonales, más o menos recatadas, a las que caían a plomo, con todo el descaro de su horizontalidad. A ella le gustaba sentirse mirada, pero no lo consideraba un honor, un privilegio, un homenaje o un regalo. Simplemente creía que aquélla era la naturaleza masculina, depredadora, y que todos los hombres maduros perseguían a las chicas jóvenes. Nunca tuvo conciencia de ser especial.

Casi veinte años más tarde sabía que sí, que había sido especial, que si la miraron tanto en su día fue por algo. Y lo sabía porque ya no la miraban, porque ya había perdido ese *algo*, la insolente belleza de la juventud. Olga todavía era una mujer guapa, pero ya no era *vistosa*, aunque resultaba indudable para cualquier hombre que la conociera, y que apreciara su franqueza y su seguridad, que en otros tiempos no había asumido su belleza de veinte años, de la misma forma que no la asumía a los cuarenta, pese a que muchos la encontraran más hermosa, al tratarla a fondo, que la niña sin aplomo cuyas ruinas la mujer poderosa creía habitar. Olga, repito, era atractiva pero no llamativa y por eso, a pesar del taconeo y de los vaqueros ligeramente anchos, ninguno de los ejecutivos trajeados que esperaban el embarque del avión destino Barcelona se fijaba demasiado en ella.

Y ella seguía taconeando, toctoctoc, veinte pasos, vuelta (ese giro que hacen las modelos en la pasarela, sin levantar los pies del suelo), toctoctoc, otros veinte pasos, vuelta, y de pronto supo que, a su espalda, alguien le clavaba la mirada. No podía verlo pero lo sintió con tanta intensidad como si le hubieran tocado en el hombro. Se giró. Y lo vio: era aquel chico, Romano, el bajista de los Sex & Love Addicts.

Lo había conocido un mes atrás, semana más semana menos, en La Taberna Encendida. No era un bar que ella frecuentase mucho. De hecho, ella casi nunca salía de copas. Por cuestiones de trabajo le tocaba asistir a muchos conciertos y presentaciones de discos, así que su tiempo libre lo dedicaba a ir al cine o a leer, no a honrar de nuevo con su gratuita presencia locales de moda que tenía que pisar obligatoriamente, por imposición laboral, dos o tres veces por semana. Pero aquella noche pinchaba Saúl, el novio de Óscar, y él le había pedido, como favor personal, que se pasase por allí a hacer bulto.

Acodada en la barra junto a Óscar, casi dispuesta a irse —pues ya habían pasado las doce y media y al día siguiente, como todos los días laborables, ella debía levantarse a las ocho—, vio llegar a tres chicos muy jóvenes, que le llamaron la atención por la contundente presencia física. Diríase un anuncio de ropa o de cervezas, un grupo de jóvenes vestidos a la última, cachorros agresivos con el cabello estilosamente desgreñado. Uno de ellos en particular, un rubio que no aparentaba más de veinticinco años, era tan guapo que indudablemente tenía que ser modelo. Olga le pegó un codazo a Óscar.

—¿Has visto lo que llega por ahí?

Óscar entornó los ojos para forzar la vista, pues era ligeramente miope, pero no llevaba nunca gafas, excepto para trabajar, porque pensaba que no le sentaban bien.

—Esos chicos me suenan... El rubio sobre todo.

—Lo habrás visto en un anuncio.

—No, en un anuncio no... Espera... Ya caigo. Son de un grupo. Un grupo indie, joder, tengo el nombre en la punta de la lengua... ¿Love Junkies? No... ¿Sex Addicts? No, tampoco... Bueno, algo así... Al bajista lo conozco, viene mucho por aquí, es superamigo de Saúl.

El nombre le decía algo. Recordaba haber leído alguna crítica elogiosa sobre un grupo con un nombre parecido en el *Mondo Sonoro*.

—Joder... Tienes que saber quiénes son, Olga. Si he leído por alguna parte que vosotros los ibais a fichar.

—Sí, como para fichar a grupos indies estamos nosotros...

—Me dirás que el rubio no está para ficharlo...

—No te lo niego, pero te diré que ya tenemos un grupo con un cantante que está más o menos igual de bueno que el rubio...

El trío de bellezones se iba acercando a la barra. Uno de ellos, un moreno que iba vestido de negro de la cabeza a los pies, se acercó a Óscar.

—Hola, tú eres el novio de Saúl, ¿no? —El moreno alzó la vista hacia la cabina del DJ—. Esta noche pincha... Ya veo... Qué bien, me gusta muchísimo.

—¿Ah, sí? Pues deberías decírselo. Le va a encantar. No cuenta con un club de fans precisamente.

—Ah, pues se lo digo cuando quieras... ¡Sonia, que estamos aquí!

La camarera a la que iba dirigida la frase, una chica mona, no particularmente guapa de cara, pero con unas piernas espectaculares, se dio por aludida.

—Ya os he visto, que no soy ciega. Ahora voy para allá.

—Estaba aquí comentando con Olga, mi amiga... ¿Vosotros no ibais a fichar con Sony BMG?

—¿Nosotros? Qué va...

No sé, me sonaba haberlo leído... Es que Olga trabajaba en Sony BMG, de hecho *dirigía* Sony BMG.

—No exageres. Era la jefa de marketing. Ahora trabajo en Esfinge.

El moreno desplegó una sonrisa amistosa. Olga se preguntó si se la habría dedicado de no haber sido previamente informado del cargo que ella había ocupado.

—¿Esfinge? Es la promotora, ¿no?

—Esa misma. Ya sabes. Esfinge: actividades misteriosas.

El chico explotó en una carcajada —la misma carcajada que celebraba el chiste cada vez que Olga lo contaba— que dejó al descubierto una hilera de dientes relumbrantes, como un anuncio de dentífrico.

—Ah, pues encantado. Yo soy Romano, y estos dos —por sus amigos— son Mario y Pumuky. Y tú,

¿cómo te llamabas? Sé que eres el novio de Saúl, pero no recuerdo tu nombre...

—Óscar, me llamo Óscar.

Sí, se trataba del mismo chico, Romano. El chico de la sala de embarque era el mismo al que había conocido aquella noche en La Taberna Encendida. No habían estado hablando mucho rato, puesto que Olga —ya lo he dicho— tenía que levantarse temprano a la mañana siguiente, y dejó el local apenas diez minutos después de las presentaciones y de la charla intranscendente que las sucedió. Pero una cara como aquélla no se olvidaba. No era, ni de lejos, tan guapo como el cantante rubio, aunque no se podía negar que Romano era lo que se suele llamar un chico *mono*. Muy mono. Y allí estaba, en la sala de embarque, sonriendo.

Ella redirigió su taconeo, en respuesta a la sonrisa.

—¿Te acuerdas de mí?

—Claro, cómo no me iba a acordar... Olga, te llamas Olga, y el otro día no quisiste quedarte a tomar una copa con nosotros.

—Tenía que irme a dormir. ¿Vas a Barcelona? —Al momento se dio cuenta de lo ridículo de la pregunta, porque si el chico no fuera a Barcelona a santo de qué iba a estar en aquella sala de embarque.

—Sí, claro, tú también, supongo.

Ella asintió con la cabeza.

—Yo voy a un concierto. Tocamos esta noche.

—Y los demás, ¿no viajan contigo?

—Han salido en furgona esta mañana... Te cuento... —prosiguió él, alentado por la cara de interés de Olga—. Primero hemos salido tarde, teníamos que salir a las siete de la mañana pero Pumuky no se ha levantado, claro que eso no es ninguna novedad porque es lo que nos pasa siempre con Pumuky, que él se acuesta a las seis, no se levanta a las seis, y luego, cuando hemos ido a recoger los trastos al local de ensayo, me he dado cuenta yo de que me había dejado la cartera en casa y también, y esto es más importante, el multiefectos del bajo, y sin el multicfectos no puedo tocar. Así que ellos han seguido el viaje porque si volvíamos a mi casa no llegaban a tiempo para la prueba de sonido que tiene que ser por la mañana por no sé qué historias de la sala, además de que por la tarde tenemos que hacer entrevistas. Y yo me he tenido que coger el puente aéreo. Que, la verdad, por mí, mejor, tía, porque a mí el viajecito de seis horas en furgona como que no me mataba de ilusión precisamente... Esto..., ¿te estoy aburriendo?

—No, no, qué va —mintió ella—. Te entiendo perfectamente, qué horror de viaje —dijo Olga, aunque poco tenía que entender ella porque hacía muchos, muchos años que no le tocaba comerse un viaje Madrid-Barcelona en furgoneta.

—Bueno, por lo menos me libro de la prueba de sonido. Con un poco de suerte, prueban sin mí.

—¿Pueden?

—Sí, no sería la primera vez. Mujer, siempre sería mejor que estuviera yo, pero... Huy, mira, están embarcando. Oye, ¿qué número de asiento tienes?

Ella comprobó la tarjeta, un poco sorprendida ante la pregunta. Si el chico quería saber qué asiento iba a ocupar era, presumiblemente, para saber si se sentarían juntos y, teniendo en cuenta que apenas se conocían, la cuestión estaba un poco fuera de lugar. Pese a todo, fuera por educación o fuera porque se sintió halagada, le dijo el número de su asiento.

—14 A. Ventanilla.

—25 C. Pasillo... —Durante unos segundos se miraron a los ojos cada uno, esperando a que el otro dijera algo.

—Vaya, qué pena —acertó por fin a decir Romano, y por la cara que ponía estaba sinceramente apesadumbrado, o era muy buen actor—. Bueno, no importa. —Aquí la expresión se le iluminó—. Seguro que alguien nos cambia el sitio, se lo preguntamos a la azafata. Yo ya lo he hecho alguna vez.

Olga estaba cada vez más sorprendida ante el desparpajo de aquel chaval que no sólo estaba acostumbrado a cambiar asientos en un avión sino que además daba por hecho que una casi desconocida que podría ser su madre —madre que parió siendo adolescente, pero su madre— estaría deseosa de sentarse a su lado. Durante unos segundos se le pasó por la cabeza soltarle algo así como «No, no te preocupes, no merece la pena, además tengo unos informes que revisar durante el vuelo» (lo de los informes, por cierto, era verdad), pero ¿cuántas oportunidades se le presentaban al año de flirtear con un chico joven y guapo? Decidió, pues, seguirle la corriente.

Sorprendentemente, o no tan sorprendentemente, acabaron sentados en asientos contiguos, después de que Romano le hubiera explicado el problema a la sobrecargo con voz de azúcar y ojitos de cachorro, y tras que la sobrecargo reubicara (en terminología de la compañía aérea) a un pasajero que estuvo dispuesto a hacer el cambio. Cuando la azafata pasó con el carrito de las bebidas, Romano propuso brindar para celebrar el encuentro. Olga declinó al principio la invitación porque, como le explicó, ella nunca bebía de día, y mucho menos si se dirigía a una reunión, pero, ante la insistencia de Romano, se avino finalmente a compartir un benjamín de champán. El gesto le parecía de lo más infantil aunque, al fin y al cabo, ¿qué se podía esperar de un chico tan joven?

—En realidad —le explicó él, copa en mano—, yo bebo para calmar la ansiedad, que es una ansiedad ridícula, porque si lo piensas fríamente tienes muchas más posibilidades de palmarla en un accidente de coche que en uno de avión, por pura estadística, pero no lo puedo evitar, a mí los aviones me ponen un poco nervioso... Mi madre tendría mucho que decir sobre eso.

—¿Tu madre?

—Es que mi madre es psicoterapeuta. Igual te suena el nombre, es más o menos conocida. Ha escrito varios libros, y también sale en la tele, en un programa de esos de marus, de sobremesa, dando consejos. Cuando voy con ella por la calle le paran las señoras cada dos por tres para felicitarla, no veas qué marrón. Se llama Sabina Ragès.

—Pues no, no me suena el nombre, lo siento.

—Sí, es que tú no tienes ninguna pinta de ver programas para señoras.

Si el chico hubiese sido diez años mayor o ella diez años más joven, Olga habría dado por hecho que él estaba intentando seducirla pero, dada la diferencia de edades, y sumándole a este factor otros dos, el primero que Olga no se sentía una mujer muy guapa y el segundo que suponía que un chico tan poderosamente atractivo, y que además tocaba en un grupo de moda, se acostaría cada noche con una grupi diferente, Olga no pudo por menos de pensar que la razón por la que Romano se mostraba tan amable con ella se debiera o bien a que se aburría y quería estar al lado de alguien para descargar la ansiedad que, según él mismo había confesado, le provocaban los aviones, o a que desde que sabía que ella dirigía una promotora de conciertos —la promotora de conciertos más importante del país, de hecho— estaba intentando impresionarla.

Quién sabe si animado por el benjamín de champán o quizá porque su propia naturaleza fuera así de expansiva, el caso es que Romano hablaba sin parar. Al rato, Olga se sabía la vida y milagros del grupo. Que estudiaron los tres en el Liceo Francés y que se conocían desde pequeños. Que Romano era el único que sabía leer una partitura, porque a los tres años su madre le llevó a un taller de psicodanza para desarrollar la creatividad (es lo que tienen las madres terapeutas) y la profesora había dicho que el niño tenía verdadero talento para la música, así que la madre lo llevó a una escuela muy progresista donde se enseñaba música a los niños a partir del método didáctico Yamaha, basado en las formas y los colores, pues se suponía que la enseñanza tradicional del solfeo castraba la imaginación. Que Pumuky no cantaba un pijo y tocaba como el culo, pero que era un exhibicionista nato y le encantaba subirse a un escenario a dar botes, y que la peña no se enteraba de si el tío cantaba o metía berridos, y tanto que les daba. Que el Mario tampoco tenía mucho oído ni demasiado ritmo, aunque era un auténtico *geek* informático y, por ende, un genio de la programación, y que al final, si el grupo tenía un mínimo de coherencia musical, era por él, por Romano, aunque las letras las hacía Mario, pero vamos, que tampoco se rompía la cabeza ni nada de eso, y... Pero lo que Romano era le distraía de lo que Romano decía. Y aunque Romano no fuera espectacular, desde luego, sus facciones tenían una belleza clásica, sosegada —el puente perfectamente recto de la nariz, los labios finos, la mandíbula cuadrada— que resultaba muy atractiva aunque algo pasada de moda. A Olga le llamaba poderosamente la atención el contraste entre la piel, muy pálida, y el pelo, negro como ala de cuervo. Se preguntó si lo llevaría teñido, una posibilidad nada remota teniendo en cuenta que el chico tocaba en un grupo, pero el caso es que los góticos se teñían el pelo de un negro mate, estilo Marilyn Manson, mientras que el tono de Romano tenía reflejos casi rojizos, así que o bien era natural o se trataba de la obra maestra de un peluquero muy hábil. ¿Y los labios? ¿Los llevaba pintados? Desde luego, eran demasiado rojos. Puede que se los hubiera pintado por la mañana y lo que quedara no fueran sino los restos del carmín aplicado precipitadamente al despertarse o, por qué no, la noche anterior, para irse de fiesta, y después se le habría olvidado —o no sabía— desmaquillarse.

Cuando la voz de la sobrecargo anunció desde el altavoz que en breves momentos aterrizarían en el aeropuerto de Barcelona, Olga pensó que el tiempo se le había pasado volando, nunca mejor dicho, y se dijo que en su vida había conocido a un chico tan entusiasta. Quizá, pensó, esté bajo el efecto de alguna droga y por eso habla tanto. ¿Coca? No, no lleva ojos de coca, puede que se haya tomado una pastilla. Pero hacía siglos que Olga no probaba las drogas, al menos las ilegales, y no podría identificar con seguridad si una persona iba o no iba puesta, como habría podido hacer quince años antes.

Ninguno de los dos tenía que recoger equipaje porque no habían facturado, de forma que se dirigieron a la cola de los taxis.

—Yo voy hacia L'illa —dijo ella—, no sé si te pilla de camino.

—Yo tengo que ir directamente a la Razzmatazz, en la zona del Parque de La Ciutadella.

—Yo voy a la Fnac de L'illa, en la Diagonal...

—No podemos compartir taxi, entonces.

—Podríamos, pero tú vas con retraso y yo también...

—Oye —dijo él—, esta noche te quedas en Barna, ¿no?

—Pues no había pensado... Casi seguro me vuelvo en el último puente aéreo.

—Tía, por favor, quédate y ven a vernos tocar. Es en la Razzmatazz, a las diez. Si quieres te pongo en lista de *backstage*...

—Pues no creo, voy a acabar muy cansada y... —Olga iba a añadir «Me esperan en casa», pero abortó la frase a tiempo.

—Te va a encantar, de verdad, te lo juro. Mira, yo te pongo en la lista de puerta de todas formas, ¿vale?, con pase *backstage* incluido. ¿Cómo te apellidas?

—Díaz, Olga Díaz —le dijo ella, ya con una mano en la manivela de la puerta del taxi. Y entonces reparó en que si de verdad él estuviera interesado en ella por su poder en Esfinge, se sabría de sobra su apellido.

A las diez en punto apareció en Razzmatazz, ni ella misma sabía por qué. Desde luego, ante nadie tendría que justificar el hecho de que hubiera reservado una habitación de hotel, a pesar de que, desde la crisis, la marca de cerveza que patrocinaba a la promotora había restringido al máximo los gastos, cuando hacía cinco años, antes de las copias piratas y del eMule, se despilfarraba con alardeos de nuevo rico, y nadie decía nada. Atrás quedaron esos tiempos de bonanza de BMG en que se organizaba un *showcase* de un grupo en un pequeño club de Londres sólo para obsequiar a un selecto grupo de periodistas y críticos un fin de semana en la ciudad con los gastos pagados (un soborno como otro cualquiera, nadie se atrevía después a hacer una mala crítica). En tiempos de crisis había que justificar todos los gastos al milímetro, como si una potencia invasora y corsaria hubiera saqueado las arcas de un antaño poderoso imperio. Pero era fácil justificar el dispendio de la habitación de hotel: la reunión se alargó y los de la Fnac la invitaron a cenar, y no quiso desairar la invitación de unos aliados tan importantes. (Era la Fnac la que vendía la mayoría de las entradas de los conciertos de Esfinge). Eso era exactamente lo que le había dicho a Iván, aunque a Iván no necesitaba justificarle nada. Hubiera servido con enviar un SMS: «No llego a dormir a Madrid, nos vemos mañana», pues hacía años que las efusiones de cariño sobraban entre ellos. Incluso, pensó Olga, probablemente Iván se alegraría de tener aquella noche toda la cama para él solo, y de permitirse poner la tele en la habitación, cosa que nunca podía hacer con su mujer en casa, ya que necesitaba silencio total antes de dormir y la cháchara del aparato la desconcentraba. Sí, Olga tenía una pareja estable y, como sucede en la mayoría de las parejas estables, se aburría mucho. Y por eso el flirteo de Romano se le antojaba promisorio como un canto de sirena. Quizá el chico no se sintiera atraído por ella, quizá hablaba demasiado porque iba puesto, o para descargar la ansiedad del miedo al avión, o quizá intentaba caerle simpático porque le interesaba que ella tuviera presente el nombre de su grupo a la hora de programar conciertos, pero quizá, quién sabe, toda la verborrea de Romano, y su luminosa amabilidad, respondieran a algo mucho más simple: quizá era de esos jóvenes a los que les dan morbo las mujeres mayores.

No esperaba encontrarse con tamaña avalancha de gente. Sabía que el grupo tenía sus seguidores, desde luego, pero no había siquiera imaginado semejante turbamulta. Fue como si hubiera llegado a la sala flotando en una burbuja, burbuja que había hinchado con el gas de la ilusión ante una posible aventura con un chico más joven, y como si, al llegar, el contacto con la cruda realidad hubiese hecho de alfiler para pincharle el globo. Pues la cruda realidad no era otra sino que Olga desentonaba en aquel ambiente como una cucaracha en una recepción de gala. Su pelo era demasiado largo, su indumentaria excesivamente formal, sus caderas anchas de más... No tenía ni la edad, ni el estilo, ni la pose, ni la actitud. Y entonces le resultó dolorosamente evidente que se había engañado a sí misma, que había visto donde no había, y que si Romano la había invitado al concierto no había sido por otra razón que la de que ella era quien era, y no era Olga, sino su cargo.

Dudó un segundo sobre si volver sobre sus pasos, regresar al hotel, tomarse un Orfidal y olvidarlo todo. Pero, al fin y al cabo, ella se había ganado el puesto por algo, y ese algo radicaba no sólo en su encanto, su inteligencia o su profesionalidad, sino, sobre todo, en que le gustaba la música, y en que tenía gusto e intuición y, sobre todo, mucho ojo para saber ver lo que podría o no funcionar en el mercado o ante la crítica, así que si allí había un concierto ella no se lo iba a perder, o al menos no se iba a perder el principio, por mucho desengaño que se hubiera llevado. De forma que se abrió paso como pudo, a codazos con la masa, en dirección al escenario, enseñó su pase *backstage* a un portero formato armario ropero y, una vez admitida entre los elegidos, justo en una esquina del escenario, abrió bien los ojos y las orejas.

Había que reconocer que el tal Pumuky sabía moverse en escena, provocando lo mismo que sugiriendo, alternando todo tipo de movimientos agresivos sin perder para nada el rumbo del concierto, con un no sé qué de desalentado y fiero en la actitud, cierta indulgente molicie de animal que vive, se alimenta, se rasca y se satisface al aire libre. El *geek* informático, el tal Mario, maniobraba el PC en directo añadiendo en la medida de lo posible algo más que bases disparadas. Y el contrapunto orgánico lo ponía el bajo de Romano y sus famosos multiefectos. Como bien dijera Romano, Pumuky no cantaba un pijo, ni falta que le hacía, porque su presencia en el escenario resultaba tan poderosa como para que al enfervorizado público le dieran completamente igual los gallos desafinados del ¿cantante?, y su evidente incapacidad para arrancar de la guitarra otra cosa que no fueran unos *riffs* distorsionados que un crítico benévolo llamaría punks y un observador con mala leche, un simple desastre. En cualquier caso, en directo parecían no importar los fallos de Pumuky, y en estudio esas cosas se arreglaban con un buen ecualizador y un guitarra mercenario.

Detrás del escenario había una pantalla que iba proyectando imágenes inconexas: soldados, *pin-ups,* perros, niños, camiones, edificios, un pene en erección, un árbol, una excavadora, una araña, un pene flácido, un zombi, un coche, un teléfono, un camión, unas manos, una niña negra, Freddie Mercury, un delfín, un cubo de Rubik, un ventilador, un tractor, una maleta, una geisha... Y sobre todas esas imágenes absurdas, frases sobreimpresas:

Monogamy is unnatural
Le spectacle est le gardien de ce sommeil
Una golondrina no hace verano
La révolution au service de la poésie
One man's terrorist is another man's
freedom fighter
La poésie au service de la révolution
Revolution is my boyfriend
Tout ce qui était directement vécu
Join the global intifada
S'est éloigné dans une représentation
Our body is a battleground
Dans le monde réellement renversé
Anatomy is not destiny
Le vrai est un moment du faux

Olga no entendía muy bien lo que querían decir aquellas consignas. Los chicos y chicas que la rodeaban probablemente tampoco. Pero funcionaba, claro que funcionaba. Un directo contundente. No era de extrañar que el grupo tuviera tantos fans. La pena es que nunca serían demasiado comerciales, pues se trataba del tipo de música que atrae a urbanitas muy sofisticados que, lógicamente, descargarían todas las canciones del eMule, el Vuze y el Soulseek, es decir, que llenarían los conciertos pero nunca comprarían un CD. Una banda de culto, otra más. Si hubieran aparecido en los ochenta los habría editado la Factory o Rough Trade y se habrían convertido en el típico grupo indie superventas, pero estando como estaban las cosas, iban a ser los reyes de Internet, nunca de las listas de ventas. No obstante, una banda con un directo así podía hacer giras muy largas. Tenían coherencia y una más que excelente imagen, sobre todo Pumuky, que era un auténtico animal de escenario: guapo, joven y claramente exhibicionista. Una pena que en el paquete no se incluyera una buena voz, o al menos un buen oído o, puestos a pedir mínimos, un oído pasable. Siempre se le podría incluir a una corista guapa que al menos le hiciera las voces de apoyo en los estribillos, estilo Cycle*, pero eso daría un aire muy machista a un grupo que incluía consignas feministas en las proyecciones. Claro que se podía utilizar un corista masculino, incluso que tocara la guitarra también, y quitarle a Pumuky la guitarra, al menos eso sería lo que ella sugeriría si fuera AR**.

---

* Grupo de música electrónica español, con cantante norteamericano y letras en inglés, que lleva una corista-bailarina-actriz: la China Patino.

** Artistas y Repertorio, la persona que en una discográfica elige a los artistas que se van a fichar.

Y de repente se dio cuenta de que estaba haciendo todas aquellas elucubraciones como si realmente estuviera considerando fichar al grupo, algo que de ninguna manera iba a hacer, porque ella ya no trabajaba en una casa de discos. No, no consideraba ficharles, no en aquel momento, desde luego, pero lo cierto es que resultaba evidente que se trataba de un buen grupo, potente, con discurso, y con seguidores que les adoraban. Y como a Olga le estaba gustando el concierto, decidió quedarse hasta el final.

Hacia el tercer o cuarto tema notó una mano que se le posaba en el hombro. Volvió la cabeza y se encontró con Enrique Marina, el mánager de los cinco millones, que era el mote que le había puesto Diego Manrique, uno de los críticos musicales más importantes del país, porque decía que Marina nunca fichaba a un grupo si no iba a poder pedir al menos treinta mil euros, cinco millones de pesetas, por concierto.

—Hombre, ¿qué haces tú aquí?

—Pues lo mismo que tú, ver el concierto.

—¿Los llevas tú?

—No, de momento no.

A Olga no le pasó desapercibido aquel «de momento». Conocía bien a Marina y sabía que no era hombre que se pasara a ver conciertos así como así. Muy bien le tenían que haber hablado de aquel grupo como para que se hubiera dignado a ir a verles tocar.

—¿Qué estás haciendo en Barcelona?

—Nada, unas cosas con Muchachito Bombo Infierno, y he venido a ver a esta gente porque me han hablado maravillas, y veo que tenían razón.

—Bueno, el cantante desafina un poco.

—Eso es parte de su encanto, mujer. Y tú, ¿qué tal estás?

—Liada, como siempre.

—Como siempre.

Hacía unos años, Olga se había sentido muy, pero que muy atraída por Marina. Por entonces ella trabajaba en el departamento de marketing de BMG y él todavía no se había convertido en el mánager de los cinco millones y trabajaba en una discográfica muy pequeña que desapareció poco después absorbida por una multinacional. Se encontraban en casi todos los conciertos, ella solía ir sola o acompañada por Óscar, y a él lo veía de cuando en cuando flanqueado por una morenita blanda y lacia que no articulaba palabra, ni para saludar, y a la que Enrique presentaba como su novia. Un día Olga se enteró de que Enrique vivía a dos calles de su casa, la mañana que se lo encontró desayunando en el mismo bar donde ella se tomaba un café en cualquiera de las numerosas veces en las que se levantaba demasiado tarde como para que le diese tiempo a preparárselo tranquilamente en casa. Desde

entonces, quedaban a veces para desayunar, una
costumbre muy inocente en principio, pero que
empezó a adquirir tintes de flirteo que se advertían
en detalles casi imperceptibles: las risitas infantiles
que se le escapaban a Olga, impropias de una mujer de carácter como ella, o los continuos roces de
Enrique, que cada dos por tres le apartaba un mechón de pelo de la cara o le tocaba el hombro para
subrayar una frase. Por entonces, ya hacía tiempo
que Olga vivía con Iván y ya hacía tiempo que el
sexo con su novio había dejado de ser una necesidad
para convertirse en un asunto esporádico que se
resolvía en media hora de juego previsible cada dos
fines de semana. Olga no quería dejar a Iván y no
pensaba que Iván quisiera dejarla a ella, pero tampoco quería que su vida sexual se estancara en semejante charca poco profunda para el resto de su
vida, y la perspectiva de una aventura sin excesiva
trascendencia con un amigo ya emparejado se le
antojaba la solución perfecta para cambiarlo todo
y que todo quedara como estaba, que hubiera dicho
Lampedusa. Y una mañana por fin se armó de valor
y le dijo a Enrique aquello de «¿Por qué no quedamos un día para cenar?», y él le respondió con
una sonrisa de oreja a oreja y le dio su teléfono, el
directo de la oficina. El detalle de que no añadiera
el de su casa, en una época en la que no existían los
teléfonos móviles, no se le pasó a Olga por alto.
Significaba que vivía con la morenita. Tanto mejor,

así las cosas resultarían más equilibradas. Olga guardó con mimo aquel papel garabateado en el bolsillo interior de su cartera, pensando en un traje rojo muy minifaldero que hacía siglos que no se ponía... ¿O sería demasiado evidente si aparecía a cenar llevándolo puesto? Al fin y al cabo, Enrique, como la mayoría de sus conocidos, la había visto siempre en pantalones.

Una semana había pasado y Olga aún no se había decidido a llamar a Enrique, aunque sabía que acabaría por hacerlo antes o después. No había encontrado el momento propicio, porque había andado un poco sobrecargada de trabajo. Y entonces, una mañana, subiendo por la acera en dirección al portal, se encontró con la morenita. Si Enrique vivía en la zona y vivía con ella, pensó Olga, el encuentro no tenía nada de excepcional, una casualidad como otra cualquiera, pero una casualidad muy poco bienvenida. Pensó que la morenita se limitaría a saludarla con una inclinación de cabeza y poco más pero, para sorpresa de Olga, se detuvo y, sorpresa doble, la saludó por su nombre. Olga ni siquiera recordaba cómo se llamaba la novia de Enrique. Siguió la conversación típica.

—Vives por aquí, ¿no? Creo que me lo había dicho Enrique. Nosotros también vivimos por aquí, en la calle San Pedro. Y tú, ¿en qué calle vives?

Cuando Olga se lo dijo, la morenita se ofreció a acompañarla. Ella iba al supermercado, le explicó, y le venía de camino. Durante los escasos cinco minutos en los que anduvieron juntas la chica se mostró de lo más amable.

—A mí me encanta este barrio, ¿sabes? Lo que pasa es que se nos va una pasta en el alquiler, y por eso estamos pensando seriamente liarnos la manta a la cabeza y comprar un piso, pero un piso por aquí nos saldría carísimo... —Y mientras la morenita (Olga no se había atrevido a preguntarle su nombre, pues eso implicaba reconocer que lo había olvidado) seguía narrándole las desventuras de su búsqueda de hogar, Olga empezaba a sospechar. Probablemente Enrique había mencionado los desayunos en alguna conversación y su novia, que no debía de ser tonta, había sumado dos y dos y estaba tratando de neutralizar a una potencial rival.

Cuando llegaron al portal, la morenita sin nombre sacó una libreta de su bolso y garrapateó un número en una hoja que acto seguido arrancó y le entregó a Olga.

—Éste es nuestro número, por si necesitas algo..., como somos casi vecinas.

Y entonces Olga supo que ya nunca habría nada con Enrique Marina. Hubiera podido haberlo cuando su novia no tenía cara ni nombre, o cuando sólo tenía cara, pero una cara borrosa entrevista en el ambiente poco iluminado de un concierto.

Pero ahora tenía cara.

Y voz.

Y nombre.

Lidia, leyó Olga.

Y decidió retirar la apuesta. Porque sabía que si se enganchaba a aquel juego no podría parar hasta ganarlo.

Acabado el concierto, el público pidió el bis de rigor y el grupo la emprendió con una versión electrónica del *Ceremony* de los Joy Division. Pelín visto el recurso, pensó Olga, pero efectivo, porque toda la masa coreó el estribillo como si fuera un solo hombre. Tanto mejor, porque Pumuky cantaba tan mal que la estaba destrozando. El tema acabó, el grupo desapareció y el público empezó a pedir otra, a la vez, otra, otra, otra, hasta que se unieron todas las voces en la misma petición. Volvieron a salir los tres. Pumuky agarró el micrófono y anunció:

—Quiero dedicarle esta canción al noventa por ciento de la gente con la que tengo que tratar a lo largo del día. A mis abuelos, a mis ex novias, al quiosquero que trabaja frente a mi portal y, muy especialmente, a los críticos del *Mondo Sonoro*. Y si queréis entender por qué se lo dedico, sólo tenéis que mirar bien a la pantalla.

Olga había identificado la canción a los tres compases. Era un éxito house muy conocido, pero lo estaban versionando de una manera mucho más limpia, sin tanto efecto. Romano hizo la entrada al bajo y ahí Olga se dio cuenta de que el chaval era tan bueno como malo era Pumuky. Era increíblemente bueno, en realidad. Por lo visto, el famoso método Yamaha había servido para algo.

En la pantalla aparecía sobreimpresa la letra de la canción:

You don't even know me
You say that I'm not living right
You don't understand me
So why do you judge my life?

I don't ask for nothing
I'm always holding my own
Everytime I turn around
There's something
People talking about what they don't know
And the way I try to move on up
They always pulling me down
I'm tired and I had enough
It's MY LIFE
And I'm living it right now

Pumuky cantaba mal, muy mal, pero sentía lo que decía. Era un mal cantante, pero un excelente intérprete. Por lo visto sus abuelos, sus ex novias, el quiosquero que trabajaba frente a su portal y, muy especialmente, los críticos del *Mondo Sonoro* lo tenían amargado. Se le veía de lo más enrabietado. De repente, agarró el micrófono y soltó...

—¡aaaaAAAAAAAAAAAAAAAAAAAAAA AAAAAAAAAA!

... un berrido estremecedor, y continuó:

Who are you
You say I'm not living right
Everything I try to do
You haven't been in my shoes

I'M GONNA **MOVE ON**

Otro berrido.

IT'S MY LIFE, IT'S MY LIFE, IT'S MY LIFE
You don't even know me.
Oh, you really FUCK around
You say that I'm not living right.
When I'm go in
You don't understand me.
So why do you judge my life?

Y acabó con todo el público cantando a coro con él.

You don't even know me
You say that I'm not living right

You don't understand me
So WHY DO YOU JUDGE MY LIFE?

Absolutamente entregados, toda la sala idolatraba a Pumuky. Un sujetador voló por los aires y aterrizó en el bajo de Romano, que sonrió y se lo pasó a Pumuky en un rapidísimo gesto, visto y no visto, para poder seguir tocando, Pumuky lo recogió, empezó a jugar con él ondeándolo en el aire como si la prenda interior fuera un lazo de vaquero, o una bandera, y se dirigió a sus fieles.

—Gracias, gracias, ¡vosotros sí que nos conocéis! GRACIAS.

Estaba sudando como un pollo. Se quitó la camiseta dejando ver unos abdominales perfectos y con el sujetador en una mano y la camiseta en la otra extendió los brazos en pose mesiánica e hizo una reverencia tan sentida como para que prácticamente tocara los tobillos con la cabeza. Los aplausos ensordecedores casi no permitían escuchar el final de la versión*. Romano y Mario abandonaron el escenario, pero Pumuky se quedó repartiendo besos al aire como una folclórica. Sólo faltaba que alguien le entregara un ramo de flores. Unas bragas volaron por encima del público y aterrizaron a sus pies. Pumuky las recogió y se las llevó a la nariz, aspirando

---

* Sex & Love Addicts han versionado el *U don't know me* de Armand Van Helden.

teatralmente su aroma. Hizo una última reverencia y desapareció.

—Contundentes, ¿eh? —Era la voz de Enrique, a su espalda.

—Mucho.

Olga sabía que el mero hecho de que Enrique la hubiera visto en el concierto aumentaba las probabilidades de que él se interesara en representar al grupo.

—De todas formas creo que deberíamos pasar a saludarles...

—Sí, antes de que se les llene el camerino de gente.

Enrique, por lo visto, conocía de sobra el acceso a camerinos. Hizo una señal a un tipo alto y vestido de negro que se apostaba en la puerta y que obedientemente se retiró para dejarlos pasar. Los tales camerinos no eran sino una habitación que olía a sudor. Arrumbada en una esquina había una mesa repleta de botes de cerveza. Romano se estaba limpiando el sudor con una toalla y Mario se liaba un porro. Cuando el bajista los vio llegar les dedicó una sonrisa de oreja a oreja.

—¡Holaaaaaaa! ¿Qué tal? ¿Os ha gustado? Bueno, es una pregunta retórica, me vais a decir que sí de todos modos. Éste es Mario, creo que ya os conocéis.

Mario se limitó a hacer una inclinación de cabeza no particularmente cordial y siguió a lo que estaba.

—Y ese cantante tan maravilloso que tenéis, ¿dónde está? —preguntó Enrique.

—Pumuky se está dando una ducha. Es un decir, lo de la ducha, claro, porque vamos, va a pillar más gérmenes ahí que antes de entrar, y ducharse, lo que se dice ducharse, con ese hilillo de agua raquítico que cae... Y he captado la ironía, tío, que te conste.

La enorme silueta del tipo alto que se había retirado a su paso se recortó amenazante en el marco de la puerta del camerino.

—Vosotros, ahí fuera hay un montón de gente que quiere pasar, y todos dicen que os conocen... Hay muchas chicas.

Por el tono, el segurata estaba agradablemente sorprendido. Olga sabía, por experiencia, que en los conciertos de grupos alternativos lo normal es que los fans esperando para entrar al camerino fuesen *nerds* con acné, no jovencitas de buen ver. Supuso que los abdominales de Pumuky tendrían algo que ver. Y sabía que la diferencia entre un grupo superventas y uno de culto es que los primeros cuentan con mujeres entre sus fans.

—Diles que esperen y no dejes entrar a nadie sin pase *backstage* —dijo Enrique, que al parecer ya había asumido las funciones de mánager, sin firmar nada.

—¿Quieres una cerveza? —La pregunta y la sonrisa de Romano iban dirigidas claramente a Olga. Sin esperar a que ella respondiera, le pasó una lata, sin vaso—. ¿Qué te ha parecido el concierto?

—Sois muy buenos, de verdad, tú sobre todo.
Lo digo en serio. Aunque Enrique tiene razón en lo
de Pumuky...

—Huy, de eso habría mucho que hablar...

Romano avanzó hacia ella y se colocó a su lado,
rozando hombro con hombro.

—Pero no vamos a hablarlo aquí, por supuesto.

El camerino se estaba llenando de personajillos
de lo más variado, todos con la pegatina-pase *backstage* bien visible. Técnicos, supuso, periodistas (reconoció a alguno), una actriz catalana bastante fa-
mosilla pero cuyo nombre Olga no recordaba... Lo
más granado del modernerío de la ciudad. ¿Cómo
podía ser que ella, hace un mes, no supiera nada de
los Sex & Love Addicts? Bueno, pensó, me tomaré
la cerveza y me iré porque está claro que estos chicos se van a tirar horas aquí para atender a tantísima
gente.

Olga se despertó con la boca seca, la cabeza espesa y
el cuerpo dolorido. Le llevó un rato reconocer aquella cama, aquella habitación de hotel y aquel cuerpo
que dormía a su lado. Cerró los ojos para hacer memoria.

Nada nuevo, nada que los dos, cada uno por su
lado, no hubieran hecho antes. La novedad estribaba
en el hecho de que aquélla había sido la primera vez
que lo habían hecho juntos. Quizá también fuera la

última, y en aquella incertidumbre radicaba gran parte de la excitación y el encanto del encuentro.

Olga se incorporó, saltó de la cama y se dirigió al mueble bar para hacerse con una botella de agua. Estaba situado justo bajo el enorme ventanal que daba al mar. Olga descorrió ligeramente la cortina para dejar entrar un rayo de luz que iluminara el cuerpo tumbado en la cama y le permitiese, desde su posición privilegiada, apreciar en detalle la belleza dormida, el cuerpo desnudo que no esconde nada, o en todo caso lo disfraza. Los pies grandes, el ángulo exquisito del tobillo, las piernas largas y torneadas, recubiertas por una pelusa negra hasta la altura de la rodilla, el vientre liso, la cintura escueta, los anchos antebrazos (ah, claro —recordó—, los tiene así porque toca el bajo), la nuca rapada, las pestañas en abanico... Abanico que se desplegó en el momento en que él abrió los ojos, y repitió el mismo proceso que Olga había realizado minutos antes: sus pupilas perdidas recorrieron la cama deshecha, las mesillas gemelas, la moqueta color crema, toda la impersonal decoración de aquel cuarto de paso, y luego se posaron en Olga, al principio aturdidas, luego reconocientes, finalmente ávidas, y Olga saboreaba su fascinación, su mirada tensa que la iba esculpiendo como una estatua viviente, se sabía desnuda, y se sintió, por primera vez en muchos años, apetitosa. Quién no ha proyectado en la mirada de otro, y, por consiguiente, en el diseño deslumbrante de una vida nueva, la ambición de tener lo que no tiene y de ser lo que no es.

—Buenos días.

—Lo mismo digo.

—¿Quieres agua?

Romano articuló un gruñido que Olga interpretó como un sí. Se dirigió a la cama, se sentó a su lado y le acercó la botella a los labios, permitiéndole beber apenas un sorbo. Después se echó un chorro en el canal que se abría entre los senos, y dejó que él se lo lamiera, y que siguiera lamiendo luego los pezones, jugando con ellos como quien saborea un carozo de aceituna antes de escupirlo. Olga apoyó las manos en los sólidos hombros del muchacho y se sorprendió de la suavidad de la piel en un cuerpo que, sin embargo, resultaba extraordinariamente firme. No trabajado en exceso, nada de abdominales de tabla de lavar que sugiriesen gimnasio o esteroides, más bien una firmeza que hablaba de mucha actividad, de caminatas y carreras, de persecuciones y bailes, de una vida completamente ajena a escritorios, sillones u oficinas.

—Van a ser las doce —anunció ella, intentando sobreponerse al hormigueo que le bajaba desde los pezones hasta el estómago.

—¿Y...? —preguntó él, con el pezón todavía en la boca.

—Que a las doce tengo que dejar el hotel.

—Bueno... —Él abandonó el jueguecito y se puso serio—. Siempre podemos llamar y decir que nos quedamos una noche más... ¿Te apetece? Nosotros volvemos a tocar esta noche. Te diría que te vinieses a mi hotel, el caso es que comparto habitación con Pumuky. A no ser, claro —él había reparado en la expresión preocupada de Olga—, que te esperen en Madrid.

—Bueno, sí..., más o menos. O sea, no me esperan —mintió—, pero tengo cosas que hacer. Además, tú también tendrás que hacer, ¿no? Probar sonido y esas cosas.

—No, qué va, el sonido salió perfecto ayer, o eso dijo todo el mundo, así que no creo que hagan falta más pruebas. —El concierto, recordó ella. Tenía ante sí a un trofeo, a un botín conquistado en dura lid con un tropel de quinceañeras que botaban entusiasmadas, los ojos fijos en las tres presencias del escenario. Sentía que se había llevado un premio importante, fieramente disputado—. Tengo todo el día libre... —prosiguió él, mimoso—. Podemos ir a comer frente al mar, o podemos quedarnos en esta habitación toda la mañana, si tú quieres.

A Olga le vinieron a la memoria ráfagas de la noche anterior. El *backstage,* el camerino atestado, el flirteo sostenido con aquel chico de ojos negros y pendientes de corsario que podría haber sido... ¿su hijo? La verdad es que, biológicamente hablando, todo era posible. Había sido muy fácil, de una naturalidad casi conmovedora, habían llegado al hotel borrachos y enlazados, se habían besado en el ascensor, reconociendo los cuerpos por encima de la ropa, la erección promisoria de él y los no menos promisorios y no menos erectos pezones de ella, habían llegado a la habitación y, sin más preámbulos, se habían dejado caer en la cama, y, quitándose la ropa el uno al otro, entre risas, se habían comportado como animales jóvenes, sanos y felices, triscando en un salvajismo voraz y celebrante, enredados en un tiovivo de miembros, repitiendo gestos que han existido desde el primer apareamiento. Ella le mordió los lóbulos de las orejas y jugueteó con el pendiente de él, y le encantó aquel sabor ferroso, que encontraba, a saber por qué, muy masculino. La carne se desnudó y se anudó (ella llevaba un conjunto de encaje negro y él no llevaba ropa interior, nada bajo la camiseta y los vaqueros), la escondida torre se alzó desafiante (no demasiado grande pero sí muy firme, con un bonito tono oscuro y una nervadura azul que la atravesaba y le confería un cierto aire de peligro), él avanzó como el paladín de una batalla, enarbolando su certidumbre inquieta, desenvainando su espada trémula, se encontraron los labios, se indagaron mutuamente, con suavidad al principio, con furia después, hasta que se hincharon y palpitaban de dolor, y entonces los acariciaron con la yema de los índices, con calma, dibujando los contornos, luego juntaron los labios con la lengua, y la lengua con los dientes, y los dientes con el cuello, y el cuello con el pecho, y el pecho con los senos, y los senos con las palmas, y palmas con pezones, y pezones con labios, y labios con nalgas, y nalgas con ombligo, y ombligo con ombligo, y labios con pene, y labios con clítoris, y talones con rodillas y pene con vagina, y la fragua lenta e íntima fue martilleando, martilleando la brasa estremecida, una flor se abrió y se hizo cascada, y la torre acabó derramándose por la salobre galería, el laberinto marino y hambriento que se abría entre sus piernas.

Todo confuso y enmarañado, recordado en sensaciones y no en imágenes.

—Si me quedo esta noche —preguntó ella con voz pícara—, ¿me harás un favor?

—Pide por esa boquita.

—¿Me lamerás los dedos de los pies?

Él se rió.

—Lo que tú quieras, reina. Te lameré lo que me pidas.

Olga se incorporó de nuevo.

—Espera, tengo que ir al cuarto de baño.

De camino, recogió el bolso que estaba tirado sobre la moqueta crema.

Se encerró, se sentó en el borde de la bañera y sacó su móvil. Marcó el número de su marido. A los tres tonos, reconoció la voz familiar, áspera, ronca, y (al menos así le parecía a ella) desabrida.

—Dime... —Por supuesto, sabía que era ella, había leído su nombre en la pantalla del móvil, y su voz sonaba monótona como la esencia misma del lazo que los unía. Se le vino a Olga a la cabeza una noticia que había leído días atrás en una revista femenina.

—Hola, cómo estás, sigo en Barcelona... —Tenía que mantener el tono bajo para que el chico que estaba tumbado en la cama no pudiera escucharla—. Oye, que ayer por la noche estuve cenando con Isabel... —Isabel era una antigua amiga de los tiempos del colegio, con la que se veía muy de cuando en cuando. De hecho, ni siquiera se había acordado de llamarla en aquel viaje—. Y la he encontrado muy deprimida... —Había miedo en esas torpes mentiras que le trepaban por la lengua, pero Iván no fue capaz de descifrar el engaño que transportaba el matiz titubeante de las palabras de Olga—. Se ha separado de su último novio, ¿sabes? Y bueno... que he pensado en quedarme un día más a hacerle compañía, si a ti no te importa, claro, y volvería ya mañana.

La noticia se refería a una encuesta encargada por una empresa de cosméticos italiana sobre las consecuencias físicas y psíquicas del adulterio.

—No, claro que no me importa.

Por supuesto que no te importa, pensó ella. En realidad, si hubieras presentado alguna objeción, si me hubieras pedido que volviera, lo habrías conseguido.

—Y, bueno, ¿qué vas a hacer hoy? —preguntó Olga por preguntar algo.

—No sé... Lo de siempre, supongo. Quedaré con éstos a tomar unas cañas y esta noche igual me paso por casa de Iñaki a ver el fútbol.

Fútbol. A Olga la palabra le traía recuerdos de veladas inacabables frente al televisor, de cervezas que iban y venían, de picoteo de patatas y aceitunas, intentando en vano asimilar la mecánica del juego o por qué hombres presuntamente cultos y civilizados perdían de tal manera los papeles cuando la pelota entraba en la portería. Su marido, de natural tranquilo e incluso —según y cómo— apático, era de los que más gritaban, con un entusiasmo orgásmico que, desde luego, no mostraba para con ella en la cama. El chico que había dormido a su lado, sin embargo, era bastante ruidoso. No sólo a la hora de correrse, aunque también. Según recordaba Olga, había estado punteando toda la noche con sus gemidos, unos ayes continuos que a la propia Olga le parecieron, al principio, forzados, teatrales, pero que, se dio cuenta más tarde, eran espontáneos. «Éstos», con los que su marido pensaba quedar, eran sus amigos de toda la vida. Presencias que adornaban el paisaje de fondo de su relación, hombres a los que Olga conocía desde hacía muchos años, desde que eran muchachos, hombres que habían ganado kilos y añadido arrugas y canas a su fisonomía, pero que, en lo fundamental, no habían cambiado con el tiempo. Hombres de los que, en realidad, poco sabía. Si le hubieran preguntado cuál era el autor favorito de Carlos el Tiburón, o cuál el peor recuerdo de Dieguito el Miserias, se habría quedado en blanco. Todos tenían novias que hablaban poco y que la miraban —o eso sentía ella— con cierto recelo. Al fin y al cabo, ella era la única de entre las mujeres unidas a los hombres de aquel grupo que tenía un trabajo bien pagado, un trabajo con subordinados a su cargo, con coche de empresa, con viajes en clase business, con decisiones importantes. Quizá era la única infiel. Pero no, eso lo dudaba. O prefería dudarlo. Al fin y al cabo, ¿cómo era aquel verso?, nadie establece normas, salvo la vida.

—Pues nada... Hasta mañana, entonces. Un beso.

Se sentó en la taza del váter e hizo pis. El chorro caliente le quemó la piel, irritada a causa de la refriega de la noche anterior. Cuando contrajo el túnel de la vagina para cortar la micción sintió un dolor agradable, la huella del paso de aquel chico por su interior. Después, se examinó detenidamente en el espejo. Tenía los muslos constelados de cardenales. Se dio la vuelta y se miró de costado, para encontrarse con la marca de unos dientes en la nalga derecha. Bah, con un poco de cuidado su marido nunca lo vería. En invierno ella se metía siempre en la cama en camisón, y por las mañanas él se iba dejándola dormida, porque trabajaba en un polígono industrial en el extrarradio y tardaba más de una hora en llegar hasta allí. Bastaría con que tuviera cuidado en no dejarse ver desnuda una semana, y después las marcas habrían desaparecido. Pese al pelo enmarañado y las ojeras, se encontró guapa. Espléndida y triunfal. Los ojos le brillaban como brasas, con un resplandor de resaca pero también, por qué no, de descubrimiento. Quizá no por casualidad.

Las cifras de la encuesta le venían a la cabeza.

Las mujeres rejuvenecen con la infidelidad; el 47 por ciento se preocupa más de su aspecto tras echarse un amante; el 28 por ciento adelgaza y recupera la línea; el 24 por ciento asegura que su piel se vuelve más tersa y luminosa, y el 52 por ciento sostiene que la traición les aporta más equilibrio psicológico.

Además, el 26 por ciento confiesa que no tiene ningún sentimiento de culpa.

Olga había entrado en el negocio de la música más o menos por casualidad. Cuando tenía veintidós años, recién acabada una carrera de Derecho que nunca había pensado seriamente en ejercer y que había estudiado sobre todo debido a la presión familiar, uno de sus pretendientes, un chico de su barrio que siempre había estado más o menos enamoriscado de ella (o que al menos siempre había querido follársela) y con el que ella se acostaba de cuando en cuando empezó a trabajar de portero en La Metralleta, una de las salas de conciertos más famosas de Madrid, hecho que le supuso desde entonces a Olga paso franco a la sala, y por lo tanto a los conciertos. En muchos casos su amigo le conseguía también pases *backstage*, sobre todo cuando el grupo no era demasiado famoso y no se preveía que fuera a haber mucho público. De esa manera Olga se hizo amiga de casi todo el mundillo de la industria discográfica de aquel entonces. Y un día alguien le hizo una oferta de trabajo. Se trataba de que colaborase en el departamento de promoción de una multinacional. Eso significaba que tendría que hacer un poco de todo: traducir biografías e información sobre grupos, fotocopiar dosieres, organizar envíos, acompañar a los grupos a las entrevistas, entregar paquetes de discos a disc jockeys de las emisoras de radio, a programadores de contenidos musicales de emisoras de televisión, a críticos y periodistas, etcétera. Por aquel entonces no existía Internet ni el eMule, ni siquiera los contestadores automáticos, y la industria discográfica vivía un momento boyante. Olga había aceptado el trabajo pensando que sería algo provisional, y que antes o después acabaría dedicándose a algo más serio, a ejercer la abogacía o a preparar oposiciones. Nunca pensó que haría carrera en un mundo tan machista, pero al fin y al cabo Olga era una chica de buena familia y mejor presencia, que tenía una carrera y que hablaba tres idiomas, que era muy lista, además de ser inteligente, y que sobre todo, y esto era lo más apreciado en una industria tan ferozmente codiciosa como aquélla, era tremendamente competitiva. Así que Olga fue subiendo escalones en el departamento de promoción y, recién cumplidos los treinta años, se había convertido en una de las pocas directoras de marketing de la industria, con despacho propio, coche de empresa, sueldo de varios ceros y demás regalías que el cargo aparejaba.

Desde los tiempos de La Metralleta hasta entonces Olga había conocido a muchos hombres, y había ido encadenando unas relaciones con otras, relaciones que nunca salían bien. Olga siempre se liaba con hombres que ya estaban comprometidos, y de alguna manera siempre conseguía desbancar a la mujer con la que esos hombres estuvieran y ocupar su puesto. Después, cuando lo conseguía, perdía interés. Cuando el esquema se repitió varias veces, cayó en la cuenta de que no eran los hombres los que le interesaban, sino el reto, la competencia, pero el hecho de haber identificado el mecanismo que regía sus elecciones no le servía para desactivarlo. De alguna manera, entre la multitud de un concierto o de un bar, Olga sabía detectar las señales que distinguían al hombre emparejado de los demás, y así fue como atrajo, por ejemplo, a Enrique Marina, y como se sintió atraída por él. Resultaba increíble que, incluso cuando nada sabía de ese hombre, cuando sólo se fijaba en un hombre atractivo del que nada le habían contado, descubriera que ese hombre ya estaba comprometido. Quizá Olga los diferenciaba por el olor o por la actitud, nunca había podido explicarse a sí misma por qué se establecía esa extraña conexión.

Óscar era periodista musical y ni él ni Olga podían recordar cuándo se habían hablado por primera vez, pero sí sabían que había sido por teléfono, cuando ella era aún promocionera y él la había llamado pidiendo que le enviaran desde la compañía un disco en particular, y que desde aquella primera llamada se vibró una especial sintonía entre ellos. En aquella época no era común que un homosexual reconociera, fuera del ambiente, que lo era, y Óscar tardó mucho en confesárselo a Olga. Ella estuvo encantada porque nunca le había encontrado atractivo, y estaba más que cansada de hombres que teóricamente le ofrecían su amistad pero que siempre iban buscando algo más. En la industria discográfica había muy pocas mujeres y Olga no había conseguido hacerse amigas, en particular desde que se corrió el rumor de que su flamante puesto lo había conseguido por algo más que por sus capacidades profesionales. En realidad, Olga estaba mucho más preparada que cualquiera de sus colegas y trabajaba con mucho más empeño, pero no podía esperar que nadie se lo creyera, en particular las que no habían conseguido subir. Olga se sentía como un pez de colores en un acuario lleno de tiburones y orcas. Los unos intentaban llevársela a la cama a la primera de cambio y las otras la iban criticando a las espaldas, aunque de frente le dedicaran brillantísimas sonrisas. Así que Olga agradeció mucho el inesperado regalo de un amigo y un confidente, y pronto se les empezó a ver juntos en todos los conciertos.

Se trataba de una relación sinérgica: Óscar espantaba a los moscones de Olga y la compañía de Olga evitaba que corrieran rumores sobre la verdadera orientación sexual de Óscar. Por supuesto ellos nunca plantearon tan claramente la naturaleza de la transacción, y probablemente ni siquiera eran conscientes de ella, pues no se habían parado a analizarla, pero el beneficio mutuo estaba ahí, en la base de la relación, y la fortalecía.

Óscar compartía apartamento con un chico de Zaragoza con el que Olga se cruzaba de vez en cuando, en las tardes de domingo que a veces pasaba con su amigo, desparramados ambos en el sofá, recuperándose de la resaca. El chico en cuestión no pasaba nunca los fines de semana en el piso, así que Olga dormía en aquella casa muchas veces, de forma que cuando Iván llegaba de viaje el domingo por la noche ya no se asombraba de encontrarla allí. Iván creía que Olga era la novia de Óscar y a Óscar le venía bien que se lo creyera. Iván era un chico guapo, muy guapo a la manera más clásica. Alto, rubio, de mandíbula y hombros anchos, nariz aristocrática y verdes y elocuentes ojos, pero resultaba demasiado convencional para los gustos de Olga, con su pelo cortado a cepillo, sus vaqueros sin desgastar, sus zapatos ingleses y sus camisas impecablemente planchadas. No era tan ciega como para no ser consciente de su atractivo, aunque ese atractivo no la turbaba, pues lo contemplaba como quien contempla una obra de arte en la que puede apreciar la técnica, pero cuyo contenido no le llega a conmover. Sí se daba cuenta de que el chico la miraba mucho, sin embargo, no imaginaba que ella pudiera gustarle más que otras, simplemente pensaba que todos los varones heterosexuales eran iguales, que se perdían por un par de tetas en su sitio, y que enseguida se ponían a pensar en otra cosa.

Por entonces la compañía en la que Olga trabajaba apostó por una cantante que algún hábil AR había robado a otra multinacional. Cristina Banderas era una cantautora que se decía feminista, una palabra que por aquel entonces casi todas las cantantes evitaban mencionar en las entrevistas porque se suponía que su sola mención resultaba veneno para las ventas. Sólo por ese rasgo de valentía (o quizá habría que decir temeridad) Olga se sintió interesada por Cristina, y le hacía enorme ilusión la perspectiva de conocerla. Se implicó más de lo habitual en el plan de marketing e incluso llegó a redactar personalmente la hoja de promoción. Pero Cristina resultó ser la peor pesadilla de Olga. Se trataba de una mujer enormemente insegura y perfeccionista, y pronto estuvo asediando a Olga con constantes llamadas, exigiendo más anuncios en televisión, más inserciones en prensa, un plan de medios más ambicioso, una promoción más agresiva. Quería que la entrevistaran en todos los dominicales, que su videoclip se emitiera en todos los canales, que su canción sonara en todas las radiofórmulas. Resultaba extremadamente agobiante y a Olga le hartaba que Cristina cuestionase de forma tan tenaz como agobiante su competencia profesional, pese a que en general estaba más que acostumbrada a lidiar con las inseguridades y los divismos de los artistas. Pero aquello era excesivo.

Y entonces Óscar soltó la bomba.

En una ocasión en la que Olga estaba fuera de Madrid, en una reunión de trabajo en Londres con las altas esferas de la compañía, Óscar había invitado a su compañero de piso a un fiestón organizado por una importante emisora de radio con ocasión de su décimo aniversario. El alcohol corría en barra libre y la cocaína pasaba de mano en mano y de nariz en nariz por los lavabos y los reservados, y allí se había congregado todo el quién era quién de la industria discográfica: artistas, productores, periodistas, ARs, fotógrafos, estilistas, mánagers, diseñadores, ilustradores, secretarias, primas, vecinas, amigos, amantes... y Cristina Banderas en persona, que había hecho evidente uso de la barra libre y de la no menos libre cocaína. Según le contaría más tarde Óscar a Olga, desde el momento en que Cristina posó sus lindos ojos en Iván, las pupilas se le dilataron como si hubiera consumido drogas y se le encendieron en ellas lucecitas. Cristina se empeñó en que Óscar le presentara a Iván, y una vez Óscar hubo hecho las oportunas y formales introducciones, la cantante desplegó toda su artillería, utilizando sus armas de seducción de una manera tan tópica como efectiva: caídas de ojos, miradas de soslayo, risitas tontas, constantes atusamientos de melena... Hasta que, cuando ya la juerga declinaba, cuando los camareros se negaban a servir más alcohol sin previo pago y casi no quedaba un alma en la sala, Iván le anunció a Óscar que iba a acompañar a Cristina a casa y que, por lo tanto, él tendría que volver solo al piso. Y evidentemente, aquella noche Iván no apareció a dormir. Por entonces no había móviles y, durante la semana siguiente, el contestador automático de la casa hervía de mensajes de Cristina. Al principio, Iván se había comportado como un caballero y se había negado a responder a las preguntas del muy inquisitivo Óscar, y nada dijo sobre la cantante, sobre lo que había pasado o no en la noche de la fiesta y sobre si habían seguido viéndose después, aunque Óscar sospechaba que así era, a tenor de lo que se podía deducir de los mensajes. Por fin, un domingo, Iván se desahogó: sí, había seguido viéndola, y sí, le gustaba mucho Cristina, y sí, era realmente tan buena en la cama como aparentaba, pero lo cierto era que él estaba un poco asustado, porque Cristina quería verlo a todas horas, porque sin avisar se presentaba a buscarlo en la puerta de la oficina, porque se enfadaba si él no quería quedarse a dormir con ella y porque por lo visto había dado por hecho que a partir de aquella primera noche que habían compartido, Iván se había convertido en su posesión. A Olga le sorprendió enterarse de que Cristina se había sentido atraída por alguien que, a primera vista, resultaba evidentemente un hombre guapo y bien hecho, pero carente de morbo alguno. Lo que no le sorprendió fue la descripción que Iván hacía del carácter de Cristina. Bien sabía Olga que Cristina era absorbente y posesiva, que cuando requería interés y solicitud los exigía fervientes e inmediatos, y que, por mucho que Cristina fuera una mujer interesantísima y más que digna de ser tenida en cuenta, podía llegar a hacerse agobiante como una manta gruesa en una noche de verano. Y, como los lectores ya habrán supuesto, el hecho de que Iván hubiese atraído la atención de Cristina consiguió que atrajera a su vez inmediatamente la de Olga, que durante tanto tiempo se la había negado.

Así que los domingos en los que Iván entraba por la puerta y se encontraba en el salón a Olga y Óscar apelotonados en el sofá con cara de resaca, en lugar de recibir como saludo los habituales gruñidos y holaquetales desmayados, se daba con unas sonrisas de bienvenida y una cordial y doble invitación a compartir sofá y palomitas, y con una Olga completamente distinta a la que había conocido hasta entonces, una Olga encantadora y festiva, interesada en su oficina y su carrera, en su familia y su perro, en sus lecturas y películas favoritas. Una Olga, por supuesto, siempre correcta y tranquila, pues ella tenía muy claro que le convenía aparecer como la antítesis de Cristina, y contraponer serenidad y dulzura al genio y arrebato de la cantante. Olga se lo tomaba con calma y como un juego. Daba por hecho que antes o después Iván se acercaría más, y tenía una ligera idea de que un día u otro acabarían en la cama, y desde luego sabía que nunca lo hubieran hecho de no haberse liado Iván con Cristina, y que estaba jugando de nuevo sus piezas en el tablero de la competitividad. Lo que nunca pensó Olga es que llegara a tener un asunto serio con él, no se veía ella de novia de ingeniero, ni creía que Iván, en el fondo, quisiera algo serio con ella ni, ya puestos, tampoco con Cristina, pues siempre imaginaba que un chico tan formal acabaría casándose con una buena chica de Zaragoza, con boda por la Iglesia, flores, traje blanco, velo de tul y todas esas cosas. Pero en la vida nada es como se prevé, y el caso es que Iván estuvo saliendo casi un año con Cristina, y de ese año, estuvo seis meses acostándose también con Olga. Y seguro que Olga no hubiese estado esos seis meses si Cristina no hubiese estado tan interesada. Porque Cristina desarrolló una verdadera obsesión por Iván. Lo llamaba a todas horas y se presentaba a menudo en su piso. Y cuanto más se obsesionaba Cristina, más la temía Iván, y cuanto más la temía Iván, más se inclinaba hacia Olga, que más atraída se sentía hacia Iván cuanto Cristina más se obsesionaba con él: un laberinto.

Este libro no trata del trío Olga-Iván-Cristina, que daría para otra novela de cuatrocientas páginas, así que la narradora se va a saltar las anécdotas del nudo para dirigirse directamente al desenlace. Contra todo lo previsto, Iván acabó casándose con Olga, con boda por la Iglesia, flores, traje blanco, velo de tul y todas esas cosas. La propia Olga, años después, no entendería cómo ni por qué había accedido a pasar por semejante paripé, y su única explicación podría ser que los seis meses de vaivenes, de escenas, de lágrimas, de promesas incumplidas, de Iván jurándole amor eterno y arrepintiéndose el día después, de amenazas de Cristina en el contestador, aquellos seis meses de montaña rusa, habían acabado desgastándole la moral, la voluntad y el conocimiento, y cuando Iván aseguró que en su muy católica familia sentaría muy mal que conviviese con Olga sin papeles de por medio, y que los únicos papeles que su muy católica familia reconocía como tales eran los expedidos por la institución eclesiástica y no por el registro civil, ella estaba demasiado cansada y aturdida como para presentar objeciones, demasiado temerosa de que Cristina Banderas resurgiera de nuevo dispuesta, ella sí, a ponerse traje blanco y velo de tul y corona de azahares, y avanzar por el pasillo central de la catedral del Pilar cogida del brazo de su padre.

Ya habrán adivinado los lectores que en cuanto la sombra de Cristina Banderas desapareció del escenario, Olga perdió el interés. Cristina, que había perdido a su vez la dignidad en numerosas ocasiones durante su idilio con Iván, decidió recuperarla del todo cuando se enteró de la boda y nunca más, ni una sola vez, volvió a hablar con Iván. Como su carrera estaba declinando, Cristina se casó con un rico empresario y, en las postrimerías de su juventud, cuando ya poco faltaba para que rebasara la edad fértil, tuvo un hijo y anunció que abandonaba la carrera musical para ocuparse de él, si bien era cierto que más de uno opinaría que la carrera musical la había dejado a ella hacía mucho, pues su último disco apenas había vendido. La última vez que Olga volvió a saber de ella fue a través del *¡Hola!*, en cuyo interior la cantante protagonizaba un reportaje de ocho páginas a todo color en el que Cristina «hacía balance de su carrera y de su nueva vida junto al empresario Jon Guerin». Desaparecida pues la competencia, y desprovisto Iván del aura que el interés de Cristina le había proyectado a ojos de Olga, su flamante y muy legítima esposa tuvo que enfrentarse con la verdad desnuda, con el reconocimiento de que, como Swann, había desperdiciado parte de su vida, había querido morirse y había sentido el amor más grande por una mujer que ni siquiera le gustaba, que no era su tipo, y que junto a ese hombre que no era su tipo le tocaba compartir casa y vida.

Incluso cuando reconoció este hecho, no le pareció que hubiera hecho tan mal negocio. Iván era un hombre guapo y fácil, buen amante y mejor compañero, y vivir con él no era complicado. Olga siguió trabajando en lo suyo y, en aquellos tiempos de bonanza en los que Internet no existía y las compañías discográficas no conocían el significado de la expresión balance negativo, fue haciendo una carrera de la que casi ninguna mujer en la industria podría presumir: de jefa del departamento de promoción, pasó a *product manager,* luego fue AR, más tarde directora de marketing. Y no cabe duda de que el hecho de tener un marido como Iván ayudaba. Iván no era celoso, no cuestionó jamás el derecho de su mujer a salir por la noche a conciertos o a presentaciones, no se empeñaba en acompañarla, no fiscalizaba sus entradas o salidas, no interfería en sus decisiones y, sobre todo, no quería tener hijos. Olga había visto muy de cerca cómo las prometedoras carreras de mujeres tan bien o mejor preparadas que ella se frustraban con la maternidad, cómo a la vuelta del permiso de tres meses se encontraban con que sus funciones habían sido relegadas y sus despachos cambiados de sitio, cómo el estrés derivado de tener que compaginar una vida laboral tan imprevisible como la suya con chupetes, pañales, biberones, guarderías, canguros y asociaciones de padres acababa por minar a las antaño brillantes ejecutivas que antes o después dejaban sus trabajos. No es que Olga no pensara nunca en tener hijos, pero quería apurar al máximo antes de dar el paso, porque, además, sabía que un hombre tan conservador como Iván no era de los que ayudan a cambiar pañales o se despiertan en mitad de la noche para dar la toma de las cuatro.

Cuando ella cumplió los treinta y siete, cuando ya tenía un sueldo de muchos ceros, cuando sabía que podrían pagar una chica interna en casa para cuidar a un niño además de una asistenta si hiciera falta, cuando sabía que sus días fértiles estaban contados, se le ocurrió proponerle a Iván que tuvieran un hijo. Él no parecía particularmente entusiasmado, aunque tampoco se opuso. Así que ella dejó de tomar la píldora y estuvieron un año haciendo el amor sin protección, pero también sin resultado alguno. El ginecólogo de ella y el médico de cabecera de él procedieron a las habituales pruebas y análisis, y aseguraron que allí no había problema físico que impidiera la concepción por ninguna de las partes. Olga ya sospechaba, antes de someterse a prueba alguna, que el problema nada tenía que ver con sus cuerpos, sino con el hecho de que apenas hicieran el amor una vez por semana. Si la fase fértil de una mujer dura de tres a cinco días, resultaba, estadísticamente hablando, más que difícil hacer coincidir el sexo con la fertilidad. Olga sabía que no podía presionar a Iván para tener más sexo, pues a él las presiones le agobiaban y acababan por conseguir el efecto contrario: numerosos gatillazos de Iván se habían debido a recriminaciones por parte de Olga. Por otra parte, ella trabajaba mucho, se encontraba siempre cansada y tampoco le atraía tanto Iván como antaño, así que no podía exigir lo que ella misma no estaba en condiciones de dar.

Se planteó en alguna conversación el tema de la adopción, pero la católica familia de Iván también tenía algo que decir sobre el asunto. El apellido de Iván conllevaba el título de barón, distinción meramente honorífica que no otorgaba ningún estatuto de privilegio, ni dignidad ni tierras ni montante económico, y por el que, sin embargo, los Cobo del Jalón sentían un gran orgullo. Dado que Iván era el único hijo varón, a él le correspondería el título cuando su padre falleciera, y la familia se negaba en rotundo a que el título pudiera recaer en una niña china o un niño negro. Iván, por supuesto, podía renunciar al baronazgo y cedérselo a su hermana, pero desde que la hermana se había ido a vivir a Ibiza con un señor casado, la familia había dejado de tratarle y por lo tanto no querían ni oír hablar de una renuncia al título. El argumento le pareció a Olga tan surrealista como muy probablemente se lo parezca al lector, sin embargo Olga conocía lo bastante a la familia de Iván como para saber que no habría forma ni de que los padres cambiaran de opinión ni de que Iván se atreviera a darles un disgusto. Además, a Olga tampoco acababa de convencerle el complicado trámite y el elevado montante económico que la adopción requería; nadie podía convencerla, a ella, que nunca había querido comprar animales porque pensaba que había algo poco ético en el comercio de seres vivos, de que bajo la máscara de la adopción no se escondía a veces una compraventa de niños, más caros cuanto más pequeños y más blancos. Así que nunca más se volvió a tocar el tema.

Quizá si hubieran tenido hijos habrían tenido algo que compartir, algo por lo que luchar, porque lo cierto es que, si bien su matrimonio no era problemático en absoluto, tampoco era lo que se dice inspirador o divertido. Olga intentaba enterrar en vano secretos anhelos de pasión y aventura, y hervía de frustración y culpa, dividida entre la rabia contra sí misma y el rencor contra aquel marido remoto que flotaba imperturbable en la niebla de la ignorancia, siempre amable, discreto y aburrido, con su inalterable y distante educación.

Hubo un pequeño incidente sin aparente importancia que le hizo darse cuenta, así, de golpe, de lo harta que estaba de su marido.

Aquel día todo empezó mal desde primerísima hora de la mañana. El despertador no sonó, y en lugar de despertarse a las seis y media amaneció a las ocho, una pésima hora para despertar en Madrid cuando una tiene acordada una cita en Barcelona a las doce. Se vistió en dos minutos y, sin ducharse, salió disparada a la calle en busca de un taxi. Por los pelos consiguió billete en el puente aéreo de las nueve menos cuarto. Llegaría tarde, pero llegaría. Avisó a la secretaria para que retrasase media hora la reunión. Para colmo, sufría uno de los peores ataques de alergia de aquella primavera, así que parecía que iba a llegar tarde, mal vestida, mal peinada, sin maquillar, con los ojos llorosos y la nariz roja e hinchada. Desesperada, recurrió a un procedimiento de urgencia: la efedrina. Una pastilla blanca que cortaba de una manera casi milagrosa todas las manifestaciones de la alergia pero que, en contrapartida, le provocaba taquicardias. Sobre todo cuando la combinaba con el inhalador de budesónida, del que había echado mano religiosamente aquella mañana como tantas otras. Evaluó riesgos y pensó que más le valía jugarse la carta de una posible taquicardia que aparecer en semejante estado, y se tragó la píldora de urgencia que siempre llevaba en el bolso por si acaso.

Cuando llegó a Barcelona, y en el taxi de camino a la reunión, le sobrevino el esperado efecto secundario. De repente, le pareció que el corazón se le iba a salir por la boca. Estaba acostumbrada a situaciones semejantes, pero nunca las había sufrido con tanta intensidad. Notaba el pulso desbocado, y una opresión en el pecho como si le estuvieran clavando un estilete. El dolor se agudizó y le obligó a doblarse sobre sí misma. Y entonces pensó: «Puede que esto no sea una simple taquicardia, puede que sea un infarto». Sin embargo no podía ser un infarto, puesto que ella no sufría ningún problema en el corazón. ¿O sí? Al fin y al cabo el asma y los problemas cardiacos estaban asociados, o eso creía recordar haber leído en alguna parte. Y quizá todo el estrés de su trabajo se estaba cobrando factura. No sería la primera vez que oía hablar de un ejecutivo joven, que gozaba de una supuesta buenísima salud, al que le daba un infarto que nadie había esperado. «Me voy a morir, me voy a morir en un taxi. No, no me voy a morir, esto es un simple ataque de pánico, o una consecuencia de la efedrina». Se planteó pedirle al taxista que se desviara en el camino y la llevara a un hospital, pero se le ocurrió que si todo resultaba ser una simple taquicardia pasajera consecuencia de la pastilla iba a hacer el ridículo más absoluto. Entonces marcó el número del móvil de su marido. La voz que respondió al otro lado de la línea sonaba cansada, agobiada. Ella le dijo: «Me encuentro muy mal, estoy muy asustada, no sé lo que me pasa, tengo mucho miedo...». Y él respondió: «Cariño, ahora no puedo, tengo un follón enorme de trabajo, llámame más tarde». Y le colgó el teléfono. Ella pulsó la opción de rellamada y se encontró con el contestador: evidentemente, él había desconectado el aparato.

Respiró hondo, una, dos, tres, cuatro veces, como le había enseñado el médico. Se concentró en eliminar la tensión. Poco a poco el ritmo cardiaco se fue estabilizando. Cuando llegó a la reunión se encontraba casi bien. No bien del todo. Todavía sentía la opresión en el pecho y le costaba respirar, aunque ya no pensaba que se fuese a morir. Aguantó el resto del día como bien o mal pudo.

Pero la finísima cuerda que la ligaba a su marido se rompió. No decidió dejarle, Olga era demasiado cobarde o perezosa para eso. Sin embargo aquella mañana comprendió que ya no le quería y, lo que era peor, que desde entonces ya no le respetaría.

El episodio del taxi había tenido lugar aproximadamente un año antes de conocer a Romano.

Olga y Romano se quedaron otros dos días más en Barcelona. La mañana del sábado la pasaron entera en el hotel. El sábado por la noche Sex & Love Addicts tocaron por segunda vez en la sala Razzmatazz y Olga asistió al concierto desde la barra. Cuando fue a buscar a Romano a camerinos explicó al resto del grupo (pues así lo habían planeado juntos) que se había quedado un día más en Barcelona pues debía hacerle una visita a una amiga, y que había decidido volver a ver al grupo porque su amiga estaba demasiado cansada como para salir y ella no quería pasar la noche en el hotel. Ambos sabían que eso haría pensar al grupo que Olga estaba interesada en incluir al grupo entre los favoritos de la promotora, pero Olga prefería que el grupo se hiciera falsas ilusiones a que alguien sospechara que se había liado con el bajista. Después Olga cogió un taxi hacia su hotel, y esperó en la habitación a Romano, que apareció una hora más tarde, y allí estuvieron hasta la una de la tarde del domingo, momento en que debían dejar la habitación.

—¿Nos vamos a comer a la playa? —propuso Romano.

—Podemos comer si quieres, pero yo tengo que llegar a casa pronto. Mañana tengo muchísimo trabajo... —se excusó Olga. Nunca había pasado un fin de semana entero fuera de casa y se temía encontrarse a un Iván enfurruñado, pero no quiso dar más explicaciones, pese a que Romano supiera bien que estaba casada.

—Entonces mejor no vamos a la playa. Las terrazas y los restaurantes siempre están hasta arriba y va a ser imposible que acabemos antes de las cuatro y media. Además, yo también tengo cosas que hacer.

Esta última afirmación encendió una pequeña lucecita en la cabeza de Olga. Quizá él tampoco vivía solo, quizá tenía una novia que lo esperaba en casa.

—¿Tú vives solo? —preguntó Olga.

—No, vivo con mi madre. Y sí, ya sé que queda fatal, a mi edad, pero la verdad es que paro muy poco por casa y ahora, con las giras y tal, todavía menos, así que no veo por qué me voy a gastar una fortuna en un apartamento de treinta metros cuadrados que ni siquiera voy a pisar. Además, a mi madre le mola tenerme con ella.

—Extraño que una psicóloga quiera reforzar el Edipo de su hijo, ¿no?

—Ya ves. En casa del herrero...

Romano volvía a Madrid en furgoneta con el resto del grupo. Le ofreció a Olga volver con ellos, pero a ella ni se le pasó por la cabeza aceptar, dejando aparte el hecho de que ya tenía su vuelta abierta en el puente aéreo. Se despidieron pues en plena calle, en la acera, al lado del taxi que la llevaría a ella al aeropuerto. No hubo beso en la boca, tan sólo un abrazo muy estrecho, pues ella se habría sentido incómoda besándolo en la calle, ya que daba por hecho que para cualquier transeúnte habría sido más que evidente el hecho de que ella era mayor que él. En el último momento, él le pidió un bolígrafo. Ella buscó por las profundidades de su bolso y encontró, precisamente, uno con el nombre del hotel, el que había en la mesilla de noche de la habitación que habían compartido. Él extrajo una cartera del bolsillo de sus vaqueros, sacó un billete de metro usado y garrapateó allí nueve cifras.

—Cuando llegues a Madrid, me llamas, y nos tomamos algo. —Le tendió el billete usado como una promesa, y ella lo guardó en su propia cartera.

Lo llamó. No pudo evitarlo, se había prometido no hacerlo, pero no pudo evitarlo. Y quedaron. Se encontraron en La Taberna Encendida, tomaron dos copas, se emborracharon, salieron a la calle y se abrazaron y se besaron apoyados contra la pared. ¿Vamos a tu casa?, preguntó ella. Imposible, dijo él, ya sabes que vivo con mi madre. A Olga se le pasó por la cabeza alquilar una habitación, pero ya era demasiado tarde. Una cosa era que su marido nunca preguntara por qué llegaba tarde, ya que se daba por hecho que su trabajo la obligaba a acudir a presentaciones y conciertos, y otra que pudiera aparecer de amanecida. Y sabía que si se ponían a buscar un hotel y se demoraban en la búsqueda y en los trámites, la noche se les haría larga. Él le levantó la falda y le bajó las bragas, despacio, mientras ella le acariciaba la erección por encima de los pantalones. Le fascinaba el hecho de hallar una respuesta tan rápida y tan evidente porque a su marido, por lo general, le hacía falta un largo rato de estimulación manual o bucal antes de conseguir una trempera tan lograda. Te la metería aquí mismo, le susurró él al oído. ¿Estás loco?, logró articular ella, entre gemidos, estamos en mitad de la calle. Más morbo, dijo él. Se abrió la cremallera de los vaqueros y se sacó la polla. Date la vuelta, susurró. Ella le obedeció y antes de que se diera cuenta lo tenía dentro de sí. Y entre embestida y embestida se preguntaba: ¿Qué coño estoy haciendo aquí, a los cuarenta años, follando en medio de la calle con un niñato que podría ser mi hijo? Pero en realidad le encantaba lo que estaba sucediendo. Y luego recordó que no habían usado condón. Y al minuto decidió, justo cuando empezaba a correrse, que le daba completamente igual.

Tras ese encuentro hubo algunos más, en los que el esquema se repetía como si lo hubieran programado de antemano. Una copa o un café en cualquier bar, y luego aquel chico joven la arrastraba hacia el centro escondido de un ciclón sensual sito en tierra incógnita, e incógnita era realmente porque acababan siempre enredados en portales oscuros o en esquinas poco iluminadas de callejuelas recónditas en las que Olga nunca antes había puesto los pies. Nunca se tocaban en público, las apariencias quedaban a salvo. Pero el deseo estaba siempre revoloteando entre ellos, malicioso y tenaz. Cuando por fin se encontraban a solas, Olga delegaba el dominio de la situación en sus propios sentidos agudizados y en la habilidad de Romano, que, pese a ser quince años más joven que ella, parecía mucho más experto. Olga se sentía la reina del mundo, tan contenta, tan potente, tan distinta como si la hubieran cambiado por otra, como si le hubieran quitado quince años de golpe, tan parecida acaso a una Olga que se había quedado rezagada en otro tiempo y que todos, Olga la primera, habían olvidado ya, pero que había debido de subsistir milagrosamente, mantenerse viva y a la espera en alguna parte, en algún oscuro rincón de su cabeza o sus deseos, puesto que ahora se había despertado y había salido a la luz y había tomado por asalto el cuerpo de esa otra Olga frustrada y estresada y amargada y tantas *adas* más de los últimos años, y Olga se sentía como si hubiese entrado un soplo de aire fresco en un interior hasta entonces cerrado y enrarecido. Pero aquello no llegó a durar ni un mes. Luego, él dejó de responder a sus mensajes.

Olga intentó, inútilmente, evitar echarle de menos, aceptar que no quedaba nada que esperar, ningún encuentro que propiciar, ningún acontecimiento feliz que celebrar, ningún secreto que descubrir, ninguna relación que prolongar y sin embargo sí que quedaba, terca en el fondo de la memoria, una esperanza sorda, ciega, tonta, obtusa, de que algo sucediera de nuevo entre los dos, porque la nostalgia por el cuerpo de Romano podía aparecer en el momento más inesperado, al escuchar una canción que lo recordaba, al rememorar un gesto que había adoptado o una palabra que había pronunciado y que encontraba en una lectura. Revivía todos los momentos que habían pasado juntos, las palabras o gestos que le habían encantado, la forma en que el suave roce de las yemas de sus dedos en la espalda la trastornaba. Y cada vez que evocaba las mismas visiones recurrentes se sentía dominada por idéntica turbación, en una espiral autorreferente. Luego intentaba alejarlas y sólo conseguía convocar otras tantas, sumidas en lo más profundo de su cabeza. Pensó en llamarlo, pero no se atrevió. Ella había enviado por lo menos diez mensajes que él no había respondido. Eso quería decir que no estaba interesado, que se había cansado del juego. Porque todo había sido un juego, desde el

LO VERDADERO ES UN MOMENTO DE LO FALSO

principio, ella nunca lo había dudado ni se había hecho otras ilusiones, y sin embargo lo había jugado con una intensidad que tenía ya olvidada y que creyó perdida para siempre, y a partir de entonces, Olga estaba segura de que iba a resultar difícil aceptar un amor seguro, monótono, aburrido, respetable, sabiendo como sabía que fuera de casa, al alcance de la mano, esperando a que ella se decidiera a agarrarlo, se hallaba otro tipo de amor, o no, un sentimiento, una emoción trepidante, enloquecida, intensamente viva y altamente adictiva.

Llegó un momento en el que no pudo contener la curiosidad y la impaciencia, y se decidió a quedar con Óscar.

—Óscar, ¿te acuerdas de los chicos aquellos que conocimos en la noche aquella en la que pinchaba tu novio, los del grupo aquel...?

—Sex & Love Addicts.

—Ésos.

—Cómo los voy a olvidar...

—¿Sabes que me los encontré de nuevo en Barcelona? Estuve viéndolos tocar en directo. Son buenos.

—Sí, eso me había dicho Saúl. Mucho. El cantante sí que está bueno. Creo que trabajaba de modelo y todo.

—Bueno, los otros dos tampoco están mal. El bajo es muy guapo.

—Sí, lo es.

—Y bueno, ¿tú sabes algo de él?

—¿Por qué lo preguntas? ¿Te interesa el chico, o qué?

—No —mintió ella—, por pura curiosidad. En Barcelona estaba solo.

—Ése no es modelo, pero sale con una modelo, o actriz, o lo que sea. Una rubia que salía en una serie, en *Física o química,* creo. Tiene un nombre como de pija o de emperatriz romana, Lidia o Virginia o algo así. Nunca me acuerdo. Es casi más alta que él.

—¿Salen juntos? ¿Seguro?

—Pues la verdad es que no los conozco tanto como para decirte, pero yo siempre lo había visto con ella, excepto la noche en que nos los encontramos.

Todo parecía de pronto incongruente y vacío, su dolor, su ausencia, su deseo. Creía que le quedaba cierto amor propio, pero el amor propio era un rebelde y un manipulador, porque aunque la impulsaba a olvidarlo también la hería cuando le resonaba en la cabeza: «Te ha utilizado un niñato de veintipocos años te ha manipulado te ha liado eres tonta Olga eres tonta».

Un runrún conocido y familiar la aguijoneaba por dentro. Conocía aquella vieja desazón, el estímulo de la competencia. Y probablemente por eso se encontró una noche con que sus pies la arrastraron, a la salida de un concierto, hasta el mismo bar en el que lo conoció. ¿Esperaba encontrar a Romano? ¿Quizá del brazo de su novia? En cualquier caso, a quien encontró en la barra no fue a Romano, sino a Pumuky. Él pareció encantado de verla allí, y sorprendido de que estuviese sola. Ella improvisó una excusa sobre una cita para tomar unas copas a la que había acudido demasiado pronto o demasiado tarde. «Pero no te vayas todavía, mujer, quédate a tomar algo conmigo». Y ella aceptó, sin imaginar siquiera lo que iba a acabar pasando. Bebieron una copa, dos copas, tres copas, y antes de que ella se diera cuenta incluso de lo que estaba sucediendo, aquel chico de belleza impresionante la estaba besando. Las pupilas azules de Pumuky le ofrecían la propia imagen de Romano en ellas deformada. Después le propuso ir a su casa. Ella dijo que sí.

Pumuky se tumbó sobre el esqueleto de un diván que mostraba en el claveteado huellas de seda arrancada, cubierto de tela hecha jirones y bajo la cual se podía adivinar la tapicería comida de polilla. Las manchas de humedad de los muros adquirían configuraciones extrañas, insólitos espesores y tintes sombríos. Una pared estaba ennoblecida por una librería de nogal labrado, alta y estrecha, aún hermosa bien que deslucida y carcomida en las esquinas. Todas las demás estaban cubiertas de cuadros que se adivinaban pintados por la misma mano, lienzos de pinceladas anchas y muy largas, formas sinuosas y colores discordantes, oscuros y arbitrarios, que transmitían una sensación opresiva. Excepto una, sobre la cual se extendía una constelación de fotos enmarcadas que tenían siempre a la misma protagonista, una hermosa mujer rubia, de grandes ojos claros y labios sensuales como un sarraceno. En una de ellas se la veía en la playa, con un bikini que mostraba un cuerpo esbelto y bien formado, a la derecha la mancha amarilla de un niño pequeño que la cogía de la mano. En otra apoyaba la cabeza, en un acto de completo abandono, sobre el hombro de un joven de rostro complacido y enmarcado por unas espesas patillas oscuras. Más allá, un retrato más formal, que se adivinaba tomado en el estudio de un fotógrafo profesional, en el que la joven llevaba recogidos los cabellos en un moño alto y amerengado como una torre y vestía un sobrio traje camisero de cuello cerrado y un color azul monástico, una ropa y un peinado que no le iban, que ella no parecía haber elegido.

—Ésa es mi madre. El que está con ella en la foto es mi padre. Mi madre era pintora, una pintora muy buena. Los cuadros que ves colgados son suyos. Aquél es su autorretrato.

Se refería a un cuadro más grande que los otros, y que ocupaba el puesto de honor en el centro de un muro medianero, sin ventanas ni puertas, cubierto de arriba abajo de pinturas. Efectivamente, se trataba de la misma mujer de las fotografías.

—¿Vive aquí? —preguntó Olga, que esperaba escuchar que se encontraba de viaje.

—No, murió.

—Lo siento mucho, debió de ser muy duro.

—Lo fue. —El tono lacónico y tajante daba a entender que no quería seguir hablando del tema.

—¿Y tu padre? ¿Dónde está?

—Murió también. Cuando yo tenía tres años. Vivíamos en Ibiza, y cuando él la palmó, vine aquí, con mi madre, y aquí vivimos juntos hasta que ella murió también hace unos años. Soy huérfano.

—¿Y has vivido solo aquí, desde entonces?

—Sí.

—¿Lo dices en serio, tan joven?

—Sí, he vivido solo aquí, desde entonces, no te estoy tomando el pelo ni me estoy inventando la historia, si es lo que estás pensando.

—No, qué va, en absoluto, no estoy pensando eso.

—A mucha gente le sorprende, y hay quien incluso me ha preguntado si no me da miedo vivir aquí, con todos los recuerdos de mi madre, con todas sus fotos y sus cuadros. Pero no, no me da ningún miedo. A mí no me acojona encontrarme con su fantasma ni nada por el estilo. Es más, yo siento su presencia aquí, en la casa, y precisamente por eso quiero quedarme, por sentirla cerca... No sé si lo puedes entender. No he cambiado nada, no he tocado un mueble, desde que ella murió.

«Ya se nota», pensó Olga.

—Yo me doy cuenta de que la gente me compadece cuando cuento lo de que soy huérfano, y a mí me repatea mucho su pena, si te digo la verdad. Porque hay gente que tiene a sus padres vivos, pero qué padres... Al uno su padre le mira mal porque viste así o asá, o porque es homosexual, y a la otra su madre no hace más que darle la brasa de a ver cuándo se casa y sienta la cabeza, o hay quien discute con ellos a todas horas. Yo te puedo decir que mientras vivió mi madre me sentí muy querido, que nunca discutimos, que el poco tiempo que pude disfrutar de ella me valió por veinte años más que con cualquier otra madre... Pero te estoy aburriendo...

—No, qué va.

—Debes de estar cansada, ven, siéntate aquí, a mi lado...

Olga se desplomó sobre el sofá destartalado cuyos muelles chirriaron como un coro de gatos.

—¿Te importa si pongo los pies sobre la mesa? Necesito ponerlos en alto, los pies me están matando. Los tacones, ya sabes.

—Son unos zapatos preciosos, me encantan las mujeres con tacones. Vamos, descálzate...

Olga le obedeció sin saber muy bien por qué, y se quitó despacio los zapatos, primero uno y después el otro, sabiéndose observada. Pumuky cogió uno de los pies entre sus manos con cuidado, como si se tratara de un pequeño animal doméstico.

—Tienes los pies bonitos. Pocas mujeres los tienen tan bonitos.

—Pocos hombres se fijan ya en los pies de las mujeres.

—Yo sí.

Y comenzó a masajearlos con mano experta, y con la boca al borde de la sonrisa, como si pensara en un chiste secreto y equívoco. Llevada por un absurdo sentido del pudor, pues, a fin de cuentas, no estaba demasiado acostumbrada a perder el control, Olga cerró los ojos y se dejó arrastrar por aquella corriente de placer desconocido. Más tarde advirtió que las yemas de los dedos de Pumuky le ascendían por la pantorrilla y los muslos, como una hormiga esforzada que se dirigiera hacia su pubis. Sin embargo, al llegar a las cercanías del monte de Venus, la hormiguita esquivó el promontorio y siguió ascendiendo, por debajo de la falda, hasta el ombligo y sus alrededores. El chico se inclinó hacia ella. Olga pensó que iba a besarla pero simplemente le susurró al oído: ¿Estás bien? Olga asintió con la cabeza. Él comenzó a desabrocharle la blusa, demorándose con mimo en cada uno de los botones, eternizándose en la tarea. Cuando hubo acabado con el último, apartó la blusa sin quitársela a Olga, pero dejando el torso expuesto, y comenzó a acariciárselo despacio, la tripa ya no tan lisa, los pechos aún bonitos, por encima del sujetador. Ella se sentía incapaz de participar activamente, la voluntad la abandonaba, la dejaba transfigurada e inmóvil, incorpórea y flácida, y los huesos se le habían fundido como si fuesen de cera, porque toda aquella escena le parecía tan irreal que temía que si se movía se rompería el hechizo, y entonces aquel chico dejaría de tocarla. Él seguía sin besarla. Cuidadosamente, le desabrochó el botón de la falda y la deslizó bajo sus piernas. Ella culebreó casi imperceptiblemente, lo suficiente para ayudarle a él sin que se notara demasiado. La falda cayó al suelo con un frufrú de seda cara. Después él le quitó las bragas con mucho cuidado, como si estuviera desenvolviendo un dulce exótico. Ella, por supuesto, alzó las piernas para ayudarlo. Él estuvo jugueteando un rato con los rizos de su vello púbico, antes de avanzar hacia el interior y ella, desarmada y sin recursos, abrió las piernas para dejarlo entrar. Con la mano libre, el chico le acariciaba la parte superior del cuerpo, ora el cabello, ora los senos, todavía cubiertos por las cacerolas de encaje, ora el vientre. Ella sentía el discurrir de sus dedos en cosquilleos como aleteos de mariposa, espasmos fugaces, escalofríos. Todo transcurría en un raro silencio, denso y casi palpable como gelatina, arrobador y místico, tembloroso, punteado por ruidos extraños —quizá el galope de las ratas sobre los altos techos, o el trabajo de las termitas en la mampostería, o el crujido de alguna tabla centenaria— y por sus propios jadeos. Olga, que aún tenía los ojos cerrados, sentía que en aquella densa calma sus propias formas adquirían sonoridad. No podía calcular el tiempo que llevaban así, mucho más, sin duda, que el que empleaba normalmente en un polvo con su marido..., y todavía estaban en los preliminares. Pero el mejor sexo, ella lo sabía, no es el de las respuestas contundentes y totales. Él apartó la mano de su vientre y empezó a besarle las piernas. Inició un lento camino de besos hasta el pie, y se metió los cinco dedos, uno por uno, en la boca, saboreándolos como si fueran caramelos, con solemnidad ceremonial. Olga se movió, dispuesta a levantarse, pero él la empujó de nuevo contra el sofá, con violencia. Estate quieta, susurró él en tono autoritario. Su voz profunda parecía tener un revestimiento áspero y rasposo, de látigo de cuero, que rompiera de un chasquido el silencio mágico en el que se había desarrollado la escena. Ella obedeció. Deshizo después Pumuky el camino de besos andado y cuando hubo regresado al punto de partida, le separó con violencia las piernas y le lamió el clítoris, abandonando por fin la calma que había caracterizado sus movimientos hasta entonces, y ella se dejó arrastrar por el denso fluir de la humedad entre sus piernas y de sus instintos y quebró la cáscara de la intención. Se abrió dulcemente para él, plena de néctar como una flor nocturna. Explotó casi inmediatamente. Cuando abrió los ojos él la estaba contemplando atentamente, como quien examina una pieza de museo.

—¿Qué hora es? —preguntó ella.

—Ni idea, pero tarde.

—Creo que me voy a tener que ir, aunque antes...
—No sabía ni cómo plantearlo—. ¿Quieres...?, ¿quieres que... te devuelva el favor?

—No ha sido ningún favor —repuso él muy serio—. Tú me has hecho el favor a mí.

Ella se estaba recomponiendo apresuradamente. Acababa de consultar su reloj, eran casi las seis.

—Te llamaré —dijo él.

—No tienes mi teléfono.

—Lo conseguiré. ¿Te llamo a un taxi?

—Déjalo, encontraré uno en la calle, seguro. Este barrio está lleno.

Se quedó con las ganas de preguntarle por qué no la había besado.

S upongo que a estas alturas, cuando ya me he divorciado, no me importa contarlo. Sí, tuve una aventura con Pumuky. No es que lo fuéramos pregonando por ahí, pero se nos veía juntos. Íbamos juntos a muchos sitios. En aquella época yo todavía estaba casada. El caso es que el mío era un matrimonio muy particular, quizá empezó por amor y continuó por conveniencia, por costumbre y por rutina. Manteníamos una especie de entente cordiale, un pacto de no agresión. Yo, entre semana, no veía mucho a mi marido. Trabajando en lo que trabajo se sale mucho de noche y mi marido era ingeniero. Llevaba una vida muy cuadrada, de levantarse pronto y acostarse pronto también. Al principio de casados me acompañaba a todos los sitios, y luego, con los años dejó de hacerlo. Se ve que se cansó de arrastrarse al día siguiente por la oficina con ojeras de oso panda. Y llegamos a una especie de acuerdo tácito. Los fines de semana los pasábamos juntos siempre, pero entre semana vivíamos vidas casi separadas. Yo no daba muchas cuentas de por dónde entraba o por dónde salía. Más o menos dos o tres veces entre semana yo salía de noche. A ver tocar a algún grupo de los que mi agencia representaba o simplemente salía porque sí, porque quería. Llevábamos casi quince años juntos y al cabo del tiempo uno se acostumbra a acuerdos así. Claro que en el fondo se trataba de una relación muerta. Y los dos lo sabíamos. Pero supongo que seguíamos juntos porque nos resultaba cómodo. Ya teníamos una vida en común muy hecha, no sé cómo decirle, mejor mal acompañado que solo, al contrario de lo que se dice. Pumuky empezó a salir conmigo a todos lados. Se nos veía mucho juntos, pero nadie nos preguntó nunca por la naturaleza de nuestra relación. No nos cogíamos de la mano ni nada por el estilo, ni jamás nos permitimos una manifestación de afecto en público. Y tampoco creo que a nadie, de todas formas, le interesara demasiado. Nadie conocía a mi marido en esos ambientes. Dudo que mucha gente supiera incluso que estaba casada. Si a mí me tocaba ir a un concierto de los que Esfinge organizaba, Pumuky venía conmigo. Y a veces después nos íbamos a su casa, y a veces no.

No sé si usted sabe muy bien en qué consiste mi trabajo, pero quizá haga falta que se lo explique. Para que entienda por qué a Pumuky le podía interesar estar a buenas conmigo. Como sabe, las bebidas alcohólicas no se pueden anunciar en televisión. Así que a algún avispado publicitario se le ocurrió la idea de que una marca de cerveza patrocinara conciertos y festivales. La marca paga a cambio de que en el recinto donde se celebre el concierto sólo se pueda consumir esa cerveza y no otra. Y de que el logo de la marca aparezca bien visible por todas partes, en el escenario, en la rueda de prensa del artista, en los carteles, en cada esquina donde se pueda poner un logo. Por un lado en esos conciertos se consume muchísima cerveza, por otro los suelen retransmitir en televisión, y además se están alineando con el target, o sea, el público al que quieren dirigirse, que va a consumir más cerveza de esa marca porque de forma inconsciente la asocian a cosa joven y moderna, cool. Nuestra agencia gestiona casi todos los festivales y giras importantes de España: somos nosotros los que decidimos el cartel de los grupos. Si yo decido que este grupo me interesa, le puedo patrocinar toda la gira de verano. Y desde que existen las descargas en Internet, un grupo vive sobre todo de los conciertos en directo, no de las ventas de su disco. El disco ahora no es más que promoción para la gira. Y Pumuky era un tipo muy ambicioso, no tengo que decirle más, ya imagina usted que yo le podía interesar por algo más que por mi belleza o por mi encanto. Por supuesto, incluí a su grupo en cartel de varios festivales. No porque me acostara con Pumuky, quede claro, sino porque el grupo era bueno. Pero siempre, por dentro, como que me reconcomía la duda de si Pumuky se acostaba conmigo sólo por eso. Quiero decir que es-

*tamos hartos de ver a señor con poder al lado de jo-
vencita con dinero, pero no solemos ver el caso contrario. Aun así, yo no soy tan tonta como para no
desconfiar. Por eso nunca me tomé en serio nuestro
asunto. Pese a todo, no pude evitar enamorarme, en
cierto modo, de él. Porque se hacía querer. Quizá
necesitaba tanto amor que sabía cómo conseguirlo.*

    *No sé si a usted le habrán contado algo de Pu-
muky, de su vida. Era huérfano, vivía solo en un piso
que era de sus abuelos, creo. Había visto morir a su
madre. Estaba muy solo, muy solo. En cierto sentido
era uno de los chicos más maduros que yo había visto nunca, muy autónomo, con una adaptabilidad, con
una penetración mundana y un arte innato para captar los matices realmente raros de ver en un chico tan
joven. Y sin embargo también era tremendamente
infantil e inmaduro. Tenía unos ataques de cólera repentina que eran como verdaderas tormentas y que
se podían despertar por cualquier tontería. Y, por supuesto, y como supongo que usted ya sabe, se drogaba,
pero no tanto como la gente cree. A mí me halagaba
que un chico tan joven y tan guapo quisiese acostarse
conmigo, pero nunca creí que lo nuestro fuese para
largo. No soy tan idiota. Además, yo no sabía nada
de lo que Pumuky hacía los fines de semana, porque
yo los pasaba con mi marido. Y yo daba por hecho
que él tenía otras aventuras. Una vez, en su casa,
después de que hubiéramos estado en la cama, fui a
vaciar el cenicero a la basura, porque Pumuky fuma-*

ba muchísimo y a mí el olor a colillas me molestaba, y me encontré allí con un tampón usado. Pero por supuesto no preguntaba, para qué iba a preguntar.

No sé cuánto tiempo estuvimos juntos. El suficiente. Varios meses. Él era muy apasionado, ¿sabe? Me escribía mails a diario, unas notas encendidísimas diciendo lo mucho que me quería. Y me enviaba mensajes a todas horas, aunque yo nunca me creí mucho sus declaraciones, porque no entendía aquella pasión de Pumuky, aquella obsesión por quererme llamarme todos los días, por enviarme mensajes a cada cinco minutos. Por una parte, yo sabía que tenía interés en estar conmigo, no sólo porque le coloqué en cartel de los festivales más importantes de España, sino también porque a través de mí conocía a gente que le interesaba. Yo le presenté a la directora de contenidos de MySpace por ejemplo, y puedo imaginar que habría algo entre ellos, porque, si no, no me explico muy bien a santo de qué MySpace promocionó tanto a su grupo. Le presenté a la redactora jefe de Rolling Stone y al poco tiempo les dedicaban casi cuatro páginas. No le digo que se acostara con ella también... Pero le puedo asegurar que Pumuky sabía cómo engatusar. Y de alguna manera la engatusó, hubiera o no hubiera sexo de por medio. Pumuky era un chico guapísimo, culto, inteligente, encantador... Era fácil caer en sus redes, sobre todo si estaba de buen humor. Ahora sí, cuando bebía o estaba drogado no había quien lo soportase, las cosas como son. Como ya le he dicho, sus arrebatos de cólera eran históricos. *Más de una vez se puso a gritarme en la calle por cualquier tontería.*

Apenas un mes antes del accidente tuvimos una bronca sonada. Verá, el grupo iba a tocar en Ibiza un miércoles y Pumuky me había convencido de que me fuese a verlos y de que nos quedáramos allí dos días. La casa donde sus padres habían vivido antes de que Pumuky naciera seguía en pie, porque sus padres se habían conocido en Ibiza, su madre era francesa, pintora. La casa, su madre nunca la había vendido. Por lo visto, estaba casi en ruinas. Creo que Pumuky se proponía reformarla en honor a su memoria. Usted ya sabrá, se lo habrán dicho, que estaba obsesionado con ella. Yo no podía ir el miércoles porque tenía una reunión importante con los de la cerveza fijada desde hacía meses, pero le prometí que el jueves por la mañana estaría allí. Repare usted en que nosotros nunca habíamos podido dormir una noche entera juntos, y menos pasar dos días. Tuve que mentir a todo el mundo, a mi marido y en el trabajo, e inventarme una excusa ridícula para conseguir dos días libres. Me presento en Ibiza el jueves por la mañana, llamo a Pumuky, el teléfono desconectado. Di por hecho que estaba durmiendo y me presenté directamente en el hotel donde sabía que se alojaba. Pero él no estaba allí. No estaba en ningún lado. Luego me dio una excusa. La noche anterior, tras el concierto, se había ido de rave, *ya sabe cómo es el ambiente en Ibiza. Y se despertó a la tarde si-*

guiente en una casa de no sé qué millonario alemán en una cala, con el teléfono sin cobertura, sin ni idea de en qué parte de la isla estaba y sin ningún vehículo a mano, ni medio para volver a la capital. O eso fue lo que me contó a mí. Yo me encontré sola en la isla, sin nada que hacer, sin conocer a nadie, después de habérmelas visto y deseado para poder escaparme. Y aquélla fue la gota que colmó el vaso. En los meses en los que habíamos estado juntos le había aguantado mucho a Pumuky. Una de cada tres veces que quedábamos no se presentaba o se presentaba tarde; en uno de cada tres conciertos a los que íbamos juntos se emborrachaba de tal manera que yo tenía que irme a casa sola, dejándole a él en la sala, puesto perdido; una de cada tres tardes que quedábamos a tomar café acabábamos discutiendo porque él se ponía a gritar por una minucia sin importancia... Y sí, estaba bien tener un amante joven y guapo, pero no a ese precio.

Después de lo de Ibiza yo decidí no verle más y mi decisión precipitó su acoso. Cada mañana llegaba a la oficina y lo primero que hacía era abrir el buzón de correo electrónico. Y allí se acumulaban los mensajes. Al principio, amables. Me decía que me quería y que no me tomara sus travesuras en serio. Su única culpa era la de haberse emborrachado y yo no debía ser estúpida y sentirme enojada y celosa. Yo no respondí a ninguno de sus mails. Más tarde, llegaron los mensajes tristes. Me reprochaba mi frialdad, no entendía por qué no le respondía. Se arrepentía de lo que había hecho y sentía mucho haberme defraudado. Me rogaba que lo perdonase y prometía una conducta ejemplar en lo venidero. Tampoco los respondí. Finalmente, se ponía colérico y amenazador. Me escribía que ya me había concedido todas las oportunidades para tratarle de forma justa y decente. Decía que si no le pedía perdón de inmediato por haberle tratado así, debía aceptar las consecuencias. Porque —me lo decía más o menos así— su paciencia se agotaba. Me llamaba vieja loca y vaca estúpida y no sé cuántos insultos más. Incluso amenazaba con escribir a mi marido. Supongo que porque pensaba que si no había reaccionado ante las palabras bonitas sí que reaccionaría ante las provocaciones. Pero yo estaba ya cansada de todo el juego, y no contesté. Además, Óscar, mi mejor amigo, me había dicho que últimamente lo veía por todos lados en compañía de una rubia muy llamativa. Y a mí me empezaba a parecer cada vez más claro que Pumuky no lamentaba perderme a mí, sino a las maravillosas oportunidades que se le abrían a mi lado.

También me enviaba mensajes al teléfono, a todas horas, en el mismo tono o parecido, y tampoco los contesté nunca. Al final, dejó de enviarlos.

Debió de pasar alrededor de un mes sin noticias de Pumuky. Hasta que un día me pasan una llamada en la oficina, de uno de los socios. Cuando la cojo, reconozco la voz de Pumuky. Se había hecho pasar por otra persona para poder hablar conmigo. Le iba a colgar el teléfono, pero no lo hice. En el fondo, lo echaba de menos. Tuvimos una conversación muy larga, de una hora o más. Él estaba muy calmado. Extrañamente tranquilo para lo habitual en él. Recuerdo que pensé que podía estar tomando tranquilizantes. Me dijo que me echaba mucho de menos. Que se acordaba a todas horas de mí. Que yo era el Amor De Su Vida. Cosas por el estilo. Tengo que reconocer que no le creí. Nunca le creía cuando me decía ese tipo de lindezas porque él era así, muy melodramático y muy intenso. Pero obras son amores y no buenas razones. Y yo nunca había visto que me amase demasiado. Me habló mucho de su madre. Decía que hablaba con ella todas las noches, que la echaba de menos. Yo, por supuesto, noté algo raro. Pero Pumuky siempre había sido raro, así que no me alarmé ni le concedí mayor importancia. Al final de la conversación estaba llorando. Tampoco era la primera vez que lo escuchaba llorar, solía hacerlo cuando bebía mucho. Nos despedimos con cordialidad, como dos amantes que guardan buen recuerdo uno de otro. Repitió muchas veces que me quería y que era el Amor De Su Vida. Siento admitir, una vez más, que no le creí. Que no le presté atención. En realidad, lo que yo pensaba era que Pumuky verdaderamente creía en lo que decía en el momento en el que lo decía, pero que lo olvidaba al cabo de un rato. Un día me podía querer a mí, y al momento siguiente a cualquier otra. Era muy intenso, ya se lo he dicho.

Pocos días después me enteré de su muerte. Lo recuerdo perfectamente. Yo estaba en la oficina y Óscar me lo contó todo, por teléfono. Me quedé blanca. Me fui a un cuartucho que está al fondo del piso y que usamos como almacén. Está lleno de discos y de paquetes. Me quedé allí sentada durante mucho rato, procesando la noticia. No me la acababa de creer.

Lo peor fue que dos días después de su muerte me llegó una carta. Era una carta escrita a mano por Pumuky. Un montón de folios emborronados por lo que parecían manchas que podían ser de cerveza o de alcohol o de lágrimas. Me decía que me la estaba escribiendo en un bar. La caligrafía de Pumuky no era ningún prodigio de claridad y tampoco se expresaba con mucha concisión. Todo era muy poético, muy surrealista. Supongo que podría ser la carta de un suicida, sí, pero también podría no serlo. Imagínese el shock. Recibir la carta de un muerto.

Tuve que pedir varios días de baja en la oficina. No podía explicar por qué. Dirijo la agencia, pero no soy la jefa máxima, hay socios a los que dar explicaciones. Al final se lo conté todo a Óscar y él llamó a mi socio y se inventó alguna historia sobre un pariente enfermísimo y una herencia por resolver. El médico me recetó no sé qué pastillas que me tuvieron varios días en la cama, medio dormida. Casi era peor el remedio que la enfermedad, porque no hacía otra cosa que soñar con Pumuky. No sé si se suicidó, eso es lo que dicen. Y si se suicidó, prefiero pensar que yo no tuve la culpa. Pero a veces no puedo evitar pensarlo. Se lo conté todo a mi marido. Quizá porque me sentía tan culpable que pensaba que me merecía un castigo, que merecía arruinar mi vida. Era lo que él había estado esperando. Salía desde hacía tiempo con una chica de su trabajo, así que cuando le conté mi historia entendió que le daba vía libre para continuar con la suya. Nos separamos poco después. Lo curioso es que todavía seguimos acostándonos de cuando en cuando. Supongo que desde que dejó de ser mío del todo empezó a parecerme más atractivo.

Follar con la madrastra

A Mario le gustó que su padre se volviera a casar. Y le encantó que se casara con una mujer más joven y más guapa que su madre. No es que le cayera muy bien su padre, pero Leonardo le caía muchísimo peor. «Un trauma edípico —decía Romano—. Te jode que otro te haya robado a tu madre, aunque a tu padre, qué remedio, se lo tenías que aguantar y perdonar». «Vete a tomar por culo —respondía Mario—, pedante, que a veces te pones más pedante que el propio Leonardo, que ya es decir. No aguanto a Leonardo porque no hay quien lo aguante, porque es un prepotente, un chaquetero, un lameculos y un pesado, y no sé qué coño pudo ver mi madre en él». «Pues vio al señor que le iba a conseguir el respaldo crítico y el apoyo de la biempensancia —se reía Romano—. Es como si mañana me lío yo, no sé, con la redactora jefe de *Rolling Stone,* el *Rolling Stone* yanqui, quiero decir, y luego puedo ir por la vida fardando de la supercrítica que han hecho de mi concierto en Nueva York que, por cierto, también me ha organizado mi novia». Lo peor es que Mario se temía que en el fondo Romano tuviese razón. Y por eso se alegró doblemente cuando su padre anunció que se casaba. Que se casaba con una niña que hubiese podido ser su hija, que apenas tenía seis años más que Mario, y que estaba buenísima, porque Mario siempre fue consciente, bien consciente, de que Lola era un pibón de escándalo, aunque él no se la hubiera tirado ni borracho, con esas mechas rubias y ese aire de pija.

Sus padres se habían separado cuando él tenía once años, y casi al mismo tiempo, fue una cuestión de meses, Leonardo se había instalado en la que había sido la casa de los padres de Mario, y que pasó a ser la casa de Marié. Por extensión, la casa de Leonardo y Marié. A Mario no le hizo puñetera gracia, y es posible que Romano tuviera razón y que no le hubiera hecho gracia ningún hombre, ninguno, que se hubiera liado con su madre, pero también era cierto que era fácil cogerle tirria a Leonardo, con todo su hueco discurso de *gauche divine*. Leonardo se autoproclamaba defensor de la República, del laicismo y del Estado del Bienestar, pero exigía viajar en clase business y llevaba siempre zapatos de Hugo Boss. A Mario, Leonardo le parecía la incoherencia con patas. Por no hablar del pelma y pichagato de Benito Monjardín, su amigo del alma, aquel poetastro de tercera que iba de rojo y concienciado, de defensor de la Memoria Histórica, de abanderado de causas perdidas, de buceador en las aguas negras del franquismo, de desactivador de las verdades minadas con las que los fascistas sembraron el territorio conquistado y demás blablablás, y que vivía en realidad del dinero de su mujer que no era sino dinero nazi. De eso se enteró por casualidad Mario mientras investigaba para su tesis de doctorado, que iba a tratar sobre la *Kameradenwerk** y su función en la reinserción de refugiados nazis en la España franquista. Y aquí que se encontró con el apellido de Ángela, Lazar, y preguntó, de la forma y manera más inocente a Benito, en una de tantas comidas literarias de las que se daban en los salones de Marié, si el padre de Ángela no se llamaría, por casualidad, Otto. «Pues no sé —le dijo Benito, ignorante de la verdadera razón por la que Mario le preguntaba algo así, o fingidor de tal ignorancia para evitar polémicas—, la verdad es que cuando yo conocí a Ángela el padre ya había muerto hacía mucho, la madre de Ángela era casi treinta años menor que él». «Su segunda esposa, ¿no?». «Efectivamente». «Pues entérate del nombre del padre, por favor, me vendría bien saberlo».

A los pocos días, en una de esas comidas de domingo en las que Mario aparecía con resaca y Leonardo con cara de haber dormido demasiado, Mario

---

* *Kameradenwerk:* asociación de antiguos oficiales nazis de las SS creada después de la Segunda Guerra Mundial, cuyo cometido era ayudar a escapar y esconder a los camaradas perseguidos por la justicia.

se decidió a contarles a su madre y a su padrastro todo lo que había averiguado sobre Otto Lazar, el padre de Ángela, la mujer de Benito. El 2 de mayo de 1945, Otto Lazar, antiguo lugarteniente nazi, descendía de un Junker luego de haber aterrizado en el aeropuerto barcelonés de El Prat. El procedimiento de repatriación que exigían los aliados, de retorno al punto de partida por el mismo camino y en el mismo aparato, se hizo imposible, pues el avión había quedado inutilizable en el aterrizaje. Lazar no había sido localizado cuando zarpó el barco que debería llevar a los refugiados desde Barcelona. Eludió más tarde la extradición por medio de certificados médicos, y gracias a sus excelentes contactos, nunca fue repatriado, pues el propio ministro de Exteriores, Víctor Martín Artajo, intervino en el caso a instancias del príncipe Fernando María de Baviera. Un ejemplo entre tantos de cómo el apoyo institucional del franquismo tenía para los prófugos nazis un valor inestimable y de cómo, aprovechando la necesidad de tener que repatriar a estos españoles residentes en Alemania que fueron colaboradores del Tercer Reich, los diplomáticos franquistas hicieron florecer un buen negocio con los documentos españoles. De este modo, muchos alemanes se convirtieron en españoles, Lazar entre ellos. El ministro de Exteriores siempre encontró algún argumento oportuno para protegerlo, y resistió, numantino, contra las demandas de extradición desde Alemania, argumentando que Otto era una de esas personas «cuyo historial interesa a la economía nacional y que merece una especial consideración por su posición clave en la economía y por su calificación superior e insustituible dentro de una empresa alemana», pues Otto Lazar se había convertido, entretanto, y gracias a sus inmejorables contactos y a los favores que se le debían, en el director de la filial española de Sofindus.

Para gran sorpresa de Mario, ni Leonardo ni Marié parecían particularmente sorprendidos por el resultado de sus investigaciones. No pusieron cara de pasmo, ni soltaron exclamación alguna, ni dejaron los cubiertos sobre el plato para prestar mayor atención. De hecho, Leonardo parecía bastante más atento al cocido que a las palabras de Mario.

—Pero ¿qué os pasa? ¿Os da igual lo que os cuento?

—No, igual no nos da, por supuesto —Marié se mantenía tan tranquila como si Mario le hubiese comentado que se encontró por la calle a una antigua compañera de colegio—, pero ésa es, más o menos, una historia conocida, o al menos muy rumoreada. De hecho, creo que Ángela la lleva bastante mal.

—Sí, algo había oído —ratificó Leonardo, tras masticar, concienzudo, una cucharada de garbanzos—. Me parece que la madre de Ángela era hija del ministro de Gobernación o algo por el estilo, se casó con el alemán cuando ella no había cumplido veinte años, y él entonces era mucho mayor que ella. Igual la abuela de los niños de Benito era la hija del ministro de Exteriores, fíjate. Ángela es mayor que Benito, ¿no? Debe de andar por los sesenta. Así que la madre se casaría justo por aquella época, recién llegado el señor de Alemania.

—¿Y os da igual? ¿Os da completamente igual saber que la fortuna que mantiene a vuestro mejor amigo está manchada de sangre?

—Mario, por favor, no te pongas melodramático, tampoco es así la cosa exactamente —intentó apaciguarlo Marié.

—Pero él vive del dinero de Ángela, que no deja de ser dinero nazi...

—El dinero lo hizo en España, así que no se lo robó a los judíos ni nada por el estilo —aclaró Leonardo.

—¿No? ¿Tú de verdad crees que un hombre se enriquece desde la nada gracias al trabajo honrado? Y, sobre todo, ¿cómo crees que se enriquece alguien de la noche a la mañana en un régimen fascista?

—Por favor, no empecemos con las discusiones de siempre, y menos en la mesa —zanjó Marié—. Además, la pobre Ángela no es responsable de la vida de su padre, y Benito menos.

—Sí, claro, igual que Leonardo no tiene la culpa de que su padre fuera teniente coronel del ejército fascista.

—Y, ya puestos —siguió Leonardo—, tampoco tú tienes la culpa de que tu abuelo se enriqueciera con el estraperlo, ni te importa vivir en esta casa que ese abuelo les compró a tus padres como regalo de bodas. —Leonardo parecía satisfecho con su triunfo dialéctico.

En aquel momento, Mario se levantó de la mesa, tiró la servilleta y se fue a su cuarto a escuchar techno a todo volumen. Sentía por Leonardo un odio carnicero. Fantaseaba con dejar aquella casa, pero sabía de sobra que con lo que ganaba como músico no le daría para pagar un apartamento, y además había otra razón: esa casa era suya, el intruso era Leonardo, no él, la casa le correspondía por derecho y por herencia y no iba a darle a Leonardo la satisfacción de dejarlo allí solo, con su madre.

Aquel verano tenían varios bolos, pero no una gira en toda regla. Es decir, que tendrían que hacer de Madrid su cuartel general y salir los fines de semana a diferentes lugares. La ciudad se había convertido en una sartén y en cuanto uno ponía el pie en la calle el calor le pegaba como una bofetada. Mario decidió instalarse en el chalé de su padre, situado en las afueras de Madrid, porque tenía piscina, pero conservaba los dos juegos de llaves, de forma que si salía al cine o a tomar algo, pasaba la noche en la casa de su madre —pues volver hasta la de su padre en taxi le costaba un ojo de la cara— y al mediodía siguiente regresaba a la de su padre. O bien tomaba el autobús o bien Lola le llevaba.

Mario no trabajaba porque estaba haciendo la tesis, o eso era lo que decía a todo el mundo, y era cierto, bien cierto, que hacía una tesis. Como también lo era el hecho de que a Mario no le apetecía nada, ni lo más mínimo, trabajar, ni estaba dispuesto a soportar la incómoda y agobiante carga de lo mundano. En segundo de carrera había trabajado por las tardes en la oficina de su padre, ocupándose de la contabilidad. Como su padre no quería que lo considerasen el enchufado hijo de papá, lo había colocado en el escalafón más bajo de todo el departamento, por debajo de dos señoras amargadas que jamás habían leído un libro —ni siquiera los de la editorial—, y que, por supuesto, en la vida habían oído hablar de música electrónica ni de anarquismo posmoderno. Las dos señoras se pasaban el día criticando al resto de la plantilla. A Lola, por trepa: «Anda que no es lista la tía, tantos años viniendo con minifalda al trabajo y al final consiguió lo que quería»; a la editora, por prepotente: «Ésa se cree que porque tiene un doctorado nos puede mirar por encima del hombro»; a la asistenta de la editora, por pija: «Sí, mucho bolso de Gucci y muchos trajes de Armani, pero aunque la mona se vista de seda...»; a la recepcionista, por gorda: «Y la tía no se corta un pelo, ¿eh?, que se baja al bar de abajo y se pone ciega a churros»; y a la de diseño, por flaca: «Es anoréxica, te lo digo yo, si nadie a su edad está tan esquelético». Lo peor es que semejante maledicencia no era privativa en el departamento de contabilidad, el mismo ambiente o parecido se respiraba en edición, diseño o marketing: todo el mundo ponía verde a todo el mundo, nadie se salvaba de la quema, porque todo el mundo estaba precisamente ya quemado, harto de estar encerrado durante ocho horas al día en un feo cubículo de luz artificial, compartido con gente que no les caía bien. Y porque todo el mundo veía en el de al lado a un posible competidor, ya que la estructura piramidal que prima en cualquier empresa implica que la única manera de ascender sea pisándole la cabeza a otro. Las mujeres eran las más quemadas, porque no tenían vida propia. Una hora de tren hasta la oficina, nueve horas allí (una para comer, en la minicocina que había al fondo de la oficina los platos insípidos y bajos en calorías que llevaban preparados desde casa, dispuestos en una tartera, y que recalentaban en el microondas), otra hora de tren hasta casa y luego ayuda a los niños con los deberes, prepara la cena, supervisa baños, cuenta un cuento antes de dormir hasta que caigas derrengada en la cama sin ganas para hacer el amor con un marido que, de todas formas, hace tiempo que ha dejado de gustarte. Vida vacía, vida de esclavo. Mario sabía que su padre había acariciado largamente el sueño de que él, su único hijo, se hiciera en un futuro cargo del negocio familiar, pero a Mario la mera idea de volver por aquella oficina siniestra le daba náuseas. Por eso soñaba con que el grupo tuviera éxito, con que se hicieran, no ricos y famosos, pero sí lo suficientemente conocidos como para vivir de la música dignamente, sin tener que pisar una oficina el resto de sus días.

Entretanto, qué remedio, Mario vivía en la casa de su madre, muy a su pesar, si bien era cierto que la frecuentaba poco. Se pasaba gran parte del día fuera. Investigando, estudiando o navegando por Internet en la biblioteca, viendo películas en la Filmoteca, copeando en La Taberna Encendida con Romano y Pumuky. Aparecía por casa de Marié a dormir y poco más, eso si aparecía, porque algunas noches la amanecida le pillaba con Pumuky y acababa durmiendo en su casa, y algunas otras —mejores— alguna grupi generosa lo acogía en el piso que compartía con unas amigas (sus grupis siempre eran demasiado jóvenes como para vivir solas). Mario disponía también de las llaves del chalé de su padre (calidades de lujo, piscina, aspiración centralizada, calefacción por suelo radiante, aire acondicionado, cocina amueblada con electrodomésticos, habitación principal con mirador, vestidor independiente, jacuzzi, columna de hidromasaje, muebles de diseño en baños, alicatados de Porcelanosa, seis dormitorios, jardín con riego automático e iluminación nocturna), y en verano solía instalarse allí para poder hacer uso de la piscina. El único problema residía en que Mario no tenía coche, ni tampoco lo tenían sus amigos, y si quería salir por Madrid lo tenía difícil para llegar al centro de la ciudad desde aquella zona residencial. Mario había intentado sacarse el carné de conducir, pero tras casi cien clases, tres mil euros perdidos en la broma y cuatro exámenes suspendidos, lo había dado por imposible, más que nada porque se había quedado sin dinero, y ni soñar siquiera con pedírselo a su padre o a su madre, se trataba de una cuestión de orgullo. En verano los días en el piso de su madre se le hacían larguísimos, y la piscina le atraía como el sol a la polilla. Soñaba con el agua turquesa, pero el chalé de su padre se le antojaba el Castillo de Irás y No Volverás. Resultaba fácil ir al castillo de su padre porque Lola, su madrastra, que también trabajaba en la editorial, hacía jornada intensiva y salía del trabajo a las tres de la tarde. Tan fácil como esperarla a la puerta de la oficina, a apenas tres calles de la casa de Marié (pues cuando Víctor y Marié aún estaban casados, Víctor había vendido el piso que Marié había heredado de su abuela y había comprado uno nuevo en aquella zona precisamente para estar cerca de la empresa familiar), y subirse a su coche. La vuelta era otra cosa. Existía un autobús, pero desde la casa de su padre hasta la parada había más de quince minutos de caminata, más la casi media hora que uno se podía pasar en la parada esperando a que el autobús llegara, y nadie aguantaba cuarenta y cinco minutos a la intemperie en un Madrid de verano, con el sol que caía a plomo y el calor que se pegaba a la piel hasta apergaminarla. Además, la línea dejaba de estar operativa a partir de las diez de la noche.

Lola estaba planchada, cuan larga era, en una tumbona, como un lagarto inmóvil al sol. En la piscina, Mario hacía largos sin demasiada disciplina, con calma. Le gustaba nadar, aunque no le iba mucho el ejercicio físico, sobre todo desde que Marié se lo había impuesto. Marié, que consideraba el sobrepeso como una enfermedad vergonzante que desprestigiaba, cual venérea, a quien la padeciera, decidió que Mario no mostraría jamás sus síntomas y lo inscribió desde pequeño a cursos de judo o de cualquier otra actividad física que se pusiera de moda. Pero Mario era vago por naturaleza, y para colmo había heredado de su madre la tendencia a las redondeces, de forma que siempre fue un niño gordito que prometía convertirse en un adulto no menos lozano. Marié, inasequible al desaliento, llevó a Mario en cuanto cumplió los quince años al mismo endocrino que la trataba a ella, al mismo que había logrado en su día el milagro de los veinticinco kilos perdidos de Marié, y sí, es cierto que Mario perdió casi quince kilos, pero el mérito no se debió a la dieta prescrita, sino a unas pastillas recetadas por el médico, que, según había descubierto Pumuky después de leer de arriba abajo la etiqueta y de cotejarla con el Vademécum que su madre tenía en casa (su madre lo consultaba no porque fuese estudiante de Medicina sino por razones que el lector adivinará fácilmente a medida que avance en la lectura de esta novela), contenían anfetamina. Así que Pumuky y Mario las mezclaban con alcohol y se corrían las grandes juergas. A Pumuky su madre nunca le puso hora de llegada a casa y, en cuanto a Mario, Marié se pasaba mucho tiempo en congresos y a Leonardo no le podía importar menos la vida de su hijastro, de forma que tampoco nadie le controlaba mucho las idas y venidas. Así que, gracias a las pastillitas, volvían a casa con el alba, frescos como rosas, se daban una ducha y se iban a clase. Un año de aventuras, de patearse todos los bares, de largos paseos a lo largo de la Castellana a altas horas de la mañana, de conversaciones bajo las estrellas, al cabo del cual Mario había conocido a muchísima gente y había perdido diez kilos. Marié podía estar satisfecha. Diez años después Mario seguía siendo un chico delgado, aunque no particularmente deportista.

Mario se cansó de los largos, salió de la piscina y se sacudió el agua del pelo meneando la cabeza como un perrito y salpicando a Lola, que pegó un saltito en la tumbona.

—¡Mario! Por favor... Podías tener un poco de cuidado, que ya no eres un crío.

«Ni tú mi madre», pensó Mario, pero en su lugar articuló un «Lo siento mucho» de lo más formal.

—Qué calor hace..., no hay quien lo soporte. Voy a por una cerveza fría. ¿Te apetece una? —preguntó Lola, ya un poco más calmada, dirigiéndose a Mario desde lo alto de su inexpugnable cortesía.

—Sí, muchas gracias.

Lola se incorporó y se dirigió hacia el interior de la casa. Llevaba un bikini minúsculo y, cuando se colocó de espaldas a Mario, él aprovechó para regodearse en la visión del suntuoso culo que remataba, cual capitel de columna, dos piernas largas y palaciegas. Era imposible que viera a Lola como su madre o como su madrastra, si ni siquiera llegaba a tener diez años más que él, cuando Mario se había liado con mujeres más mayores, con muchas. Y esas mujeres con las que Mario se había liado no tenían, desde luego, el impresionante cuerpo de Lola. Sí, su madre sería muy prestigiosa y muy admirada por cientos de miles de lectores, pero sin duda su padre, el muy cabrón, había ganado con el cambio. Una pena que Lola fuera tan pija, que vistiera y se peinara como una abuela, aunque, probablemente, a ella le convenía así, para que no se notaran tanto los casi veinte años de diferencia con el marido. Mario repasó la lista de amigos de su madre, entre los que había mucha pareja de estudiante de literatura casada con un escritor o crítico famoso mucho mayor que ella y se dio cuenta de que, tras matrimoniar, aquellas chicas parecían ganar diez años, porque poco a poco iban adocenándose en el peinado y en la indumentaria, aunque Mario no podría decir si eran conscientes ellas mismas del cambio, si la estrategia de adaptación al medio era intencionada o respondía al puro mimetismo. Ante una Lola vestida, con aquellos trajes de Carolina Horrores y aquellos espantosos bolsos de Prada, uno no caía en la cuenta de lo buenísima que podía llegar a estar desnuda. Pero el bikini no mentía, por más que también fuera horrible, con unos pespuntes dorados de nueva rica que hacían daño a la vista, y el logotipo de Versace bien visible. Lola se vestía siempre como una señora bien, y actuaba como una señora bien, pero algo en la expresión de la cara desmentía aquel aparente conservadurismo. Parecía como si siempre se estuviera reprimiendo, y como si consiguiera transmitir la imagen de dulzura en el redondeado óvalo de la cara, en la barbilla circunspecta, siempre apuntando al cielo, en los labios en los que llevaba prendida una media sonrisa perenne, pero hubiera fracasado en los ojos, muy negros y muy brillantes, de mujer determinada. De todas formas, él contemplaba aquel cuerpo y aquel rostro espectaculares con distancia. No tenía la menor intención de tirarse a Lola, no sólo porque era la mujer de su padre sino porque no le gustaban las pijas. Y por lo visto su padre tampoco pensaba que querría tirársela, ya que estaba encantado de que se pasase por la piscina en verano. «Así haces compañía a la pobre Lola, que estará sola», le había dicho a Mario pocos días antes de irse de viaje.

A los pocos minutos Lola regresaba con dos vasos de cerveza en una bandeja.

—¿Y dónde está ahora mi padre?

—En Argentina y en Chile. Ahora allí es invierno, como sabes, y hay no sé qué feria de libros. Los títulos de la editorial se venden muy bien en Sudamérica. Allí el mercado del libro de autoayuda funciona mejor que aquí.

—¿Y por qué no te has ido con él?

—Porque no podemos cerrar la editorial. Alguien se tiene que quedar a atender pedidos, y casi todo el personal quiere coger las vacaciones en julio y agosto para que coincidan con las del colegio de los niños. Y a mí me da igual quedarme. Además, ya no me hace ilusión lo de acompañar a tu padre. Al principio me gustaba viajar, pero la verdad es que el *jet-lag* me mata, y en Sudamérica ya he estado con él varias veces. Aquí me aburro un poco, la verdad, pero más me aburriría allí.

—Lola... —Mario reflexionó un instante antes de atreverse—, ¿te puedo pedir un favor?

—Depende del favor. —Ningún deje, ni remoto, de coquetería en la respuesta, más bien cierto resquemor.

—¿Me acercas luego a Madrid? He quedado con Pumuky, y lo de ir en autobús es una tortura. Basta con que me dejes en Moncloa, yo ya me busco la vida desde allí.

—Vale, ¿a qué hora has quedado?

—A las ocho. Vamos a ir al cine.

—Bueno, pues a las siete y media, ya sabes, listo y en la puerta.

A las siete y media en puntísimo Lola lo esperaba en el recibidor, vestida con unos vaqueros de lo más sencillos, bastante descoloridos por el uso, una camiseta roja sin marca ni logo y unas zapatillas blancas de tenis. Se había recogido el pelo en una coleta y apenas iba maquillada, en contra de lo que era habitual en ella. En lugar de los historiados bolsos de marca que solía lucir, llevaba al hombro una sencilla bolsa de lona blanca. Mario casi no la reconoció. Puede que aquélla fuera la primera vez en años que la veía salir a la calle sin tacones. De repente parecía casi más joven que él.

—¿Nos vamos? —dijo Lola.

—Claro —respondió Mario, aún no del todo recuperado de la impresión.

En el camino ella se mostró particularmente comunicativa, también en contra de su costumbre.

—¿Y qué película vais a ver?

—Pues no sé qué te diga. Una de Jacques Rivette, creo. En la Filmoteca, la ha elegido Pumuky.

—¿Romano no va?

—Bueno, se ha sacado una novia nueva, una chica guapísima. Modelo, creo. Y no salimos mucho con él últimamente, está siempre con ella.

—Pues ya es raro, muy enamorado debe de estar. Vosotros que ibais juntos a todos lados... Parecíais el trío calavera.

—Ya, pero seguimos tocando juntos. Nos vemos a diario, en los ensayos. O casi, últimamente ya no ensayamos a diario.

—El grupo va bien, ¿no? ¿Ya sois famosos y esas cosas?

—Depende de lo que entiendas por famosos, pero nos va bien, sí. Tocamos bastante. Este mes vamos a tocar mucho. Casi todos los fines de semana los tenemos cubiertos.

—Yo hace años que no voy al cine. Tu padre nunca me lleva. Me saca mucho a cenar, pero al cine no. Y a bailar tampoco. Yo antes de casarme con él solía ir a bailar con un novio que tenía. Acabábamos siempre a las mil en la sala Sol.

—Nosotros todavía vamos a la sala Sol, y nos dan las mil allí.

—¿Sigue abierta? Yo iba hace quince años.

—Sí, sigue abierta. Lleva más de veinte años abierta.

—Oye, Mario..., ¿a ti te importaría mucho si yo voy al cine con vosotros? Es que me aburro una barbaridad últimamente.

—Pues la verdad, no sé si Pumuky...

—Nada, nada, déjalo, no te he preguntado nada...

Mario entendió de pronto por qué ella se había vestido así, y eso le sirvió para calcular la magnitud de su desesperación. Debía, ciertamente, de aburrirse mucho.

—Nada, mujer, sin problemas, vente.

Cuando Pumuky los vio llegar puso una cara que Mario identificó rápidamente. «¿Quién es ésta?», quería decir.

—Pumuky, ¿te acuerdas de Lola?

—Lola, Lola..., el caso es que me suenas.

—Soy la mujer de Víctor. Ya nos habían presentado.

—¡Es verdad! No te había reconocido. —Y la expresión de Pumuky cambió del simple asombro a la más absoluta estupefacción. Del «¿Quién es ésta?» al «¿Qué hace aquí ésta?». Mario le hizo caso omiso y dejó que su madrastra pagara el importe de las tres entradas sin oponer la menor resistencia. Al fin y al cabo, ella era rica.

La película era un tostón de los de filmoteca, lenta, sinuosa e incomprensible, pero Lola se mantenía enganchada a la pantalla como bebiendo de ella. O bien fingía o bien realmente echaba de menos el cine. A la salida, hizo algunas observaciones bastante inteligentes sobre la pésima caracterización de la actriz, que, como bien decía Lola, «estaba demasiado huesuda como para dar el tipo de gran duquesa» y del trabajo del actor. Quizá fuera la primera vez que Mario la oía hablar de algo que no estaba relacionado, siquiera tangencialmente, con Víctor.

—Pues, ahora... ¿qué hacemos? —dijo Pumuky—. ¿Nos vamos a tomar una a La Taberna Encendida? Podemos bajar andando. ¿Hace?

Mario esperaba que Lola se disculpase arguyendo que a la mañana siguiente se tenía que levantar pronto, pero la madrastra se apuntó entusiasta al plan. Bajaron los tres por la calle Buenavista y a Mario se le seguía haciendo raro que la mujer de su padre, por lo general tan pija y contenida, se patease aquel barrio de mala muerte en el que había que sortear por las aceras las bolsas de basura. Pero Lola no torció el gesto ni en el camino ni cuando llegaron a la Taberna, un antro de mala muerte que de seguro poco tenía que ver con los restaurantes de cuatro tenedores a los que la llevaría Víctor. Ella estuvo encantadora, se empeñó en pagar dos rondas de cervezas y le aguantó a Pumuky su verborrea incontenible, pastosa y melodramática, cargada de superlativos y de consonantes sonoras, que versaba, como siempre, sobre el grupo, sobre futuros bolos y posibilidades de promoción, adoptando Lola la misma cara de interés que hubiera puesto una grupi de dieciocho años, aunque algo en la expresión de su madrastra le hacía a Mario barruntar que su entusiasmo era fingido. Lola continuó pagando rondas con esplendidez de marquesa hasta que Sonia les dijo que iban a dar las tres, y que el bar cerraba. «Ahora sí —pensó Mario—, ahora dirá que se va a casa. Pero no puede conducir con la toña que lleva».

—¿Nos vamos a la sala Sol? —propuso Lola—. Tú has dicho que todavía está abierta.

—Pero son las tres y tú tienes que trabajar mañana.

—Yo soy la jefa, y si no quiero ir no voy. Además, en agosto no se hace nada. Nadie va a notar si voy o no voy al trabajo. ¿Dónde he aparcado mi coche?

—Pero tú no estás en condiciones de conducir, no sé siquiera si de encontrarlo...

—Mario, no me seas aguafiestas, por el amor de dios —decía Lola entre risas.

—Sí, Mario, tiene toda la razón aquí tu..., tu amiga Lola —estaba claro que Pumuky no se había atrevido a mencionar en voz alta el vínculo que los unía—, ¿desde cuándo eres tú tan precavido?

Encontraron el coche aparcado cerca de la Filmoteca. El vehículo había sobrevivido intacto, sin rasguño ni intento de apertura alguno, lo cual resultaba casi milagroso tratándose de un coche tan llamativo en un barrio como aquél. Lola pareció recuperarse milagrosamente, condujo como si no hubiera bebido y aparcó en una sola maniobra a apenas dos calles de la sala Sol, milagro sólo concebible en un mes como agosto en el que Madrid se queda desierto.

Nada más llegar, Lola cogió de la mano a Pumuky y se lo llevó a bailar a la casi vacía pista. Contra todo pronóstico, la pija bailaba escandalosamente bien. Y lo de escandalosamente le venía al pelo, porque se contoneaba como si estuviera en un club de estriptís. Pumuky parecía encantado con ella y le seguía el juego, contentísimo de atraer sobre sí todas las miradas del garito. Una voz interior le susurraba a Mario que aquello no estaba bien, pero cuando reflexionaba se veía incapaz de precisar qué era exactamente lo que estaba mal. ¿Estaba mal que una chica de treinta y pocos años estuviera bailando en un garito a las tantas de la mañana con dos chicos guapos y más jóvenes que ella?, ¿estaba mal que la chica hubiera bebido?, ¿o en realidad lo que había estado mal es que se hubiera casado tan joven con un hombre que le doblaba la edad, cuando cualquiera hubiera podido prever que con el tiempo la chica acabaría por aburrirse y por echar de menos todas las cosas que se iba perdiendo, como emborracharse hasta las tantas y bailar en un garito, por ejemplo?

Al rato, Pumuky y Lola dejaron de bailar, y regresaron de la pista abrazados y sudorosos. Mario agarró a Pumuky del brazo y lo atrajo hacia sí, en un aparte.

—No estarás intentando ligarte a la mujer de mi padre, ¿no?

—Mario, coño, no seas malpensado...

—Por si acaso. No quiero follones.

—No estarás celoso, ¿no?

—Pero no seas gilipollas, joder, no digas chorradas.

—No digo ninguna chorrada. Anda que no tendría morbo, tirarte a tu madrastra. De hecho creo que voy a hacer una canción que se llame así: *Follar con la madrastra.*

—Se están rifando unas hostias y tienes todas las papeletas, Pumuky, así que mejor te callas.

Entretanto, la pija, ajena a la conversación, había pedido una ronda de gin tonics. Se le había deshecho la coleta y el cabello, normalmente bien peinado y alisado, se le había rizado por culpa del sudor, que le había borrado también la raya del ojo. A su pesar, Mario la encontró deseable y encantadora, pero se obligó a borrarse la idea de la cabeza.

Durante el resto de la noche, la pija había pedido varias rondas más y había convencido a Mario de que se uniera al baile de la pista. En algún momento Mario se había despojado de su coraza de prevenciones y había optado por pasárselo bien. ¿Que Lola se aburría? ¿Que se quería desmelenar? ¿Que Lola era la mujer de su padre? Le daba igual todo. Al fin y al cabo, pocas ocasiones tenía de que le invitaran a rondas y rondas de copas. A falta de entretenimiento mejor, se dejó llevar por la música y se puso a bailar, primero con resignación, más tarde con gusto, por último con fruición. A las seis la música dejó de sonar y las luces se encendieron. La sala Sol cerraba.

—Y ahora, ¿adónde vamos? —Lola parecía feliz, como emborrachada de una energía festiva—. Yo ya he decidido que mañana, o sea, hoy, no voy a trabajar, así que de perdidos al río.

—Mujer, Lola, hay *afters*, pero va lo peor de cada casa. Yo creo que lo mejor será que desayunemos y que pleguemos. —A Mario se le antojaba extraño que le tocase a él adoptar el rol del sensato precisamente con la mujer de su padre, a la que siempre había visto como a una señoritinga estirada, incapaz de ningún exceso.

—Yo te llevo de *afters,* guapa, y que se vaya éste a casa a dormirla, si tan cansado está —se ofreció Pumuky.

—No, da igual... Éste, como tú le llamas, tiene razón.

Y Mario respiró aliviado. La perspectiva de que Pumuky se fuera de *afterhours* con su madrastra, y acabara, seguro, invitándola a unas rayas, no le parecía nada prometedora.

—Yo lo que necesito de verdad —dijo Lola— es un café. Tengo que despejarme si quiero conducir hasta Aravaca.

—¿De verdad crees que puedes conducir con todo lo que has bebido?

—Claro que sí. Tú llévame a un bar.

Se tomaron los tres sendos cafés en el primer bar abierto que encontraron, y Lola pareció, efectivamente, despejarse. Mario no pudo por menos que remarcar que su madrastra parecía oponer una resistencia poco común al alcohol. Se la veía fresca como una rosa. Se diría que la noche de marcha, más que haberla fatigado, había actuado como un combustible. Cuando los tres acabaron, Lola llevó a Pumuky a su casa y rechazó gentilmente el ofrecimiento de tomar la última allí, aduciendo, con razón, que quizá las ocho de la mañana era un poco tarde para tomar la última.

—Y bueno —le dijo a Mario—, ¿quieres que te lleve a casa de tu madre o prefieres que vayamos a la mía? —A Mario no se le escapó el posesivo, pues en propiedad Lola habría debido decir «a la de tu padre»—. Lo que es yo, me pienso dar un chapuzón en la piscina para bajarme todo el alcohol, y pienso que a ti también te vendría bien.

—Vale —dijo Mario—, pues vamos a tu casa.

—Y al decir «tu casa» y no «la casa de mi padre» estableció entre ellos un pacto tácito de complicidad. Lola había dejado de ser su madrastra. Era sólo una chica corriente, simpática, divertida, con la que se acababa de correr una de tantas juergas de Madrid en verano.

Lola condujo sorprendentemente bien. A aquellas horas, y en aquel mes, la carretera estaba prácticamente vacía e hicieron el recorrido en apenas quince minutos. Lola aparcó el coche, como siempre, frente a la verja de entrada, porque en aquella zona no había problemas de estacionamiento. Abrió la puerta y sin pasar siquiera por la casa, tomó hacia la izquierda, por el sendero de gravilla que conducía a la piscina. Mario la siguió. Lola se quitó la camiseta y los vaqueros. Llevaba un conjunto de sujetador y braga de encaje negro, que Mario adivinó carísimo. Se lo quitó y se quedó desnuda. A Mario casi no le dio tiempo a procesar la imagen ni a registrar la impresión que ésta hubiera causado, porque Lola ya se había tirado de cabeza al agua. Mario se desnudó también y se tiró tras ella. Lola emergió del fondo y luego avanzó hacia él, braceando como un perrito.

Al minuto, la tenía a su lado. Estaban en el punto menos hondo de la piscina y cuando ella se puso de pie él pudo apreciar la curva perfecta de sus senos. De una ojeada, decidió que no estaban operados. Decididamente, su padre, el muy cabrón, había ganado con el cambio. La agarró de la cintura y la atrajo hacia sí. No fue un gesto calculado, no pensaba en liarse con ella ni nada por el estilo, simplemente seguía en el mismo ánimo juguetón del resto de la noche. Ella correspondió y le enlazó los brazos al cuello. La tenía frente a sí y reparó en sus ojos, acuosos, temblorosos como si estuviera a punto de llorar. Repentinamente dejaron de temblar, se hicieron más grandes y más hondos, se aquietaron, y se encendieron de una luz nueva y distinta que los transformó. Después se besaron, de la forma más natural. Por supuesto que se le pasó por la cabeza que ella era la mujer de su padre. Pero también era una chica guapa, apetecible, mojada, y era una mañana limpia de verano, recién estrenada, luminosa y fresca, y todo parecía perfecto, el escenario ideal, y él se dejó arrastrar sin resistencia al centro mismo de aquel vórtice turbio y risueño. Antes de que le hubiera dado siquiera tiempo a pensarlo, ella se había colocado a horcajadas encima de él, aprovechando la falta de gravedad del agua, y él estaba ya dentro de ella, y el agua les balanceaba despacio de un lado a otro. ¿Estamos follando?, se preguntó Mario, porque todo había sido tan rápido que casi no había tenido tiempo de darse cuenta. Siguieron así durante mucho rato, besándose despacio, sin moverse, dejando que fuera el agua la que los acunara. Un sentimiento confuso le ascendía a Mario desde la erección y le oscurecía la cabeza, como si durante sus veinticinco años de vida hubiera estado escondido y ahora se le derramase por dentro y lo llenase. Fue como una ola que se levantase y se hinchase por dentro, y cuando la ola se retiró le dejó la evidencia abrumadora de que aquello que estaba haciendo le ligaba para siempre a aquella mujer, y por ende a su padre, de que no tenía escapatoria. Y cuando ya tenían los labios morados y las yemas de los dedos arrugadas como pasas fue ella la que propuso salir del agua. Fue ella la que le tomó de la mano y le llevó a su cuarto de baño (columna de ducha termostática en cristal, ocho *jets* orientables). Se dieron juntos una larguísima ducha de agua caliente, se enjabonaron el uno al otro, se frotaron, se besaron, se masturbaron. Salieron de la ducha y se tiraron en la cama del cuarto de Mario, y antes de quedarse profundamente dormidos a Mario le dio tiempo a pensar que al menos ella había tenido la delicadeza de no llevarle a dormir a la cama que compartía con su padre.

«Por supuesto —había dicho ella—, Víctor nunca, nunca, debe saber esto. Y ninguno de tus amigos, porque si alguien lo sabe, antes o después se lo contará a otro alguien, y antes o después tu padre lo sabrá». Para entonces ya habían follado en todas las posturas posibles, ya conocía él de sobra todos los agujeros de ella y ella los de él, y ya se habían acostumbrado a sus respectivos olores y a los ruidos que hacían al dormir. Mario llevaba cinco días sin salir de la casa de Aravaca, y Lola acortaba al máximo su jornada laboral. Llegaba más tarde que de costumbre y salía antes que nadie. Víctor estaba a punto de volver y Mario tenía que dejar Madrid porque el grupo iba a tocar en un festival. Ninguno de los dos había hablado de futuro o compromiso, y se suponía que la cosa se quedaría así, en una aventura de verano.

Pero Víctor viajaba mucho y Lola se aburría aún más, y Mario disponía de mucho tiempo libre, y cuando llegó septiembre hubo más viajes de Víctor y más llamadas de Lola, y aquel pasatiempo amenazaba con eternizarse. No sólo quedaban para follar. Iban al cine juntos, con la excusa preparada por si se encontraban a algún conocido: «Mira, ésta es Lola, la mujer de mi padre», o «Éste es Mario, el hijo de mi marido», «Nos hemos encontrado juntos en el cine por casualidad», «Yo había venido sola», «Yo había venido solo», «¿A que es una coincidencia?». Pero nunca se encontraron a nadie, porque Madrid, afortunadamente, es muy grande. Salieron de bares alguna vez e incluso volvieron a ir a bailar a la sala Sol. Ella parecía encantada de poder vivir una vida que había sacrificado en el altar de su muy provechoso matrimonio. Al fin y al cabo, se había liado con Víctor cuando tenía veinte años y se había casado con él a los veintitrés, cuando él tenía cuarenta. Y si a los veintitrés le impresionaban los restaurantes de lujo, el yate amarrado en el puerto de Altea, y las escapadas de fin de semana a algún hotelito con encanto, a los treinta y cuatro le aburrían soberanamente. Mario entendía perfectamente que para ella él significaba la juventud, la libertad, la despreocupación, la alegría jaranera, pero que ella nunca dejaría a Víctor, ni él lo quería así, pues no hubiera sido capaz de enfrentarse a la cólera de su padre, o a la culpa que le provocaría el daño que pudiera hacerle. Realmente, el hecho de que Mario respondiera siempre a las llamadas de Lola y se mostrara disponible cuando ella le requería no obedecía tanto a un acto de voluntad activa como a la aceptación de un hecho que le venía dado, y que no podía ni sabía rechazar. No era el resultado de una elección, ni tampoco de una imposición, simplemente pensaba que no le cabía hacer otra cosa. Se dejaba llevar, presintiendo que en el fondo todo aquel asunto rebrillaba una razón profunda, secreta, más allá del mero capricho o deseo, que él no acertaba a adivinar.

El día de Navidad comió en casa de su padre, pues había cenado en la de su madre en Nochebuena, y le pareció increíble que su padre no sospechase absolutamente nada. Cierto es que ningún padre querría pensar que su hijo se lo hace con su propia mujer, pero ¿acaso no tenía ojos en la cara?, ¿acaso no sabía ver que esa mujer le venía grande, que la energía de Lola reclamaba a gritos un hombre joven que supiera agotarla?, ¿acaso no se daba cuenta de que, sentados a la mesa, cualquiera diría que Mario y Lola eran una pareja de recién casados y Víctor el padre viudo o separado al que habrían invitado para que no se sintiera solo? Entretanto, Lola trinchaba el pollo con la mayor tranquilidad, sin que le temblara la mano ni se le escaparan los ojos hacia Mario, y él no podía sino admirarse de lo lista que ella llegaba a ser.

A veces ardía de ganas de contárselo todo a Romano y a Pumuky, el caso es que sabía lo que le diría Romano, le daría vueltas al trauma edípico, lo analizaría todo, lo volvería del derecho y del revés. En cuanto a Pumuky, Pumuky no juzgaría, Pumuky incluso le alabaría la jugada, pero tenía miedo de que cualquier noche lo contara por ahí en uno de sus delirios etílicos, no era precisamente Pumuky un modelo de discreción, mucho menos cuando iba puesto, que era la mayor parte del tiempo. No, Mario no lo contaba y nunca esperó que aquella historia fuera a más y que Lola dejara al padre por el hijo. Lo que sí había esperado es que la historia durara, había esperado —y de eso sólo se dio cuenta cuando Lola le dejó— contar con Lola por mucho, mucho tiempo. Incluso, por qué no, para el resto de la vida.

Porque quería a Lola —y de eso también se dio cuenta cuando Lola le dejó—, le gustaba Lola, le gustaban su cuerpo y su olor, su sonrisa, su calma, su paciencia, su saber estar, su energía, su curiosidad, su entusiasmo, su rápida adaptabilidad, la placidez con la que se inclinaba ante cualquier manifestación de la voluntad de Mario, en la cama y fuera de ella, la natural tendencia que tenía a apartar de sí misma cualquier amenaza a la propia calma, la tranquilidad de la mujer que está segura de su belleza. Habría podido hacer una lista inacabable de las virtudes de Lola, aunque también habría podido hacer una lista alternativa de sus muchísimos defectos: su hipocresía, su mal gusto de nueva rica, su prepotencia, su incultura.

En cualquier caso, la historia se acabó, de un corte limpio, como de guillotina, sin discusiones previas ni cansancio por ninguna de las partes. Una tarde Lola le dijo que aquello no podía continuar. Que ella temía que algún día la cosa acabara por descubrirse. Y que, además, quería tener hijos con Víctor, que ya lo habían hablado, y que si iba a dejar de tomar la píldora, evidentemente no podía seguir acostándose con Mario. Que Mario era maravilloso y que le había dado unos momentos inolvidables, pero que ambos sabían desde el principio que aquello no podía durar... Una retahíla de tópicos, aunque los tópicos suelen contener verdades. Mario sabía que ella tenía toda la razón, y en ningún momento intentó llevarle la contraria.

En realidad, siempre pensó que ella volvería a llamarlo, que el aburrimiento podría más que las buenas intenciones, que en cuanto a Víctor le surgiese otro viaje a Lola se le caería la casa encima. No lo hizo. Pasaron quince días sin una sola llamada de Lola. Llamó él. Ella no cogió el teléfono. Le envió mensajes. No obtuvo respuesta. Por fin, se presentó a verla en la editorial. A nadie le sorprendió encontrárselo allí, puesto que se habían acostumbrado a su presencia constante de aquel verano, cuando se pasaba a recoger a Lola para que ella le llevara a la piscina. Ella se mostró muy amable, muy tranquila. Víctor no estaba, había salido. Mario entró en el despacho de Lola y cerró la puerta tras de sí. Le explicó que la echaba de menos, que quería al menos saber de ella.

—Estoy bien —le aseguró ella—. Ya te he dicho que tu padre y yo estamos intentando tener un hijo. Estoy siguiendo un tratamiento hormonal.

—Pero mi padre tiene casi sesenta años, Lola, es una locura.

—No es una locura. Yo quiero tener hijos. Siempre he querido tenerlos.

—Tus hijos no van a tener padre, sino abuelo.

—Van a tener madre y van a venir con un pan debajo del brazo, con el dinero asegurado para su manutención y su educación. Mucho más de lo que tienen la mayoría de los niños que vienen a este mundo.

—Pero tú te vas a aburrir, Lola.

—Mario, por favor, no me lo hagas más difícil. Y sal de aquí o la gente va a comentar.

Salió como ella le había pedido, y se·fue directamente a casa de Pumuky. Lo encontró todavía dormido y acabó por contarle la historia.

—No hay que fiarse de las mujeres casadas, tío. Son todas unas zorras. Me he pasado el último año liado con una.

—¿La de Esfinge?

—Esa misma. Yo tampoco quería que dejara al marido, claro, pero te acabas hartando, tío. Todavía sigo con ella, a ratos. El problema es que a mí me gustan las mujeres mayores, siempre me han gustado. La madre de Romano me encantaba, tío. Cuando se murió mi madre, ¿te acuerdas que me pasaba casi todo el tiempo en su casa? Hablaba muchísimo con ella. Se supone que era porque Sabina es psicóloga y porque yo estaba deprimido y tal. Y eso es lo que pensaba ella y eso es lo que pensaba todo el mundo. Pero en realidad yo me pasaba las horas con ella porque me había enamorado. Al final se lo dije.

—¿Tuviste los huevos de decírselo?

—Sí, pero la tía tuvo el par de ovarios de largarme que lo único que me pasaba era que estaba buscando a mi madre. Y la he debido de seguir buscando desde entonces porque siempre me cuelgo de tías mayores. Y no compensa, tío, te lo digo desde ya. No te tienes que liar con una casada. Mucho menos si está casada con tu padre.

Nunca imaginó que la iba a echar tanto de menos, nunca. Se decía a sí mismo que se trataba de un capricho pasajero, pero luego pensaba que nunca, nunca volvería a encontrar a una mujer tan buena en la cama. Las crías de veinte años que se había tirado hasta entonces no tenían ni puta idea de follar. Se acordaba de ella a todas horas por más que se hubiera propuesto no recordarla, pero cualquier esquina de la calle, cualquier canción, cualquier lectura, servía de anzuelo al cabo del cual, como pez estremecido, surgía la memoria de Lola. Imágenes de Lola que surgían de todas partes, como hormigas al asalto de una lagartija muerta. A primera hora de la mañana, recién despertado, difusa aún la frontera entre el sueño y la vigilia, se traía desde lo más profundo de su cabeza, rescatado de los sueños de la noche como un pez que ha caído en la red, nostalgias de una Lola perdida e irrecuperable, y aunque Mario sabía que esa angustia estaba destinada a desvanecerse con la actividad cotidiana, sufría intensamente porque le dejaba un sedimento de pena que, acumulándose día tras día, amenazaba con solidificarse y convertirse en una losa que le aplastara. Se inventaba las excusas más peregrinas para evitar ir a comer a casa de su padre, y cuando Víctor lo llamaba le contaba que estaba muy ocupado con la tesis y con el grupo, lo cual, hasta cierto punto, era verdad.

El golpe que lo dejó baldado le llegó el día en que Marié anunció en la comida la gran noticia. Lola estaba embarazada. Leonardo hizo algún que otro comentario sarcástico sobre la virilidad de Víctor y Marié comentó que le parecía una locura y una irresponsabilidad tener un hijo a esa edad. «No va a poder jugar con él, ni ocuparse de él, y cuando el niño tenga veinte años el padre tendrá ochenta». Mario se amuralló en un silencio hostil durante el resto de la comida, que a nadie sorprendió y cuya razón final no podían ni sospechar, y luego se retiró a su cuarto, a llorar.

Pumuky y yo siempre fuimos amigos, desde pequeños, y siempre estuvimos muy unidos, pero en aquella última época, justo antes de que pasara lo que pasó, éramos uña y carne. Él estaba entonces medio abroncado con Romano a cuenta de un lío de faldas, de una tía que había estado con Romano primero y con Pumuky después, aunque esa historia no tenía nada de nuevo, porque de toda la vida, desde que yo me acuerdo, esos dos se han estado pasando las mujeres como quien se pasa apuntes, y de vez en cuando se distanciaban y luego se volvían a amigar. Pero entonces no salíamos mucho con Romano. Yo acababa de pasar por una crisis muy grande, a cuenta de una tía, también, y Pumuky estaba muy chungo porque le había dejado una mujer, nada nuevo, porque a Pumuky no había mujer que lo soportara mucho tiempo, dejando aparte que cualquier mujer que estuviera con él podía dar por hecho que lo iba a compartir, porque Pumuky no le había sido fiel a una tía *en su puta vida, siempre había ido picoteando de aquí y de allá, sus historias de amor y de sexo siempre habían sido muy complicadas, y aquella última también lo era, tan liada que yo mismo no la entendía. Sé que estaba con dos a la vez, con la tía mayor, casada, y con la tronca que le había levantado a Romano. Salíamos todas las noches, todas. Desde que nos fichó Enrique Marina nos salían bolos por todas partes, y bien pagados. O sea, que teníamos pasta para salir. Pero, sobre todo, nos dejaban entrar en todos los sitios, porque, quieras que no, ya nos habíamos hecho el circuito de todas las salas de Madrid y, sobre todo, porque si Enrique te representa, se te ha aparecido la Virgen, de pronto eres Dios y la gente besa el suelo que pisas. No te digo ya cuando nos destacaron en MySpace, ahí sí que nos hicimos de oro. Pumuky, en según qué bares y en según qué ambientes, era más famoso que el Papa, ya te digo, casi nos hacían la ola al entrar, y las tías se lo comían con los ojos. Y los tíos también. Nos recorríamos todo Madrid de bar en bar. A las once La Taberna Encendida, a la una el Aguardiente, a las dos La Boca del Lobo, a las tres El Juglar, a las cinco la sala Sol, y luego, a veces, de cañas a La Latina. Luego llegábamos a casa, dormíamos, nos despertábamos por la tarde y vuelta a empezar. Muchas noches me iba a dormir a casa de Pumuky porque entonces no me llevaba muy bien con mi madre, menos aún con el pedante con el que se ha casado. Por supuesto, Pumuky se metía mucho, muchísimo, aho-*

ra un porro, ahora una raya, ahora una pastilla, y yo sé que debía muchísimo dinero, que estaba endeudado hasta las cejas, porque a las copas te pueden invitar, pero la coca hay que pagarla, y no es barata precisamente. Yo lo veía cada vez más loco, cada vez más paranoico, pero como Pumuky siempre estuvo loco no le di mayor importancia, él era así, pasaba por fases. Luego un día me cuenta que hay unos colombianos que se la tienen jurada porque les ha tangado con un asunto de coca, que les debe no sé cuántos kilos, y que con esa gente no se juega, y que tenemos que dejar de movernos por Lavapiés. Yo no me creo mucho la historia, pensé que era uno de sus delirios, aun así le seguí la bola. Así que desde entonces cambiábamos de ruta, de bares, y nos movíamos sólo por Malasaña. Y uno de esos días que me había quedado a dormir en su casa abro los ojos y me encuentro con que el gilipollas de Pumuky me está encañonando con una pipa. Casi me mata del susto. Yo le digo: «Pero ¿qué haces, desgraciao?». Y él me dice que no está cargada y yo le digo que las armas las carga el diablo y que ya puede ir apartándome la pipa de la cara. La pistola era del abuelo, yo ya había oído hablar de aquella pipa, pero no la había visto hasta entonces. El abuelo de Pumuky era, y es, un jarto del trece, un señor de mucho dinero y muy facha, y guardaba la pistola en casa. Se ve que Pumuky se la había agenciado aprovechando que el señor ya tenía una edad y andaba senil y de poco se enteraba ya. Me dice Pumuky que se ha hecho con la pipa por si acaso se encuentra con los colombianos por ahí. Yo pienso que Pumuky se ha vuelto paranoico. Es lo que pasa con la coca, que te dan paranoias. No pensé ni por un momento que de verdad hubiese unos colombianos que lo quisieran matar. Pumuky era muy bocas, lo exageraba todo. Pensé en llamar a la madre de Romano que es psicóloga, pero no sé por qué lo dejé pasar, quizá porque entonces, ya le digo, yo estaba también muy deprimido, por mis cosas, y metido como en un agujero negro que me impedía tomar decisiones. El Pumuky me sigue contando que sabe quién le puede pasar balas. No me extraña nada de lo que me cuenta porque Pumuky conocía a lo peor de cada casa. Y me dice que tiene que hacer prácticas de tiro. Y yo allí escuchándole como quien oye llover, convencido de que se le ha ido la pinza del todo, pero dándole bola de todas formas. Total, que esa misma mañana cogemos la moto de Romano, o la de Pumuky, porque aquella moto era como las novias, que se las iban pasando el uno al otro, no me extraña que la llamaran Suzie Q. Decían que era por lo de Suzuki, pero yo creo que es que era como una tía más. Pues eso, que cogemos la moto y nos vamos a una especie de bosque en el quinto coño, por la sierra, después de una hora en moto, con la mochila llena de latas de tomate que Pumuky había comprado para sus prácticas de tiro. Yo pensaba que estaba como una puta cabra, pero en ningún momento se me ocurrió decirle que aquello era peligroso. Llegamos al sitio,

un pinar enorme, que yo no sabía de qué podía cono-
cerlo Pumuky, lo que le puedo decir es que yo jamás
había estado allí, pero se veía que Pumuky sí lo conocía, por la seguridad con la que se movía. Y yo le
digo: «Pumuky, ten cuidado, que si nos pillan con una
pipa nos van a empapelar bien empapelados, eso si no
le das a alguien». Y él me dice que no tenga cuidado,
que por allí no va nadie nunca, que no hay un alma
en kilómetros a la redonda, menos aún un lunes por
la mañana. Yo no tenía ni idea de dónde estábamos
ni de cómo sabía Pumuky que por allí no había nadie.
Desde luego, no se veía un alma. Total, que Pumuky
encuentra un claro, elige una piedra y coloca encima
las latas de tomate. Luego se aparta unos pasos, levanta la pipa, así, con mucha seguridad, con una mano
sujetando la pipa y la otra sujetando la muñeca del
brazo que sujetaba la pipa, no sé si me explico, a ver...
como en las películas, en plan James Bond, y, pum,
dispara, y, sorpresa, una lata que cae. Y me doy cuenta de que el cabrón sabe disparar. Y me cuenta que
fue el abuelo el que le enseñó, de pequeño, por lo
visto el abuelo había luchado en la División Azul, y
con lo facha que era pensaba que un hombre no era
un hombre de verdad si no sabía disparar una pistola. Luego recordé que el abuelo también cazaba y que
solía llevar a Pumuky de caza con él, en un coto
que tenían en Valladolid, cuando Pumuky era pequeño y el señor no estaba chocho. Supuse que era el
abuelo el que le había llevado de pequeño al pinar

aquel. Y pum, pum, pum, Pumuky que se carga tres latas más. Me preguntó si quería probar, pero yo le dije que pasaba millas. Aquel día yo tenía un resacón de tres pares de huevos y estaba matado, así que le dije que él podía tirar todo lo que quisiera, que yo me iba a buscar un sitio debajo de un pino para echar una siesta. Me busqué un sitio apartado para que no me llegase un tiro perdido de Pumuky, tiré mi cazadora en el suelo y me tumbé allí. Hacía un día muy bonito, mucho sol, y enseguida me quedé sopa. No sé cuánto tiempo estuve dormido, pero cuando abrí los ojos el sol ya estaba muy bajo en el cielo, debían de haber pasado dos o tres horas. Fui a buscar a Pumuky y el resto ya lo sabe usted, no me haga recordarlo, por favor. Ya lo he contado mil veces, a la policía, al juez, al psicólogo. Fue muy, muy fuerte, muy jodido, encontrármelo allí, con la cara hundida en un charco de sangre y cubierto de hormigas. Eso lo recuerdo. El resto, de cómo encontré la moto, no lo recuerdo, lo deduzco. Yo no tengo carné y habría conducido la moto de Pumuky cinco o seis veces en mi vida, pero me jugué el todo por el todo, conduje por aquella carretera perdida hasta que llegué al pueblo más cercano, entré en un bar, pregunté a un tipo cómo se llamaba aquel pueblo, llamé a la policía y les dije lo que había pasado. No sé cuánto tiempo pasó hasta que llegó al bar una pareja de la guardia civil, tampoco recuerdo lo que hice. De aquellos dos, recuerdo que fueron muy amables, sobre todo uno, pero si le digo la verdad, no sabría ni reconocerlos si los vuelvo a ver. Nos subimos en un jeep e intenté conducirles hasta donde estaba Pumuky, pero no conocía la zona y nos perdimos. Sé que luego rastrearon el pinar con perros y lo encontraron. La verdad es que lo demás lo recuerdo a trozos. Sé que tuve que prestar declaración y que Romano me acompañó y que el chaval que me la tomaba cometió no sé cuántas faltas de ortografía en el atestado. Es absurdo que en una situación así me fijara en una tontería como aquélla, pero me fijé. No sé en qué momento yo había llamado a Romano, que luego nos fuimos a un bar que estaba a la salida de la comisaría y que a mí me entró la risa histérica, que no hacía más que reírme de las faltas de ortografía del madero, y que un tipo que había allí me miraba como si yo estuviese loco, que probablemente lo estaba. Sé también que esa noche o la siguiente salimos a emborracharnos a muerte Romano y yo, que yo acabé bailando pogo a saltos en la sala Sol, que me vio mucha gente y que luego se comentó mucho, que qué falta de respeto y que si me lo habría cargado yo, pero yo entonces estaba en estado de shock, ni siquiera me creía lo que había pasado, ya le digo que recuerdo todo a trozos. Se lo estoy contando de una forma muy incoherente, el caso es que no lo recuerdo mejor, y tampoco estoy seguro de que lo quiera recordar.

No sé lo que pasó con Pumuky. Supongo que se pegó un tiro, porque no puedo creerme que lo de los colombianos fuera verdad y que nos hubieran seguido hasta allí, aunque todo puede ser. A veces prefiero pensar que eso fue lo que pasó, lo de los colombianos, porque no me quiero creer que se mató. Oficialmente Pumuky se suicidó. Por lo visto, los policías que lo encontraron dijeron que tenía la pistola en la mano. Yo eso no lo recuerdo. No me fijé. El informe de la policía lo vieron sus abuelos, yo nunca llegué a verlo. No tenía ninguna razón para suicidarse. Se estaba haciendo famoso, tenía una casa enorme, todas las tías a sus pies, iba a heredar una fortuna en cuanto el abuelo la palmara, que ya no le quedaba mucho, iba a cumplir algo así como cien años, el señor. Pero tenía todas las razones para suicidarse. Tuvo una infancia de mierda, su madre la había palmado delante de él, estaba enganchado. Yo qué sé. Le he dado vueltas y vueltas y nunca sabré lo que pasó. Mi psicólogo dice que no me obsesione, que la vida sigue, y yo pienso que tiene razón, qué remedio. Pero estas cosas no se olvidan así como así, sobre todo con el culto a Pumuky que se ha creado desde entonces.

Hay una frase de Debord que dice que lo verdadero es un momento de lo falso. Se refería a los medios de comunicación, que a partir de la verdad construyen la mentira. Usted puede ver en televisión imágenes verdaderas que conforman, a la postre, un discurso falso. Verá imágenes de bombas en Israel, y las imágenes son reales, y la bomba real, pero no es cierto que los judíos sean las víctimas. El espectáculo *no es un conjunto de imágenes, sino una relación social entre personas mediatizada por imágenes. Todo lo que antes se vivía directamente, se aleja ahora en una representación. Creo que con Pumuky a usted le va a pasar algo parecido. Cada cual le va a contar su verdad, trozos de su verdad, pero cuando junte todos esos trozos, como retales que forman una colcha, inevitablemente se encontrará con una historia falsa, o, como mucho, con algo que se parezca tanto a la realidad como un retrato en mosaico a la imagen original. Usted nunca sabrá lo que pasó de verdad, nadie va a saberlo, yo menos que nadie y eso que estaba allí. Ya he desistido de saberlo, ya he dejado de obsesionarme, y eso a pesar de que todos los días, todos y cada uno de los días de mi vida, desde entonces, me acuerdo de Pumuky, y de aquel claro del bosque de pinos, una especie de descampado, se ve que tenían planeado hacer una carretera allí o que iban a construir o que habían talado, yo qué coño sé, y el Pumuky elige una piedra...*

Una mujer ambiciosa

T ú no eres como las demás —le solía decir su padre—. Tú llegarás adonde te propongas». Y le dejó, a la niña empeñada en convertirse de adulta en la fiel imagen de lo que su papá deseaba, esa idea prendida como una insignia, sin posibilidad de devolución. Una insignia propia de una mente soberana: Lola poseería, desde entonces, la tenacidad de propósito que invariablemente sigue su camino hasta llegar al fin.

Lola nunca estuvo enamorada de Víctor, porque Lola poseía demasiado orgullo y excesiva ambición para ser capaz de semejante anulación de la personalidad, pero creyó estarlo, durante muchos años, prácticamente desde la primera vez que lo vio. Él entonces era un hombre guapo, tan guapo como ahora lo es su hijo. Y elegante. Era además el editor en un pequeño negocio familiar que, en su día, cuando el padre de Víctor la fundó, se dedicaba, sobre todo, al libro de ensayo, a traducciones de filósofos y pensadores franceses, estructuralistas y marxistas, y a la recuperación de textos clásicos. De hecho, se trataba de la editorial que tradujo al español las obras de Debord, Baudrillard y Foucault, los libros que muchos años más tarde Mario rescataría del almacén que había en el fondo de la oficina de su padre, y en el que se acumulaban primeras ediciones de libros descatalogados, los libros que Mario devoraría y que conformarían desde entonces la base de su ideario de vida. No había sido un negocio rentable, pero sí prestigioso. Cuando Víctor se hizo cargo de la editorial, la empresa estaba al borde de la quiebra. La dictadura ya había caído y a los jóvenes no les interesaban lo más mínimo las obras de Marcuse, de Wilhelm Reich, de los posestructuralistas o de los neomarxistas. Recién llegado de Estados Unidos, donde había hecho un máster en Administración de Empresas, a Víctor se le ocurrió la gran idea. En España todavía no se habían empezado a traducir los libros de autoayuda que en Estados Unidos e Hispanoamérica hacían ya furor. Víctor entendió que el primero que se hiciera un hueco en el mercado y que abriera una colección de títulos especializados en psicología práctica se iba a encontrar un filón. Dicho y hecho. Los textos de política y sociología quedaron para el fondo de catálogo, como testimonio del antiguo compromiso intelectual de la casa, pero no volvieron a contratarse. En poco tiempo se confirmó que la intuición de Víctor había sido acertada, el volumen de negocio prácticamente se triplicó y hubo que contratar nuevo personal. Y fue entonces cuando Lola se incorporó al equipo, como recepcionista. Acababa de cumplir dieciocho años, aunque aparentaba muchos más. Ya era una real hembra por entonces y probablemente este hecho influyó en la decisión de Víctor de contratarla, pero lo cierto es que también era espabilada y sobre todo ambiciosa, como se demostraría en poco tiempo, cuando, avanzando en línea recta con la seguridad de un elefante que, arrancando árboles y aplastando madrigueras, no advierte siquiera los arañazos de las espinas y los lamentos de las víctimas, se convirtió en la asistente personal de Víctor, ya retirado su padre y anunciado él como director general de la editorial Paradigma.

Víctor, por supuesto, estaba casado, y para colmo le sacaba casi veinte años, aquello no tenía ningún sentido, pero ella no podía evitar sentirse atraída hacia él del mismo modo que por un denso campo magnético, como tampoco podía evitar odiar a Marié con toda su alma. ¿Qué podía haber visto un hombre como él, tan atractivo, tan elegante, en semejante vaca? De cuando en cuando Marié se pasaba por la oficina a recoger o entregar manuscritos, pues hacía labores de corrección y edición desde su casa —no se podía decir, en conciencia, que trabajara— y Lola no podía dejar de reparar en su escaso gusto, en su nula elegancia, en su evidente sobrepeso, en su desmañamiento general. Lo comentaba con la jefa de conta-

bilidad, que había sido la mano derecha del padre de
Víctor, y que llevaba años en la empresa, y ella le
aseguraba que en realidad Marié había sido una chica fina y bastante mona, pero que había engordado
exageradamente con el embarazo de Mario, y no había perdido los kilos ganados desde entonces. Sin
embargo, una tarde Víctor, que día a día iba abandonando cada vez más el papel de jefe distante por el
de amigo burlón y algo mayor, le hizo a Lola una
sabrosa confidencia, después de que ella se hubiera
quejado, bien que muy discretamente, del trato desdeñoso que le dedicaba Marié.

—Víctor, ¿tu mujer es celosa, por casualidad?

—No, que yo sepa, y desde luego yo no le he
dado razones.

—Pues cada vez que viene a la oficina, no sé
cómo decírtelo, verás... Me mira como si tuviera algo
contra mí.

—No te preocupes, son cosas suyas. Yo sé que
mi mujer parece altanera pero no lo es, en realidad
lo que le pasa es que es muy tímida y no sabe tratar
con la gente. ¿Sabes?, la pobre Marié tuvo una infancia muy difícil. Era una niña gordita —como si ahora no lo fuera, pensó Lola— y en el colegio los demás
niños se reían de ella. La llamaban María Elena la
Ballena. Lo pasó muy mal y desde entonces le cuesta mucho entablar contactos con desconocidos.

No le podía haber dado Víctor a Lola mejor
arma para apuntar contra Marié. En apenas dos días

toda la oficina estaba al tanto de la historia y desde entonces cada vez que se aludía a la correctora externa, que resultaba ser la mujer del jefe, se hablaba de María Elena la Ballena para mofa y cuchufleta general de todo el personal, que la despreciaba tanto como Lola. Hay que aclarar que Marié nunca hizo el menor esfuerzo por ganarse sus simpatías. Cruzaba la oficina con un atrevimiento mal disimulado y una resistencia silenciosa a intercambiar con los demás poco más que un buenos días mascullado, y se dirigía directamente al despacho de su marido, como si quisiera dejar expreso y evidente que si bien ella trabajaba como el resto de los mortales, lo hacía porque se aburría y no por necesidad. No era simpática ni cariñosa, ni tampoco lo suficientemente guapa o estilosa como para que su reserva se tomase por modestia o se admitiese como privilegio de una clase superior. Caía mal a todo el mundo y le caía especialmente mal a Lola.

Fue el último cumpleaños que Marié celebró junto a Víctor. Ya estaba Marié liada con otro hombre, pero él no lo sabía todavía, ni lo sabía nadie en la editorial. Víctor había encargado un collar a la joyería de los abuelos de Pumuky —una de las más importantes de Madrid— y fue Lola la que tuvo que ir a recogerlo. La joyería había contratado recientemente a un nuevo diseñador cuyas piezas —a él le gustaba llamarlas así— estaban haciendo furor entre el pijerío madrileño. Las joyas de Sergio Cortina no eran joyas corrientes, sino piezas exclusivas, «como esculturas», decía Víctor. Aquella pieza, como se empeñaba en llamar él al collar, costaba una pequeña fortuna. Lola fue la que tuvo que ir a recogerlo, porque Víctor no quería que un mensajero lo hiciera, le parecía que el collar era demasiado caro y el encargo demasiado personal. Cuando Lola llegó al *atelier* de la joyería, una mujer alta y elegante la recibió con envarada ceremonia, como si en lugar de una joya fuese una reliquia consagrada lo que le iban a entregar. La condujo a una especie de tocador que se hallaba en la trastienda, y la invitó a sentarse y a esperarla. A los pocos minutos apareció con la pieza, y la invitó a probársela. Se trataba de una especie de red hecha a base de hilos de plata y diminutos brillantes, que, colocada sobre el cuello, iluminaba a quien la llevara con una especie de aura celestial. Cuando Lola se la puso al cuello, se encontró transfigurada. Jamás habría dicho que un simple collar pudiera favorecer tanto como un buen maquillador o una operación de estética. Lola se tenía por una mujer guapa, pero con aquel collar se veía diferente, excepcional. Propio como era de Lola no valorar tanto lo que tenía como lo que podía llegar a tener, pensó que era una estupidez regalarle una preciosidad así a una foca como Marié. Este collar lo tiene que llevar una mujer con un cuello largo y esbelto que pueda lucirlo como se merece, y Marié tiene cuello de toro. Además, para llevar un collar así hay que ser muy elegante, no se puede mezclar con cualquier cosa, no. Este collar hay que llevarlo con un vestido sobrio, de terciopelo negro, quizá, y Marié no tiene ni idea de lo que es la sobriedad.

Lola era guapa y lo sabía. Se lo confirmaban los ojos y piropos de los hombres por la calle, las turbias ojeadas de los mensajeros, las miradas de reojo de sus compañeros de trabajo e incluso algunas bromas de doble sentido que de vez en cuando Víctor se permitía. Pero se sabía guardar. Sabía, por lo visto y aprendido, que una mujer se hace más valiosa cuanto más distante. Lola se tenía, además de por una mujer bella, por una mujer elegante, aunque lo cierto es que no había recibido una educación esmerada ni provenía de una familia de apellido. De hecho, no había podido ir a la universidad porque sus padres no disponían de recursos ni para pagarle la matrícula ni para mantenerla a la sopa boba durante cinco años, ni tampoco su expediente académico había sido tan brillante como para merecer una beca. En su barrio, la mayoría de las chicas acababan como cajeras o peluqueras, pero ella optó por estudiar un módulo de Informática porque sabía que en una oficina tenía muchas más posibilidades de prosperar, tal y como se demostró. No poseía estudios universitarios, pero sí belleza, ambición y una inteligencia natural en la que había poco de literario y mucho y destacado de dimensión práctica, y que a Víctor le tenía cautivado. Lola nunca se arredraba ante un reto. Si había un problema en la fotomecánica, se presentaba ella misma a hablar con el gerente; si la red comercial fallaba en la distribución, ella llamaba a las librerías; si había que reimprimir un título, ella estaba al tanto casi antes que su jefe. Víctor la apreciaba por su trabajo obstinado y su prudencia silenciosa y poco a poco fue confiándole la resolución de casi todas las tareas un poco difíciles y enredadas. Poseía también Lola un muy particular sentido de la elegancia que para ella se resumía en una palabra: sobriedad. Jamás llevaba ropa o accesorios de imitación, y en su armario había pocas prendas, pero todas de calidad. Lo demás le parecía estridente. Sabía además que ni su cuerpo ni su cara necesitaban adornos. Los necesitarían con la edad, y para entonces esperaba que gracias a aquel cuerpo y a aquella cara habría encontrado la manera de adquirir el dinero para comprar los mejores. Alentada por su formidable orgullo, perseguía fantásticas visiones de futuro. Lola quería casarse con un hombre de dinero y posición, un hombre como Víctor. Pero Víctor ya estaba casado.

Cuando se supo en la oficina que Víctor se divorciaba, Lola no cupo en sí de gozo. Sólo una mujer tan estúpida como Marié podía dejar escapar a un hombre así. Allá ella. Habría un montón de mujeres prestas a apreciar lo que Marié había despreciado y Lola no estaba dispuesta a que una de entre el montón se le adelantara. Como se ve, el amor de Lola por

Víctor se sustentaba tanto de admiración como de orgullo.

Tenía que hacerse visible, evidente. Tenía que estar ahí. Redobló sus sonrisas, sus atenciones para con Víctor: le llevaba cafés, le acompañaba a comer, le escuchaba cuando hablaba, con los ojos muy abiertos, sin interrumpir. Insistió serena, larga, honda, pausadamente. Como violeta que crece pertinaz a la sombra, acabó por imponer su perfume y su belleza. Y por fin, un día, sucedió. Estaban en el almacén de la trastienda, verificando pedidos. Él estaba fumando y tiró una colilla al suelo. Lola se agachó a recogerla, le parecía una locura dejar caer una colilla en un lugar lleno de papel. Cuando la vio en el suelo, él debió de caer en la cuenta de lo que había hecho y se arrodilló a su vez, buscando alguna chispa que pudiera haber prendido. Pero la chispa había prendido entre ellos, no en el papel. Se cruzaron una mirada cargada de sobreentendidos, después se rozaron y al momento se besaron. Media hora más tarde, cuando Lola bajaba por las escaleras, arreglándose el pelo y abrochándose la blusa, daba por hecho que era una cuestión de tiempo que ella se convirtiera en la segunda mujer de Víctor, unciéndole a su cuerpo como un esclavo.

Diez años después, no uno, no dos, sino hasta tres tests de embarazo se hizo Lola para estar segura, por mucho que le habían dicho y repetido que si el test decía «no» podía ser «sí», pero que si decía «sí» era «sí» seguro, y ya el primero había sido positivo, dos líneas rosas verticales y evidentes. Hizo cuentas. Y entonces recordó las conversaciones de la oficina sobre embarazos y ecografías y cómo para algunas no eran nueve los meses sino diez y cómo algunas parían a la semana treinta y ocho y otras a la cuarenta y dos y cómo todo era un embrollo de fechas indescifrables.

Víctor no se va a enterar, no es de esos que acompañan a su mujer al médico, no, no un hombre tan ocupado como él, él se hará un lío con las fechas, diré que el parto se adelantó, ya se me ocurrirá algo, lo esencial es acostarme con él lo antes posible, esta misma noche si hace falta porque, evidentemente, para que crea que el bebé es suyo tiene que haber hecho el amor conmigo y hace ¿un mes?, ¿dos?, que no lo hacemos. El mundo es de los que se arriesgan, dónde está mi lencería, aquel estúpido *bustier* negro que me regaló por mi cumpleaños, La Perla, carísimo, seguro, horrible, sólo a un hombre de su edad le pueden gustar esas tonterías, a Mario no le hacían falta ni encajes ni satenes para que se le levantara, pero estos hombres mayores, ya se sabe... Y la Viagra, ¿dónde guardará la Viagra? Se la recetó el doctor no porque la necesitara sino porque en su día Lola dijo que le haría gracia probarlo y llamaron al médico de cabecera de toda la vida que no se inmutó lo más mínimo, ni preguntó siquiera, todos los clientes mayores de cincuenta años le habían venido con las mismas. A Lola no le gustó nada la experiencia, aquello parecía un tentetieso, no había forma de que bajara, al principio tenía su gracia pero al final cansaba, sólo probaron una vez, y el resto de la caja languidecía en un cajón, sí, pero ¿en cuál? En el de la mesilla... No. Quizá en el del escritorio... Tampoco. En el neceser. No. En el botiquín. Menos. Apareció por fin la caja en un rincón del cajón de las corbatas. Víctor, siempre púdico él, no debía de querer que la asistenta, cotilla como era, encontrara las pastillas. Pero Lola lo conocía bien, sabía de sus escondites, fue en el cajón de las corbatas donde halló en su día el álbum de fotos de Marié que él se había resistido a tirar. Imágenes antiguas, desvaídas por una pátina de tiempo y de polvo, de una Marié recién casada, rellenita pero guapa, que todavía no pesaba noventa kilos. Quizá pensó que a la segunda mujer, a la nueva, le ofendería que conservase aquellas fotos.

Leche, cacao, avellanas, azúcar... Y un comprimido de Viagra. Todo a la batidora. A él le encanta la mousse y más si es casera. No se va a resistir. Y menos si llevo puesto el *bustier*. Se sorprenderá, claro. No entenderá a qué viene tanto mimo. Me inventaré un aniversario. Él nunca recuerda fechas. Diré que hoy hace quince años que nos conocimos. Seguro que él no se acuerda de cuándo fue, qué día me contrató, aquella niña con pinta de pasmada que se convertiría en su secretaria y después en su amante, qué topicazo. Pero lo de llegar a casarse con él ya no es tan tópico. Muy pocas secretarias se casan con sus jefes. Cava, si me invento un aniversario tengo que servir cava, nos quedan por lo menos diez botellas de las que nos enviaron en Navidad. Ponerla a enfriar, la botella. La dorada al horno. Mezclar las yemas con el azúcar, batir las claras a punto de nieve, añadiendo un pellizco de sal. Incorporarlas a la mezcla con mimo, no rompiendo la espuma, acariciándolas lentamente y cuidando de que vayan adquiriendo un tono igual. Sin perder la calma, debo hacerlo todo sin perder la calma, me juego mucho en esto. Bendito el día en que se me ocurrió apuntarme al curso de cocina.

Él reaccionó como el famoso perro de Paulov. Estímulo y respuesta. A Lola casi le avergonzaba comprobar que se había casado con un hombre tan meridianamente previsible. Como previsible fue todo el encuentro, sin preliminares, al grano, él nunca fue demasiado mirado para esas cosas, su barba le raspaba, luego la cabeza de él escondida en su hombro, como si no quisiera ni mirarla o necesitase concentrarse, oprimiéndola fuerte, tanto que le hacía daño y le cortaba el aliento —y ella no podía dejar de pensar en Mario y en cómo con el hijo todo resultaba tan fácil como deslizarse en patines sobre el hielo—, y Lola sentía el cuerpo muerto, frío, salvo una mordedura intolerable entre las piernas a cada acometida, y luego ella se puso encima para hacerle la tarea más fácil porque ya se sabe que a ciertas edades ciertos hombres no están para ciertos trotes, y tampoco era cosa de que a él le diera un infarto. Lo malo era que con la Viagra la esperada eyaculación no llegaba, y sin semen no hay embarazo, así que ella tuvo que aguantar una hora o quizá más, le empezaban a doler las piernas, y eso que estaba entrenada, iba al gimnasio a diario, tenía un entrenador personal (alguna vez pensó en hacérselo con él, pero no..., demasiado tópico), mas no dejaba de ser un ejercicio pesado, sobre todo porque hacía mucho que había dejado de disfrutar haciéndolo. Y lo peor de todo es que no podía evitar la comparación con Mario. Ahora arriba. La piel del padre era seca y arrugada, la del hijo suave y tersa. Ahora abajo. Al padre se le descolgaba el pellejo en la tripa flácida, el hijo tenía abdominales lisos como una tabla de lavar. Y ahora arriba. El padre apenas si besaba y acariciaba, concentrado como estaba en un solo punto, en una sola cosa; el hijo no dejaba un rincón del cuerpo de Lola sin explorar. Y ahora abajo. Lola se aburría, se hartaba, contrastaba, añoraba. Y sin embargo Víctor parecía encantado, no cabía en sí de la sorpresa, seguro que de esta fecha sí que no se olvidaba, o sí, vete tú a saber, nunca se sabía con un hombre como él, muy detallista para según qué cosas, sobre todo las que se compran con dinero, ahora te compro un collar y ahora te envío unas flores, detalles fáciles, manidos y previsibles, que se lo dijeran a ella, que era la que había llamado al joyero y al florista cuando los regalos eran para Marié, y había contabilizado la factura dentro del apartado de gastos de empresa. Pero recordar fechas, decir palabras amables, acompañar a tu mujer al médico, ésos son detalles difíciles, no se compran con dinero.

Por fin la cosa acabó, él se derramó dentro de ella, hubo incluso una segunda vez, nunca fue Lola más esforzada ni más complaciente ni más amable, todo fuera por el bebé que esperaba, que llegara al mundo sin problemas, a una casa con piscina, con un señor que se hiciera cargo de él y le pagara el colegio y los caprichos, un señor que de ninguna manera imaginara jamás que el niño no era suyo, pese a que el bebé compartiría carga genética, eso sí. ¿Y Mario? ¿Acaso Mario no preguntaría? No, no preguntaría. Le diría que había decidido rehacer la vida con Víctor, que quería tener un hijo con su marido, borrón y cuenta nueva, historia olvidada, así que cuando le contasen lo del embarazo a él le pillaría ya avisado, y no se haría líos con las fechas, porque ella le diría a todo el mundo si estaba de tres meses que estaba de dos, y si de cuatro que de tres. Y después que el niño había nacido adelantado, que eso es de lo más normal, ahora con las cesáreas ningún crío viene al mundo a su hora. No, Mario ni se lo imaginaría. Víctor muchísimo menos.

Y dentro de un mes, más cava, de la misma marca incluso, y otra vez la mousse casera aunque sin sorpresa dentro, y otra vez la sonrisa y el empalago, y un decirle ¿te acuerdas, cariño?, ¿te acuerdas de aquella noche, la del aniversario? Sí, claro —aquí una sonrisa cómplice, un brillo pícaro en los ojos—, ¿cómo no me iba a acordar? Pues vengo del ginecólogo y... Bueno, te puedes imaginar. Él se queda en blanco, paralizado, pone la misma cara que si un relámpago le hubiera alumbrado en las tinieblas. Ella se lo tiene que repetir, alto y claro: estoy embarazada. Él, por supuesto, ya no lo esperaba, estuvieron probando durante dos años, y nada; y ahora, cuando ya lo habían dado por imposible...

Estuvieron probando durante dos años, sí, pero sólo los sábados, porque de lunes a viernes él llegaba demasiado cansado. Y sábados hay cuatro al mes, y días fértiles uno, es difícil que coincidan. Y luego dejaron de hacerlo porque ella estaba muy cansada, y no era un pretexto, llegaba a la cama siempre cansada, sin ganas, cansada de no hacer nada, cansada de los cotilleos de la oficina, de llamar al tapicero y al fontanero y de ir a hacer la compra, cansada de pelear con la asistenta, cansada de aburrirse, y además tampoco le hacía particular ilusión tener un niño, quizá, ahora que lo pensaba, no le hacía particular ilusión tener un niño de él.

Pero durante los días que pasó con Mario, ¿cuántas veces lo había hecho? Incontables. ¿Y por qué fue tan estúpida de no tomar medidas, de no decirle lo que debía haberle dicho? Mira, Mario, yo dejé de tomar la píldora hace tiempo porque Víctor quería un hijo, así que ponte un condón. Sobre todo porque los chicos de la edad de Mario son muy promiscuos, ya se sabe, más si tocan en un grupo, las fans y eso, ya había oído contar historias de las chicas que les esperaban después de los conciertos, pero no, ella no dijo la frase, se lanzó a pelo, sin protección, quizá porque ya estaba cansada de tanto aburrimiento, quizá porque en el fondo sí que quería ese niño y se fiaba más de los espermatozoides de un chico de veintiséis años que de los de un señor de cincuenta y siete que para colmo fumaba como una chimenea y bebía como un cosaco. Si analizase mucho —pero no se atreve— quizá Lola tendría que reconocer que, como en la canción, ella quería que pasara y Mario lo dejó pasar, y que nada fue un error.

Víctor sonríe, ahora que remonta la sorpresa parece contento. Seguro que se siente más hombre, más viril. No, él nunca sospechará nada. De otro hubiera podido pensarlo, de otro más pendiente de su mujer, de uno de esos hombres que saben cuándo va a tener ella la regla, cuándo se aburre, cuándo mira a otro, cuándo tiene la próxima cita con el médico. Pero Víctor no es de ésos. Víctor cree que Lola es feliz, que le ha dado todo lo que ella podía soñar, la casa con piscina, el collar de diamantes, los ramos de flores encargados por la secretaria (que ahora es una señora de cincuenta años, miope y con sobrepeso, porque Víctor no es animal que tropiece dos veces en la misma piedra), el superabono del supergimnasio, el entrenador personal, los viajes a Tailandia, la lencería de La Perla, el curso de cocina donde se aprende a hacer *mousse au chocolat,* a acariciar las claras como quien acaricia a un amante, a poner en los fogones todo el amor que no se puede poner en otra parte. Víctor nunca sospechará nada, nunca, porque al fin y al cabo cuando el niño nazca se le parecerá. Tendrá su misma nariz, que es la nariz de Mario, el mismo apéndice repetido en dos rostros diferentes pero muy parecidos, sus mismos ojos negros que son los ojos de Mario. Pero ojalá el bebé no tenga la boca de Mario, que no es la boca de Víctor sino la de Marié, la boca de labios finos que quizá tuvo su encanto en su día, pero que ahora, cuando Marié pesa casi cien kilos, parece una cuchillada en medio de esa cara de pan.

S í, claro, por supuesto que conocí a Pumuky, pero no demasiado. No sé por qué Mario le ha dicho que debería hablar conmigo. Quizá debería hablar con Víctor, en todo caso, él conoció a Pumuky desde siempre, como quien dice, desde que Pumuky y Mario eran compañeros en el Liceo de niños. Yo le traté a lo largo de los años, por supuesto, pero nunca intimamos demasiado, aunque sí, venía por casa a veces, sobre todo a la piscina, aunque no en el último verano. Si le digo la verdad, nunca me pareció un suicida, todo lo contrario. Era un chico lleno de vida, encantador. Yo siempre lo vi contento, simpático, expansivo, dispuesto a irse de juerga, a conocer chicas, a vivir la vida. Aunque es verdad que estaba obsesionado con ese escritor, cómo se llama... Debord, Guy Debord. Y Guy Debord se suicidó. Pero esa obsesión no era, en realidad, completamente suya, se la había pegado Mario, que se pasa, o se pasaba, el día citándolo. Mario es un chico muy especial, ¿sabe? Muy, muy especial.

Digno hijo de su padre, claro. Y también estaba la historia de su madre, la de Pumuky, no la de Mario, una historia muy dura, aunque yo no me la sepa muy bien, y casi que prefiero ni saberla. Sé que la madre estuvo muy mal durante mucho tiempo, que estuvo internada en una clínica en Londres, carísima, pero los abuelos de Pumuky son ricos, ya se lo habrán dicho a usted. Y al final no sé si la madre se suicidó o falleció de una sobredosis o qué pasó, sé que Pumuky la había encontrado, se lo había escuchado decir a Mario. Sentí mucho lo que le pasó a Pumuky, de verdad. Lo sentí porque siempre es triste que muera un chico tan joven, en la flor de la vida. Y tan listo. Yo no sé si tenía talento o no, yo de la música de ahora la verdad es que no sé mucho, y de la que ellos hacían menos, pero listo era, se le notaba al hablar. Y guapo, por supuesto, muy guapo. No mi tipo, porque a mí me gustan los hombres mayores, más bien ese tipo de belleza como de portada de revista para niñas o de serie de televisión de adolescentes. Yo sé que le habían ofrecido precisamente un papel en una de esas series, El internado *creo que era, que tuvo así como una sesión o dos, pero que él no quiso seguir, que lo consideraba poco serio, y claro, a Mario, al hijo de mi marido, lo de salir en una serie de ésas sí que le parecía lo peor de lo peor, así que convenció a Pumuky de que no siguiera. Creo que Valeria, la novia de Romano, ¿o era la novia de Pumuky?, no sé, no se fíe usted mucho de mí porque no estaba muy al tanto de sus vidas, pues eso, que Valeria también salía en esa serie, la verdad es que con mi horario de trabajo yo esas series ni las veo, y aunque tuviera tiempo para verlas, tampoco me interesan, pero sé que así fue como conoció a los actores que salían en su vídeo, el único que hicieron, una pena. Creo que la protagonista iba a ser la tal Valeria pero que acabó siendo Lluvia Rojo porque Valeria no sé si bien estaba trabajando en otra cosa o ya no salía con Pumuky o con Romano o con quien fuera que saliera. De todas formas la tal Lluvia y la tal Valeria se parecen mucho, yo no sé si las distinguiría, a mí las actrices de series se me parecen las unas a las otras. A lo que iba, que sentí mucho la muerte de Pumuky, de verdad, aunque no lo conociera mucho. Y lo sentí por Mario. Sé que Mario lo quería muchísimo. Sé que nunca se va a recuperar. Pues eso, que yo creo que Pumuky no se suicidó, que fue un accidente, que se le disparó la pistola o algo. Un chico así, tan feliz, no se mata, no. No le puedo decir mucho más, ya le digo que tampoco lo conocí tanto, nunca intimamos mucho ni conversamos gran cosa ni salí con ellos ni nada por el estilo, ni siquiera fui a uno de sus conciertos. Siento no poder ser de más utilidad.*

Una mujer en rebajas

Ya ha cumplido los cincuenta, aunque no los aparenta, porque se ha hecho unos retoques que ella no reconoce pese a que son fácilmente advertibles. Es una novelista de éxito, casada con un crítico de prestigio, catedrático de universidad. Es razonablemente rica, lo suficiente como para poder mantener, si quisiese, un nivel de vida más que holgado el resto de su vida sin tener que publicar un solo libro más. Es feliz, o eso le dice a todo el mundo. Le encantan, asegura, los pequeños placeres cotidianos. Pasar las tardes en su butaca preferida, entretenida en la relectura de Galdós, pasear por el barrio, cocinar para los amigos. Va al supermercado a diario, y le distrae mucho también ir de tiendas. Se decide por los paquetes familiares, aprovecha todas las ofertas y nunca deja pasar una rebaja. En realidad no gasta para ella, sino que compra, sobre todo, para su marido, para su hijo y hasta para sus amigas. Sus excursiones al supermercado, a los grandes almacenes, a los centros comerciales, sus economías y sus ahorros, no son más que un juego, una aventura, como cuando se iba la electricidad en su casa de campo y había que pasar una noche arreglándoselas con velas. En el fondo, ella sabe que va a volver la electricidad.

Marié cree que gastar es ahorrar. No para de comprar cosas inútiles porque las ha visto rebajadas y el precio le parece increíblemente barato sólo porque se lo comparan con un precio anterior que es el que, supuestamente, vale. La semana pasada se compró un perfume porque en el escaparate había un cartel que anunciaba: «Oferta: Infidèle, de Ormesson. Antes 50 euros, ahora 25». Pensó que no podía dejar pasar una oportunidad semejante a pesar de que siempre ha sido fiel a su perfume y a su actual marido (el segundo) y en realidad no piensa cambiar ni de uno ni de otro. Acaba de reponer todas las sábanas y las toallas de la casa porque ha visto una oferta inmejorable en la Semana Blanca, sin caer en la cuenta de que en sus armarios duermen a punto de apolillarse varios juegos de sábanas y toallas sin estrenar.

Ni recuerda la última vez que hizo el amor con su marido. Sospecha que tiene sus aventuras, porque él viaja mucho —la vida académica, los congresos, las invitaciones, ya se sabe...— y no considera que tenga que dar explicaciones ni a su mujer ni a nadie. A veces espía los extractos de su tarjeta de crédito, y lee nombres de clubes que no le sugieren nada bueno, pero no teme nada: él no va a dejarla. Una vez su propio hijo le dijo que su obsesión por las compras tenía que ver con la frustración y la sexualidad sublimada, y que quizá debería hablarlo con un profesional. Esas tonterías te las mete en la cabeza tu amigo Romano, le dijo ella, la memez que acabas de decir parece citada directamente de la boca de su madre. O peor aún, de uno de los libros esos que edita tu padre. Ya ves, mamá, le dijo Mario, no todos somos tan intelectuales y escépticos como tú. Y el desprecio en la entonación se le clavó a Marié como una espina.

Cuando se despertó, el dinosaurio todavía estaba allí. Uno de los cuentos favoritos de Leonardo, esnob incluso para eso. Secretamente Marié pensaba que aquél no era un cuento, sino una simple broma. En cualquier caso, cuando Marié despertó, la frase todavía estaba allí. En el sueño, Leonardo le comunicaba a Marié que había escrito su primera novela y que quería que ella corrigiese el manuscrito. Cuando ella lo leía descubría que toda la novela se resumía en la repetición obsesiva de la misma frase: soy infiel. Soy infiel. Soy infiel. La frase era tan enorme como un dinosaurio. Y tan fuera de lugar. O no.

El cerebro le daba vueltas alrededor de esa frase, cada vez más grande, más grande que cualquier dinosaurio. La escuchaba en el aire, la leía en el café del desayuno. Probablemente el sueño había traído a la superficie de lo consciente lo que había permanecido hasta entonces en el fondo, mientras ella había patinado peligrosamente por el hielo de las apariencias. Pero algo, una sospecha, había venido a resquebrajar esa capa prístina. Y ese algo era el jersey rosa.

Pocos días después de su cumpleaños Leonardo había aparecido a desayunar luciendo un jersey de cachemira rosa. La verdad es que le sentaba espectacularmente bien, y hacía que sus ojos azules lo parecieran más todavía, pero Marié nunca habría imaginado, ni en sus sueños más delirados, que Leonardo, tan sobrio, pudiera llevar un jersey de ese color. Y rápidamente se le vino a la cabeza la sospecha. Es un regalo de una mujer. Un regalo de cumpleaños. Y luego pensó: Es ridículo, no puedo ponerme a pensar en semejantes tonterías. Pero por qué no. Al fin y al cabo, Leonardo era todavía un hombre atractivo. Más atractivo, incluso, de cuanto lo fue de joven, pues desde que había encanecido destacaban aún más los ojos azules y penetrantes.

¿Por qué se le había ocurrido semejante idea? Porque el jersey rosa había actuado como el foco que en un escenario iluminara de pronto un montón de pequeños objetos que hasta entonces habían permanecido en la sombra, pero que se iban a revelar esenciales para el ulterior desarrollo de la obra. El comportamiento de Leonardo había cambiado mucho en los últimos tiempos. Había adelgazado. Llevaba un perfume nuevo, penetrante y escandalosamente caro. Había empezado a usar productos faciales, aunque, todo hay que decirlo, con la ferviente aprobación de Marié, que llevaba años recomendándoselos. Los congresos y las invitaciones a conferencias parecían haberse multiplicado, así como las cenas a solas con su amigo Monjardín. A menudo le llegaban mensajes al móvil que no leía delante de ella y había adquirido la reciente costumbre de apagarlo por las noches; «para que no nos moleste», decía. Pasaba muchas horas frente al ordenador escribiendo mails y ya no insistía, como antaño, en acompañar a Marié a sus conferencias, más bien al contrario, parecía que cada vez que a Marié le surgía un viaje de trabajo o una salida coincidiera con un ineludible compromiso de Leonardo adquirido con antelación —un viaje, una cena en casa de Benito, una *soirée* literaria— que él se había olvidado de comentarle a ella. Más de una vez Marié le había sorprendido sonriendo solo. Y lo más sospechoso de todo, últimamente le enviaba de cuando en cuando ramos de flores a Marié, algo que no había hecho desde los primeros días de su relación, un detalle que a Marié le olía sospechosamente a acceso de culpabilidad.

Existían dos sistemas infalibles para averiguar si había otra mujer: el teléfono móvil y el correo electrónico. Resultaba complicado hacerse con el primero. De un tiempo a aquella parte Leonardo no se deshacía nunca de él, ni a sol ni a sombra, ni siquiera lo dejaba para ir al baño. Y lo desconectaba cuando se iba a duchar. Este exceso de precauciones redobló las sospechas de Marié. Así pues, entró en el ordenador de Leonardo. Se conectó a Internet y miró en la barra de direcciones las más recientes. Figuraba el acceso a Hotmail. Leonardo, que Marié supiese, no tenía ninguna dirección de correo electrónico abierta en aquel servidor. Marié pinchó en la barra. Se abrió la página de Hotmail. Indicaba el acceso a una cuenta: sapoyvioleta@hotmail.com. Marié reconoció la alusión. Se refería a uno de los poemas favoritos de Leonardo, ferviente lorquiano: *Casida de la mujer tendida*. Marié probó contraseñas: Lorca fue la primera que se le vino a la cabeza. No funcionó. Lorca1950, el año de nacimiento de Leonardo. Tampoco. Federico. No. Federico1950. Tampoco. Tamarit. No. Diván. No. Casida. No. Tamarit1950. Diván1950, casida1950. No, no, no. Tendida. No. Marié. No. Bernardaalba. Tampoco. Yerma. No. Marié se pasó horas intentando dar con la contraseña, probando todas las palabras relacionadas con Lorca que se le ocurrían y, más tarde, todo lo que Leonardo hubiera podido utilizar como contraseña: la fecha de su cumpleaños, su segundo apellido, sus autores favoritos... No hubo manera. Y con cada nuevo fracaso se incrementaba exponencialmente la abierta ansiedad, temblorosa y agónica, de Marié.

A las dos horas, se le ocurrió la solución. Recordó que Mario había alardeado alguna vez de cómo

Pumuky y él habían *hackeado* la página de un grupo neonazi o le habían intervenido el correo electrónico a un famoso agitador universitario de ultraderecha. Cuando estaba en casa, Mario pasaba la mayor parte del tiempo encerrado en su habitación, colgado de su ordenador. Desde luego, si alguien sabía cómo abrir una cuenta de correo electrónico ajena, debía ser él. Tenía que tratarse de algo fácil porque si no, en el banco no insistirían tanto en que nunca revelase su número de tarjeta de crédito a través del correo electrónico, o en que sólo admitirían órdenes de transferencia si se hacían por teléfono, o por fax, firmadas, y no por mail, dado que, en los tiempos que corrían, cualquiera podía abrir la cuenta de otro. Pero Marié comprendió enseguida que no podía pedirle algo así a Mario. Mario odiaba a Leonardo, y Marié no quería darle razones para que le odiase más aún, sobre todo si al final sus sospechas resultaban no tener fundamento. Además, Marié no quería reconocer ante Mario que era capaz de cometer indignidades tales como violar la correspondencia personal de su marido.

Se lo podía pedir a Pumuky, pero Pumuky se lo contaría a Mario. O no. No se lo contaría si ella le pagaba lo suficiente. Podría incluso hacerle firmar un contrato de confidencialidad. De forma que si él le contaba algo a Mario, tendría que admitir también que se había dejado sobornar. Resultaba muy arriesgado, porque Pumuky podría negarse e irle a Mario con el cuento, pero a Marié no se le ocurría otra opción. Y sabía muy bien, a través de Mario, que Pumuky siempre andaba corto de dinero. Marié decidió jugarse el todo por el todo y llamó a Pumuky.

Quedaron en una cafetería cercana a la casa de él. Marié tanteó el terreno con cuidado. Le dijo a Pumuky que estaba escribiendo una novela y que necesitaba saber cómo podía intervenir alguien el correo electrónico de una persona. Estamos hablando, le explicó Marié, de un ama de casa, sin conocimientos de informática. Pumuky debió de sospechar algo, porque resultaba evidente que una pregunta así se la podía haber hecho Marié a su hijo, pero se limitó a explicarle diferentes métodos. El *fishing*, el troyano, rastrear las *cookies*...

—En tu novela, el ama de casa ¿tiene acceso directo al ordenador de la persona cuyo correo quiere rastrear? —preguntó Pumuky.

—Sí, claro, se trata del ordenador de su marido.

—¿Y el marido es un experto informático o un tío normal y corriente que no usa el ordenador más que para chatear y mirar su correo?

—Lo segundo. Es profesor de autoescuela —improvisó Marié.

—Entonces es muy fácil. Podrías seguir las *cookies,* meterle un programa... Joder, hay montones de maneras, cualquiera puede hacerlo. Bueno, quizá un ama de casa no.

—El ama de casa siempre puede recurrir a alguien, ¿no?

—Si trabajara en una oficina podría recurrir al tipo que les lleve el mantenimiento informático, pero como le está proponiendo algo ilegal más vale que el tipo sea muy buen amigo, o que sea un amante, o que le pague bien.

—¿Cuánto sería pagarle bien?

—Y yo qué sé, Marié, la novelista eres tú.

—Pongamos que te lo proponen a ti, Pumuky, ¿cuánto pedirías tú?

—Pues no sé, Marié, todo dependería de quién fuera el tipo, y de qué fuera lo que me estoy jugando.

—El ama de casa sólo quiere saber si su marido le es infiel o no.

—Entonces, dependiendo de lo buena que estuviera el ama de casa, puede que no le cobrara nada.

—Suponiendo que no esté buena ni, ya de paso, tampoco interesada en acostarse contigo...

—No sé. Pongamos mil euros...

—Quinientos —dijo Marié.

—Marié, si sospechas que Leo te pone los cuernos ya te quito yo las sospechas: te los pone, fijo.

—¿Y qué te hace a ti estar tan seguro?

—No hay más que verle. Me conozco a los de su tipo. Profesor cincuentón, aún atractivo, enrollado, con ínfulas e influencia. Cada año escoge una alumna favorita... Es una historia más vieja que el hambre, mujer.

—Si te pago quinientos euros, ¿tengo tu palabra de que nunca se lo dirás a Mario?

—La tienes.

—La quiero por escrito.

—Joder, Marié, cómo eres...

—Por escrito, y te pago seiscientos. Si le dices una sola palabra a Mario, le diré que cobraste por hacerlo.

—No seas niña, a Mario le iba a dar igual. Como si no conocieras a tu hijo. Pero no te preocupes, no diré nada. Mira, me limitaré a buscar la contraseña y te la daré. Estarás a mi lado mientras la obtengo.

—No me garantizo nada, seguro que luego la puedes leer todo desde casa.

—No me la voy a jugar por una gilipollez así. En fin, Marié, si quieres que te ayude, tienes que confiar en mí y, después de todo lo que me has ido diciendo, tengo la impresión de que no confías mucho. Y tú, que eres novelista, deberías saber mejor que nadie que las decisiones más cruciales de la vida se reducen a una cuestión de confianza.

—Tu marido es gilipollas, Marié. Yo lo he sospechado siempre pero lo acabo de confirmar.

—Te agradecería mucho que te reservases tu opinión sobre Leonardo, si no te importa, precisamente porque es mi marido.

—Mira, Marié, lo que he hecho es introducir un programa que encuentra las contraseñas a partir de un simple método estadístico. El programa introduce todas las combinaciones del abecedario, a ver si concuerdan con la contraseña. Así que para evitar que a uno le *hackeen* la contraseña, casi todo el mundo pone contraseñas que incluyan letras y números, para dificultar la tarea del programa. O, si lo quieres poner aún más difícil, que mezclen letras, números, símbolos, mayúsculas y minúsculas. Pero el memo de tu marido ha metido la contraseña más fácilmente *hackeable*. Cinco letras, y punto. Laura, la contraseña es Laura. Éstos han sido los seiscientos euros más fácilmente ganados de mi puta vida.

A Marié le llevó unas tres horas imprimir todos los mensajes que había en aquella cuenta, tanto en la carpeta de recibidos como en enviados, y para evitar interferencias de Leonardo, se reservó su lectura en profundidad para el martes siguiente, fecha en que Leonardo debía impartir una conferencia en Sevilla, conferencia a la que le acompañaría, precisamente, Laura, como revelaría la lectura de los correos. Marié se pasó la noche en blanco leyendo y releyendo una y otra vez las notas —varias diarias, a veces hasta diez— que Leo y Laura se intercambiaban, y no le fue difícil reconstruir toda la historia.

Laura, la violeta, era, por supuesto, y como Pumuky ya había predicho, una estudiante que se había enamorado de su profesor. Una estudiante brillante, al parecer, y, por mucho que a Marié le doliese reconocerlo, una también brillante promesa de escritora. Le escribía a Leonardo, su sapo, largas cartas a cuya redacción había dedicado, era evidente, largo tiempo y esfuerzo. Se veía que no se trataba de notas improvisadas y tecleadas a toda velocidad, sino que habían sido corregidas y recorregidas, y salpicadas del tipo de metáforas e imágenes que se meditan largamente. Las palabras que Marié leía le entraban muy dentro, la removían, y suscitaban en ella imágenes inquietas, desconocidas, turbadoras, que la avergonzaban y la asqueaban: celos, envidia, un punto de identificación, otro de repugnancia. En aquellas cartas Laura utilizaba a Leonardo como excusa para contarse a sí misma. Hablaba mucho de su mundo, de sus inquietudes. Laura amaba la Literatura (así, con mayúscula) y a través de ella amaba a Leonardo. Laura creía amar a Leonardo, pero no amaba más que a lo que Leonardo representaba, esto es, la posibilidad de acceder a ciertos círculos restringidos a través de los cuales una chica con ambiciones literarias podía conocer a editores y críticos, garantizarse la publicación de una novela y las buenas reseñas. Marié lo entendía muy bien porque aquello fue lo mismo que amó de Leonardo cuando lo conoció. Y también Marié se había mentido, como se mentía Laura, y se había dicho a sí misma que amaba a Leonardo porque lo admiraba, cuando en realidad amaba a Leonardo porque lo necesitaba.

Marié había sido, tal y como Víctor le había contado a Lola, una niña gorda, y una adolescente gorda más tarde. La niña cuyo nombre las compañeras nunca mencionaban a la hora de elegir a las integrantes del equipo de balón prisionero. La adolescente a la que nunca invitaban a los guateques. El nombre que nunca apareció enlazado a otro dentro de un corazón en la pared de un portal, ni grabado en un ascensor. Profundamente avergonzada de sí misma, aterrorizada, con unas ganas imperiosas de esconderse en los últimos rincones de la casa, de desvanecerse en el éter, o de pasarse el día en la cama, refugiada en la habitación oscura, las persianas bajadas, bien arrebujada entre las sábanas, dividida entre el afán violentísimo de que alguien acudiera a rescatarla y el deseo ferviente de ser olvidada, de pasar desapercibida, Marié se refugió en los libros, y más tarde en la escritura para crearse otra realidad en la que ella sería amada y admirada. Y si más tarde quiso publicar fue, precisamente, porque quería saberse amada y admirada. A los dieciocho años Marié pesaba ochenta y cinco kilos, todavía no había besado a un chico, pero ya había escrito un montón de cuentos y había ganado varios concursos de escritura. Todas sus historias hablaban de lo mismo, de amores no correspondidos y de adolescentes con veleidades suicidas. Ya se imaginaba virgen para el resto de sus días cuando su madre decidió tomar cartas en el asunto y le obligó a visitar a un endocrino. El médico prescribió una dieta estricta y una medicación misteriosa —se trataba de unas cápsulas que la farmacéutica elaboraba a partir de una fórmula concebida por el propio doctor— pero eficaz. Un año, muchas lágrimas e incontables huevos duros, filetes de pollo a la plancha, ensaladas verdes y manzanas después, Marié había perdido veinticinco kilos. De la noche a la mañana descubrió que se le abría un territorio abierto a innumerables promesas de felicidad. A Marié le permitían por fin el acceso franco a un coto de caza hasta entonces vedado, repleto de potenciales presas, pero nadie la había provisto de las armas necesarias para cazar. Porque las miradas de soslayo, las caídas de pestañas, los tira y afloja, las cartas escritas en papel malva y emborronadas de lágrimas, en suma, todas las coqueterías y estrategias amorosas de la adolescencia, nunca las había conocido, ni mucho menos practicado. Todos los matices del cortejo le parecían completamente nuevos, y absurdos. Por fin, los chicos le prestaban atención, pero enseguida se desconcertaban ante aquella adolescente tímida y envarada, que se había recluido en una vida solitaria, hecha de imaginación y desconfianza, que no sabía bailar ni beber, que no tenía ni idea de música pop y que se empeñaba, para colmo, en hablar de literatura y poesía a la primera de cambio.

Marié conoció a Víctor precisamente en la ceremonia de entrega de uno de los premios literarios que ella había ganado y que otorgaba la Comunidad de Madrid. Víctor acompañaba a un amigo que había ganado otro premio. Cuando Víctor se presentó le dijo que era editor, y que trabajaba para la editorial Paradigma. No mencionó que el fundador de la editorial era su padre. Marié casi no podía creer que un chico tan joven pudiera ser editor, y en su imaginación lo aureoló de todo tipo de virtudes: inteligencia, cultura, perspicacia, talento. En el momento que Víctor le pidió su número creyó que se iba a desmayar, y cuando por fin la llamó, el corazón se le desbocó de tal manera que casi no pudo mantener la conversación por teléfono. Quedaron en verse el viernes siguiente, y durante los siete días que transcurrieron hasta la cita acordada Marié se alimentó exclusivamente de batidos proteínicos, de forma que llegó a la cita desmayada pero espectacular: había perdido dos kilos más, había ido a la peluquería, se había alisado el pelo y depilado las cejas. Durante toda la cena, se dedicó a apilar la comida en el borde del plato, como si se tratara de fichas de dominó, y a escuchar a Víctor, que quedó impresionado con su reserva. Marié se sentía muy humillada, como si aquel silencio fuera siempre culpa suya. Su imaginación, llena de nociones descabelladas, muy literarias, sobre lo que una mujer debe decir cuando está a solas con un hombre, no le ofrecía, en su turbación, más que cosas inadmisibles. Se despreciaba a sí misma. Si por desgracia se le ocurría abrir la boca, decía las cosas más ridículas. Para colmo de males, veía y exageraba su propio absurdo. Intentaba contenerse, frenarse, estar alegre, comportarse de modo natural, en un intento patético de mostrarse frívola y mundana, pero sentía un calor abrasador y el pulso de la sangre retumbando como un tambor en los oídos, y se quedaba en blanco, como una chiquilla que no se supiera la lección, despavorida ante un maestro exigente, con esa descorazonadora sensación de estar pasando examen, incapaz no ya de hilvanar el discurso que se traía aprendido y que había ensayado en el espejo antes de la cena —una cosmopolita conversación sobre literatura, autores y tendencias— y que debía distender el ambiente y crear una recíproca comodidad y confianza, sino de articular, simplemente, palabra, desmoronada en un farfullar patético, escuchando sus monosílabos como si fuera la voz de una extraña, la palidez sucediendo, en el rostro, al rubor más intenso y la ansiedad pintada en sus ojos, clavados en los de él, unos ojos que escrutaban a Víctor con desesperada intensidad, las manos temblorosas, la ceniza cayendo sobre el mantel, le ardían las mejillas, le zumbaban los oídos, se le cerraba la garganta incapaz ya de probar bocado no porque quisiera adelgazar sino porque no se sentía capaz de tragar nada. A Víctor le pareció encantadoramente tímida.

Como era de esperar, Marié se enamoró perdidamente de Víctor, con toda la energía acumulada durante años, energía que hubiese debido emplear en varios romances a lo largo de los años y no concentrar en uno solo. Se enamoró con un amor victoriano y romántico, un amor que le parecía capaz de redimirla, que la encendía por dentro, que la alumbraba a ella y al mundo en el que vivía, sórdido y oscuro hasta que le conoció, y Marié casi no podía creer que a ella, tan tímida, tan torpe, tan asustada, le hubiera nacido un amor así, y se sentía orgullosa y feliz por primera vez en su vida. Perdió todavía más kilos, y no porque la recién descubierta pasión le hiciera perder el apetito, sino porque se sometió de nuevo a una dieta estrictísima. Nunca estuvo Marié más delgada ni más bella, ni tampoco más cansada. Su madre contemplaba con asombro cómo Marie, a quien siempre había reprendido su desaliño, se compraba medias caladas y zapatos de tacón. Escribió para Víctor un libro entero de poemas, y le dedicaba todo su tiempo libre, que era mucho, porque Marié no tenía amigas. El tiempo que pasaba sola lo entretenía Marié, aparte de en leer, en hacer inventario de los muchos encantos de Víctor, y en escribirle encendidas cartas. A Víctor le conmovió semejante devoción de parte de una chica tan guapa y tan culta y no se le escapó el hecho de que, además, su padre era rico, de forma que correspondió, encantado, a la pasión de Marié.

Cuando la relación se formalizó, el padre de Marié llamó un día a Víctor y le invitó a comer en uno de los restaurantes más caros de Madrid. Le dijo que estaba enterado de que la editorial estaba atravesando un delicado momento financiero (éste fue, exactamente, el eufemismo que utilizó) y que nada podría hacerle más feliz que invertir en el negocio, puesto que para él era importantísima la futura felicidad de su hija. Dejó caer de paso que, en el caso de que Marié se casara, él estaba dispuesto a regalarle el que había sido el piso de su abuela, un inmueble de cinco habitaciones en pleno centro de Madrid. Hasta entonces Víctor no había pensado nunca en el matrimonio. Quería a Marié, por supuesto, pero durante los dos años que habían pasado juntos nunca llegó a sentir la pasión arrebatadora que sí le había inspirado su anterior novia, una rubia delgada y lánguida con la que había mantenido una relación intermitente e incierta durante cuatro años. Lo cierto es que aquella rubia le había acabado dejando por otro, y su instinto le decía que Marié nunca le dejaría. (Víctor descubriría años más tarde que no debía fiarse de su instinto. Por la misma época se encontró a la rubia: se había casado con el hombre por el que le dejó y tenía cuatro hijos. Parecía enormemente feliz).

Por entonces, y en el ambiente social en el que se movía Marié, no se estilaba que las mujeres casadas trabajaran. Por supuesto que había muchas que lo hacían, pero no si tenían un padre como el de Marié, y si venían de una buenísima familia como la suya. Marié se encontraba escindida. Hasta los dieciocho años había estado segura de que nunca se casaría y se veía, en el futuro, viviendo con su madre hasta que la señora muriera y prensando flores entre las hojas de sus libros favoritos. Y de pronto, cuando un hombre guapo y culto como Víctor le proponía matrimonio, ni se le pasaba por la cabeza decir que no, no fuera que perdiera su única oportunidad. Porque Marié seguía sin verse bonita. Es cierto que vestida podía parecerlo. Pero en el cuerpo, sobre todo en la cintura y en los muslos, quedaban restos de su pasado en forma de unas estrías blancas y muy marcadas que la avergonzaban profundamente. Por eso Marié nunca iba a la piscina, y Víctor tomaba por reserva y modestia lo que no era sino franco temor a que volvieran a burlarse de ella. Cuando se casó, pues, intentó ser la mejor de las esposas. Decoró la casa siguiendo los dictados de las revistas, aprendió a cocinar y se esforzaba por que, cuando su marido llegase del trabajo, la encontrase siempre bien vestida y esmeradamente maquillada. No se aburría dado que no tenía muchas cosas que echar de menos. Antes de conocer a Víctor no tenía mucha vida social. Estudió Filosofía, pero su paso por la facultad no tuvo nada que ver con fiestas, ni grupos de teatro universitario, ni organizaciones políticas estudiantiles más o menos clandestinas, ni demás entretenimientos que suelen animar la vida del estudiante. En su caso, se había limitado a ir a clase, coger apuntes y obtener las mejores notas de su promoción. Así que al principio de su vida de casada, Marié no se aburría. Leía mucho y seguía escribiendo cuentos. Tuvo un hijo. Dedicó cuatro años exclusivamente a su cuidado, hasta que Mario tuvo que ir al jardín de infancia. Y luego, como los días se le hacían muy largos, escribió su primera novela, una historia, cómo no, de amor no correspondido y adolescente deprimida, un poco al estilo de *La campana de cristal,* pero con un lenguaje más elaborado y preciosista. Se la dio a leer a Víctor (por entonces le consultaba para casi todo), que la valoró sinceramente y que vio en ella la oportunidad de desquitarse un poco del golpe infligido a su orgullo por su suegro. Muy bien, el padre de Marié había puesto el dinero, y les había regalado la que fue su primera casa; pero el padre de Víctor pondría las relaciones, y conseguiría que Marié publicase esa novela. Al fin y al cabo, si bien su editorial se especializaba en ensayo, mantenía excelentes relaciones con otros editores, y podría hacer llamadas. Y así fue como Marié vio publicada su primera novela en una editorial pequeña pero de mucho prestigio, dirigida por uno de los íntimos amigos de su suegro. Se encargó también el suegro de hacer las pertinentes gestiones para que la novela de su nuera apareciera reseñada en revistas literarias y suplementos culturales. Y si bien las críticas fueron más bien tibias y distantes —nadie atacó duramente la novela, pero nadie, tampoco, la elogió en exceso— el libro conoció un relativo éxito de ventas, algo sorprendente tratándose de la primera novela de una autora tan joven. Como resultado, Marié comenzó a recibir invitaciones para impartir conferencias, participar en congresos de jóvenes escritores, o firmar ejemplares en ferias literarias. Y así amplió su círculo de amistades. Y por primera vez el ídolo que había sido Víctor se reveló pintado de una purpurina que dejaba las manos sucias. Hasta aquel momento, Marié había estado más que orgullosa de él, pero cada vez que mencionaba que su marido era el director de la editorial Paradigma, un leve fruncimiento de cejas le hacía entender que algo andaba mal. La antigua editorial de prestigio se había reciclado, por obra y gracia de Víctor, en editora de libros de autoayuda, y entre los cenáculos literarios aquella estrategia claramente comercial se veía como una traición al elevado espíritu de la intelectualidad y las letras que dejaba, por comparación, pequeña a la de Judas. Marié, que hacía labores de edición y corrección sobre los manuscritos de las traducciones, entendía perfectamente aquella postura. Porque los libros que editaba su marido en todo diferían de la literatura tal y como Marié la concebía. No se interesaban por el interior de la manifestación artística, sino más bien por el exterior, por la apariencia. Parecían libros, se expresaban en palabras, pero se alejaban de todo cuanto tenía que ver con lo que ella entendía por auténtica lectura. Eran más bien un cruce entre libros de texto y revistas del corazón: simples, semididácticos, de fácil consumo, pretendían cumplir una función a medio camino entre la psicología y la terapia activa y, en el mejor de los casos, valdrían en tanto no se publicara otro libro que propusiera otra técnica. Para Marié aquello era todo lo contrario de leer, porque la literatura, tal y como ella la entendía, debía ser difícil de interpretar, pero, una vez revelada, debía quedar para siempre en el corazón del lector. Aprendió, pues, a no mencionar jamás el nombre de Víctor. Suerte tenía de que él estuviera ocupadísimo y no pudiera acompañarla a la mayoría de los actos, así no tenía ella que dar explicaciones.

A Leonardo lo conoció, precisamente, en un congreso, y quedó fascinada por él en cuanto lo vio. Él sí que parecía saber lo que era la auténtica literatura. Se expresaba con autoridad incuestionable. Cada frase que Leonardo articulaba parecía impresa en mayúsculas, portadora de una verdad absoluta, fonada con una voz pausada y clara que se ocupaba en exclusiva de cosas unívocas —el comentario político del periódico, el último libro que había leído o estaba leyendo o pensaba leer...—, y una entonación de persona sensata y cuerda que merodeaba con arrogancia por los linderos de la omnipotencia. Dejaba caer nombres de grandes escritores y citaba frases o versos como si hubiera conocido personalmente a los autores porque, aunque Leonardo no había escrito una novela en su vida, parecía haberlas leído todas. Enseñaba Literatura Comparada en la universidad y había escrito varios libros sobre crítica literaria, amén de hacer reseñas en el suplemento cultural más leído de *El País,* críticas que podían alzar a un autor hasta el Parnaso o hundirlo en lo más hondo del fango. Era muy guapo, sus ojos azules y sus facciones rectas poseían el atractivo y la insignificancia de la belleza canónica, y es que su fisonomía, noble y poco original, tenía mucho que ver con sus ideas: el horror a lo imprevisto, a la vanguardia. Pese a su relativa juventud, era respetado y temido. Cuando hablaba, se enredaba en términos crípticos que Marié no entendía como intersubjetividad, metaficción, falacia estructuralista o actante de la representación pulsional. Si hablaba de algún libro solía empezar su disertación con un tono sencillo, casi didáctico. Luego remontaba y las palabras se iban haciendo más y más técnicas hasta que se hacía difícil seguirle, pero nadie osaba interrumpirle. Cuando Leonardo peroraba de aquella manera, ella intentaba entenderle porque pensaba que si lo conseguía, se sabría seleccionada, distinta a las demás mujeres, incultas y vulgares. Las palabras de Leonardo eran como un puente que se le tendía hacia el Saber, hacia la Gran Literatura, como

una escala por la que ella ascendería a una cumbre a
la que sólo llegaban unos pocos elegidos, y allí, en la
cúspide, Marié se sentiría siempre envuelta por las
palabras de Leonardo como por una nube. Marié
quedó verdaderamente fascinada con él y en cuanto
volvió a Madrid inició un nuevo régimen, de nuevo
a base de batidos proteínicos.

Leonardo, por entonces, estaba casado, y Marié también, así que su historia se desarrolló, en principio, en la clandestinidad, en habitaciones de hotel
o apartamentos prestados por unas horas. Leonardo
no quería ni hablar de divorciarse porque su mujer no
trabajaba y cuidaba de sus dos hijos, así que, si la
dejaba, se vería obligado a pasarle una pensión com-
pensatoria y otras dos por alimentos, amén de cederle
su casa. No es que fuera a quedarse en la indigencia,
pues además de su sueldo como profesor universitario contaba con los emolumentos de sus colaboraciones y conferencias, pero su nivel de vida se habría
deteriorado sensiblemente y a Leonardo le gustaba
vivir bien. Así pues la relación se mantuvo durante cuatro años en un secreto relativo, o en todo caso en un
secreto a voces. En realidad, casi todo Madrid estaba
enterado, excepto, como suele suceder en estos casos,
la mujer de Leonardo, que no sabía o quizá no quería saber, y Víctor, que definitivamente no sabía.
Entretanto, Marié escribió dos novelas más, que
fueron elogiosamente reseñadas por Leonardo. Leonardo movió todos los hilos para que a Marié se la

invitara a todos los congresos importantes y la introdujo en el grupo al que él se refería como su capillita, su grupo íntimo de amigos, compuesto de críticos, funcionarios del Ministerio de Cultura, gestores culturales de ayuntamientos y fundaciones diversas y algunos escritores. Pertenecer a la capillita significaba asegurarse al menos una invitación al mes para lo que ellos daban en llamar hacer un bolo, es decir, pronunciar una conferencia, hacer de jurado en un premio literario o participar en un congreso o mesa redonda, siempre a cambio de dinero. A Marié no sólo le venía muy bien el pago económico que obtenía de estas colaboraciones, sino que además le proporcionaba excusas para viajar con Leonardo, que siempre se las arreglaba para acompañarla. Así que Marié empezó a disponer de su propio dinero y dejó de depender económicamente de Víctor, de quien ya había dejado de depender emocionalmente hacía tiempo. Además, cuando el padre de Marié murió le dejó una pequeña fortuna invertida en paquetes de acciones que le otorgaría una más que generosa renta anual. Marié podía pues divorciarse sin problemas y sin crearle ninguno a Víctor. Divorcio sin sentimiento de culpa. Mas no se atrevía a proponerlo si Leonardo no lo hacía. En el fondo, se trataba de una mujer muy convencional y tenía pavor a la soledad y al qué dirán. Le decía a Leonardo que los dos podían vivir muy bien con el dinero de ella, pero Leonardo se tomaba semejante propuesta como un insulto.

Sin embargo, el prestigioso y biempensante crítico tuvo que acabar por divorciarse el día que su mujer se hartó de fingir que no sabía, cuando abrió el ejemplar de la novela recién publicada de Marié y descubrió, primero, que se la había dedicado a él y, segundo, que el hombre retratado en aquella historia, el amante de la protagonista, que desayunaba invariablemente un café negro y un vaso de agua mineral, y que tenía por costumbre sujetar los dos brazos de su amada por encima de la cabeza con la mano izquierda mientras la masturbaba con la derecha, no podía ser otro que su actual marido, que tantas veces había jugado con ella a la tontería aquella de inmovilizarla. Leonardo, pese a todo, negó la acusación y aludía en todo momento a la verdad literaria, asegurando que el hecho de que Marié hubiese podido escribir un personaje que se pareciera a él no significaba necesariamente que hubiese hecho una autobiografía. Así que la mujer de Leonardo llamó a Marié y Marié le contó la verdad, no tanto porque no supiese mentir, como le dijo más tarde a Leonardo, sino porque quería precipitar aquella separación.

Apenas un año después, Leonardo y Marié se casaban, recién obtenidos los papeles de sus respectivos divorcios.

En los mails que se habían intercambiado Laura y Leonardo se repetía una situación muy parecida a la que Marié había vivido en su día. Laura quería que Leonardo se divorciara, la muy pécora, que apenas llevaba seis meses con él, y Leonardo aludía a cuestiones de dinero. Si se divorciaban, decía Leonardo, cualquier gestor cultural, puesto a elegir entre favorecer a Marié o a Leonardo, elegiría a la primera, que era mucho más famosa que él. Por supuesto, si Marié quería, podía conseguir que dejaran también de requerir sus colaboraciones en muchos suplementos culturales y revistas literarias. Ella era la novelista laureada, él había quedado a su sombra. Leonardo no podría vivir exclusivamente de su sueldo como profesor de universidad pues tenía que seguir pagando la pensión de su primera mujer y de sus dos hijos. Además, Laura era muy joven y ahora creía estar enamorada, pero había más de treinta años de diferencia entre los dos, ella era una muy prístina violeta para un sapo de tan curtida piel, y era inevitable que con el tiempo ella acabara cansándose. Cuando ella tuviera cuarenta años, y se encontrara en la plenitud de su vida y de sus capacidades sexuales, ¿de verdad querría cuidar de un viejo de setenta? Ni siquiera había que pensar en cuando ella cumpliera los cuarenta, seguro que se cansaría mucho antes; no había más que ver lo que le había pasado al pobre Benito Monjardín...

Benito Monjardín era el mejor amigo de Leonardo, al que había conocido cuando ambos iban a la universidad y militaban en una célula del entonces todavía ilegal partido comunista. Sorprendente la simpatía de ambos por formaciones de izquierdas siendo Leonardo hijo de un teniente coronel y Benito de un famoso abogado que había dejado siempre bien expresa su adhesión al régimen del Caudillo. Benito se había casado años más tarde con Ángela, una mujer muy rica y diez años mayor que él, aunque, según le había contado Leonardo a Marié, esa diferencia de edad casi no se advertía al principio de la relación, pues Ángela había sido una mujer bellísima que parecía más joven incluso que su propio novio. En cualquier caso, cuando Marié la conoció, la diferencia de edad sí se hacía expresa y evidente. Benito era poeta y no había trabajado, en el sentido más tradicional de la palabra, en toda su vida. Había pasado de vivir con sus padres a vivir con Ángela, y junto a ella había gozado de una existencia bohemia y laxa, dedicados a viajar, a salir con sus amigos, a beber y bailar hasta las claras del alba, a leer tumbados en la hierba. El dinero de Ángela o más bien el dinero del padre de Ángela, que ella había heredado, había sufragado todos los gastos, y los dos habían vivido unos primeros años idílicos, entregados cada uno al otro y los dos a sus respectivas pasiones, la pintura en el caso de la una y la poesía en el del otro.

Con el paso del tiempo ya no parecían tan enamorados. Benito casi siempre salía sin ella y era público y notorio que se acostaba con otras mujeres.

Marié siempre pensó que Benito seguía con ella por su dinero, pero Leonardo le explicó que no era así. Desde que Leonardo introdujera a Benito en la capillita, Benito colaboraba con asiduidad en el suplemento cultural, hacía de jurado para numerosos certámenes literarios y ofrecía recitales poéticos muy bien pagados. Si algún día decidiera separarse, podría vivir de sus ingresos, probablemente no tan holgadamente como con Ángela, pero sin estrecheces. En realidad, le explicó Leonardo a Marié, Benito seguía con Ángela por gratitud y costumbre. Ella le había mantenido durante muchos años, y Benito consideraba que había contraído para con ella una deuda moral.

Benito, pues, seguía casado, pero eso no le impedía ser un mujeriego reconocido. Siempre se le veía acompañado por mujeres muy jóvenes que acudían hacia él como moscas a la miel, atraídas por su aura de poeta maldito, o no tan maldito porque Benito iba siempre muy bien vestido, a la moda y con prendas de las mejores marcas. Estas chicas eran casi siempre rubias y de cabello largo y a Marié le parecía que debían de ser un trasunto de lo que fue Ángela en mejores días, porque a tenor de las fotos que Marié había visto alguna vez en un álbum familiar, Ángela había sido una guapa joven rubia, de larga melena. Más de una vez Benito les había pedido prestadas a Marié y Leo las llaves del apartamento que tenían en Agua Amarga para llevar allí a alguna conquista, e incluso había pasado tardes en la casa de Leonardo y Marié en Madrid, cuando se sabía que ni el matrimonio ni Mario iban a estar. A Marié no le gustaba prestar su dormitorio como si fuera el de una casa de citas pero como en el pasado Leonardo y ella habían usado la casa de Benito para sus encuentros clandestinos, no le quedaba más remedio que aceptar a regañadientes.

Aquellas chicas de Monjardín se parecían mucho entre ellas, y no sólo por el color o la largura de su pelo, sino porque solían tener la misma personalidad tímida, de ratita apocada que no se cree la suerte que ha tenido de que un insigne hombre de letras la honre permitiendo acompañarle. Si Ángela sabía algo de estas historias, que debía de saberlo a menos que fuera sorda, ciega y estúpida, nunca se le notó, o parecía no importarle. A fin de cuentas, ninguna de estas conquistas suponía un peligro a la estabilidad matrimonial de Benito, o eso decía él, y era cierto que ninguna de aquellas aventuras duraba mucho, dos o tres meses a lo sumo.

Hasta que llegó Anna.

Anna era una de las mujeres más bellas que Marié había visto jamás al natural, con una belleza pura y virginal, que no necesitaba ni de joyas ni de afeites ni de modelos caros para lucirse. Casi siempre iba sin maquillaje y vestida con la mayor sencillez. Era morena y llevaba el pelo corto. Se trataba de una estudiante serbia que estaba haciendo el doctorado en Madrid y que había asistido a uno de los cursos sobre creación literaria que Benito impartía en el Círculo de Bellas Artes, trabajo que había conseguido Benito gracias a una oportuna recomendación, cómo no, de Leonardo. El padre de Anna era un rico industrial que había hecho dinero tras la guerra, como tantos balcánicos, merced a negocios más o menos turbios de los que Benito no sabía mucho y no quería saber más, porque Benito estaba verdaderamente fascinado con ella, y se notaba. Jamás Marié le había visto mirar a ninguna otra de sus conquistas con semejantes ojos de melaza. Además, si bien a las otras las había exhibido en actos públicos, en presentaciones de libros, charlas y conferencias, nunca las había llevado de la mano o las había besado frente a los demás, como hacía con la serbia.

Al poco tiempo, Leonardo le expresó a Marié su preocupación.

—Benito está loco, pero loco. Dice que quiere dejar a Ángela para irse a vivir con Anna...

—¿Y qué tendría eso de raro? —preguntó Marié—. Al fin y al cabo, su matrimonio con Ángela tiene más de decorado teatral que de otra cosa. Y se ve a la legua que está loco por esa chica...

—Pues precisamente por eso, porque está loco. Va a dejar a su mujer, con la que lleva casi treinta años, que le ha ayudado tantísimo, y a sus dos hijos por una chica que le va a abandonar en cuatro días, ya lo verás.

—Pero ¿por qué tienes que ser tan fatalista?

—No soy fatalista, veo lo evidente. Esa chica es un bombón. Lo tiene todo, belleza, cultura y dinero.

Ahora está embobada con Benito, pero dentro de un año, dos a lo sumo, se le va a pasar el embobamiento. Ella querrá salir, bailar, viajar..., y él cada día estará más viejo y con menos ganas de moverse. Y además, ahora él puede permitirse tratarla como una reina y llevarla a restaurantes caros y a hotelitos con encanto, pero en cuanto se separe de Ángela, todo eso se acabará, y esta chica está acostumbrada a otro tren de vida. Y si lo miras con tiempo, cuando él envejezca, ¿crees que una chica como Anna querrá ser la enfermera de un señor gagá? No te confundas, no se trata de un Cela, ni de un Borges, ni de un Alberti, ni de un Moravia, Anna no va a poder hacer la fundación Benito Monjardín, y nadie la va a ver como la gran mujer, la musa del gran escritor, porque Benito no es más que un escritor de tercera.

—Pero tú siempre has dicho lo contrario, siempre has dicho que Benito era un gran poeta, siempre has intervenido para que le den los mejores premios literarios...

—Benito es mi amigo, y por eso he querido que le premien, además de que, si no, el premio literario se lo iba a llevar cualquier pelafustán aún peor que Benito...

Marié se sintió traicionada. Cuando conoció a Leonardo, él le había hablado maravillas de Benito, y ella leyó inmediatamente todos sus libros de poemas. Le parecieron vacuos, llenos de lugares comunes, y nada poéticos, porque los presuntos poemas de

Benito parecían más bien simple prosa que él hubiera cortado arbitrariamente en frases de diferente extensión a las que le había dado por llamar versos. Pero estaba entonces tan enamorada de Leonardo que creía que cualquier cosa que él dijese tenía que estar necesariamente cargada de razón, así que pensó que la culpa era suya, de Marié, que carecía del necesario gusto literario para poder apreciar la poesía moderna. Hasta aquel preciso día nunca había visto a Leonardo reconocer lo que ella secretamente venía sospechando: que Benito era un mal poeta. Fue como si un confesor le dijera a la beata que le planteara sus dudas que él también encontraba ridículo que hubiera que ayunar en cuaresma.

Finalmente, Benito dejó a Ángela y se fue a vivir con Anna y, tal y como Leonardo había previsto, la relación apenas llegó a durar un año y medio, al cabo del cual Anna se fue a vivir a París. Benito estuvo de luto durante otro año más, escribió un libro de poemas sobre su corazón destrozado y cuando se cansó de penar y de consignar en verso sus penas, volvió a los acogedores y nada rencorosos brazos de Ángela, que, al igual que Leonardo, siempre había apostado por que aquella historia no duraría.

Una y otra vez, Marié leyó y releyó las cartas de Laura y Leonardo. Hasta que prácticamente se las sabía de memoria. Una cosa le había quedado clara.

Al contrario que Benito, Leonardo no se había vuelto loco, y no tenía ninguna intención de dejarla. Pero sí, estaba enamorado de Laura, y le dedicaba a ella las mismas declaraciones encendidas que en su día dedicó a Marié. Ahora le tocaba a Marié decidir.

Podía anunciar que lo sabía todo y separarse.

Podía decirle a Leonardo que había descubierto lo que pasaba y obligarle a dejar a Laura.

Y también podía fingir que no había leído nada.

Marié tenía cincuenta años, y no era una mujer guapa. Con la menopausia había vuelto el sobrepeso de la adolescencia. Muchos hombres la admiraban, pero pocos la deseaban. La trataban con respeto y reverencia pero no había recibido insinuaciones sexuales desde hacía años. No iba a ser fácil encontrar a otro compañero, y Marié nunca había vivido sola, por lo que dudaba bastante de que se pudiera acostumbrar.

Por su cabeza pasaban ideas completamente contradictorias.

Por un lado, se sentía destrozada, traicionada, amargada. Le parecía en algún momento, incluso, que su vida se había acabado, que los cimientos que habían sustentado el edificio que había construido junto a Leonardo estaban comidos por las termitas. Le encendía la sangre una rabia, un deseo furioso de abofetear a Leonardo, y a la vez el dolor de no poder hacerlo, de no atreverse, de reconcomerse de impotencia. Sentía vergüenza de lo que sentía, y vergüenza de sentir vergüenza. Se veía insultada y escarnecida y la humillaba darse cuenta de lo tonta que había sido. Anticipaba la agonía atroz de la ruptura, y en algún delirio de furia llegó a meter la ropa a puñados en la maleta y empujarla a patadas hasta la puerta, pero luego, en la misma puerta, recapacitó sobre lo tonta que era, y volvió a empujar la maleta hasta el armario, pasillo adelante, para distribuir derrota, libros y vestidos en los estantes y en las perchas, desconcertada, confusa, cerrando bien los puños, procurando contener las lágrimas, ahogar los gemidos y repetirse a sí misma que no le quedaba más remedio que quedarse y mantenerse en su sitio, en su casa, abrumada por la sensación de una situación ya vivida, de un acto ya realizado, de otra traición a sí misma, de encontrarse hasta el cuello en el desencanto, al borde de la pérdida definitiva de la esperanza —de lo que una vez entendió como esperanza— porque aquél era el final no ya de una historia de amor sino de sus intentos de vivir la vida como una vez creyó —pero ya nunca más— que debía vivirse.

Pero por otra parte se sentía, en cierto modo, paradójicamente poderosa pese a que ella fuera la víctima. Conocer ese secreto de Leonardo, sabiendo como sabía que Leonardo no quería dejarla, era como dominarlo, quizá incluso ser dueña de su libertad.

Podría hacerle sentir muy culpable. Peor aún, ahora que tenía la contraseña de su cuenta privada, podía anticipar sus acciones, prevenirse si fuera necesario, sin margen para lo imprevisible. Le parecía ya que las abarcaba de una sola mirada, sin proponérselo, como abarcaba el parque que se veía desde el balcón. Aquella historia había sacado a flote lo peor de sí misma, puesto de relieve sus recovecos más sórdidos, los rasgos más tristes y mezquinos, elevado a la superficie partes de Marié —su yo más victimista, más manipulador, más cicatero— que ella ni siquiera habría imaginado, y que los demás hubieran negado rotundos, facetas de su carácter de las que no habían atisbado evidencia jamás, no al menos mientras ella se miraba en ese espejo de cuerpo entero al que la enfrentaban, tramposo y adulador, donde se reflejaba maravillosa, donde se veía respetada y querida, admirada e incluso un poco envidiada, pero no lo suficiente para sentirse atacada: la escritora prestigiosa, la intelectual respetada, la esposa modelo.

Finalmente Marié decidió no contar nada, por el momento, a Leonardo. Leería cada día los intercambios de mails para ver cómo iba evolucionando aquella historia y, después, con calma, tomaría una decisión. Ella ya no estaba enamorada de Leonardo, se había dado cuenta después de leer todas aquellas misivas. De hecho, una parte de ella le despreciaba. Le parecía un tipo afectado y pedante, un mal actor que se empeñaba terco en sobreactuar un personaje grandilocuente y literario, en absoluto convincente, y que miraba con condescendencia —desde lo alto del escenario donde a sí mismo se interpretaba— al resto de los mortales, como si él y sólo él fuese el depositario de un secreto fundamental y críptico, perdonándoles, magnánimo y suficiente, su ignorancia. Despreciaba su vacuidad, su pedantería, su arribismo, su hipocresía, su carencia total de ideas propias —porque todo lo que Leonardo decía y sentenciaba se refería a algo que ya había leído en otro sitio—, el hecho de que se pasase el día sentando cátedra sobre literatura y novelas cuando en la vida había sido capaz de escribir una. Leonardo conocía, por supuesto, todos los recursos formales, las figuras retóricas, las diferentes estructuras, los modelos de construcción de personajes, pero le faltaba imaginación, vida, talento, valor. El mismo valor que le faltaba para apostar por Laura, como en su día le faltó valor para apostar por Marié. Y a ella le faltaba valor para dejarle, porque no se podía imaginar sola. Marié no se sentía con arrojo ni ganas como para tirar quince años de trabajo por la borda, cuando entendía que ellos dos habían sido como una máquina bien engrasada. La pareja ideal a ojos de todos sus amigos, y de la prensa especializada.

No le dio tiempo a Marié para tomar decisiones, porque apenas cuatro días después Pumuky se pegó un tiro, o se lo pegaron, y fue Mario el que lo encontró. Cuando Mario regresó a casa después de todos los trámites de comisaría, llevaba cuarenta y ocho horas sin dormir. Venía con Romano y con la madre de Romano. Mario había llamado a Romano desde comisaría, y Romano había acudido con Sabina, que fue la que le explicó a Marié que Mario acababa de pasar por un gran shock y que ella le había dado un calmante muy fuerte, que lo mejor era que le dejasen dormir. Marié se sintió desplazada porque nadie la había llamado a ella, pero prefirió no preguntar más.

Mario parecía, efectivamente, un zombi. Traía ojos despavoridos, de perro sin amo. Apenas articuló palabra y se fue derecho a su cuarto. Durmió catorce horas y cuando despertó Marié le llevó una bandeja con comida que Mario apenas tocó. No hubo forma de conseguir que se vistiera, siquiera que se levantara de la cama. Mario decía que se encontraba mal, que le dolía todo el cuerpo. Había adelgazado tanto en apenas tres días que realmente parecía enfermo. Era como si le hubieran robado a su hijo y otro, más gris, más viejo, más decaído y más desanimado, hubiera ocupado su lugar. Llamaron al médico, quien aseguró que Mario se encontraba en perfecto estado de salud, pero que era lógico que se sintiera cansado, dado que estaba sometido a un fuerte estrés postraumático. El doctor sugirió que consultasen a un psicólogo. Marié llamó a Sabina, que se encerró con Mario durante varias horas y que, cuando salió, le explicó a Marié que había convencido a su hijo para que visitara a un colega suyo, un excelente profesional del que tenía las mejores referencias. Ella, según le aclaró a Marié, no podía tratarlo como terapeuta ya que era amiga de la familia, pero quedaba a su disposición por si él quería charlar con ella, a cualquier hora. «De todas formas, Marié, si te sirve de algo te diré que efectivamente tu hijo está afectado por la muerte de su amigo, pero que este episodio no ha sido sino la gota que ha colmado el vaso, el catalizador, como si dijéramos, de toda otra serie de problemas. Creo que tu hijo está atravesando lo que llamaríamos un episodio depresivo mayor, y una crisis así no se resuelve de la noche a la mañana. Va a necesitar terapia, tiempo, medicación y mucho apoyo».

El nuevo médico recetó, efectivamente, muchas pastillas de diferentes colores. Para la ansiedad, para dormir, para estabilizar el ánimo. Mario seguía sin querer salir y se pasaba el día metido en casa, en pijama, la mayor parte del tiempo en su cuarto, escuchando música y mirando al techo. Casi no comía, y si lo hacía era sólo tras largas charlas y rogativas de Marié. Parecía imposible conjurar tanta desolación, tanta tristeza gris, tanto vacío, tanto exilio del tiempo, demasiado pasivo Mario hasta para matarse pero repitiendo a todas horas que se quería morir. Ella se sentía tremendamente culpable, porque había acabado entendiendo que nunca había prestado excesiva atención a su hijo. Cuando llegó la fama de Marié, y con ella los constantes viajes, había contratado a una sucesión de niñeras que a lo largo de los años se habían ido haciendo cargo del hijo único. Mario había pedido siempre un hermanito, pero Leonardo no quiso ni hablar de tener más hijos y a Marié tampoco le hacía mucha gracia la idea. Quería viajar, quería salir, quería sentirse admirada, quería vivir esa adolescencia que nunca había vivido. No había tenido tiempo para dedicárselo a su hijo, se daba cuenta tarde. Y no se había preocupado gran cosa por él. Mario se drogaba, o eso había que entender porque tras la muerte de Pumuky había buscado toda la información posible en Internet y había leído cómo mucha gente atribuía el accidente a las muchas drogas que el cantante tomaba. Y si Pumuky se drogaba, no había por qué suponer que Mario no lo hiciera. Pero Marié ni siquiera lo había imaginado, ella siempre había dado por hecho que un chico que sacaba las mejores notas no consumía drogas, lo que demostraba qué poco sabía de las drogas en general y de su hijo en particular.

Marié canceló todos los compromisos para charlas, congresos y conferencias. No quería viajar, quería estar con su hijo, que la tuviese siempre presente.

Él no hablaba apenas con ella, y mantenía la mirada ajena, más remota que nunca —antes tampoco había sido nunca Mario un chaval particularmente comunicativo o cercano—, estableciendo distancias abisales entre él y Marié, pálido como un sudario, tan inédito y extraño y radicalmente nuevo para ella, con una extraña madurez recién adquirida, exageradamente lúgubre, como si crecer fuera aquello: perder la inocencia a la vez que la alegría. Marié, inasequible al desaliento, se esforzaba por hablar con él. Se sentaba a su lado y le hablaba de novelas que había leído, le leía fragmentos de sus poetas favoritos, le contaba historias de su propia infancia y adolescencia, o anécdotas de las monerías que él hacía de pequeño. Mario parecía no prestar demasiada atención, pero nunca le pidió que se callara.

Lo curioso es que con toda aquella historia se había olvidado por completo de Leonardo y de sus correrías con la tal Laura. Un día volvió a abrir la cuenta del sapo y la violeta. Leonardo le contaba a Laura lo que había pasado con Mario. Decía que él siempre había temido una cosa así, que veía que el comportamiento de aquellos chicos no tenía nada de normal, pero que como la hostilidad de Mario hacia él era tan evidente y como Leonardo tenía claro que Marié iba a salir siempre en defensa del chaval, nunca había comentado nada al respecto. Decía que Mario era un niño mimado, un rebelde de salón, incapaz de enfrentarse a la vida. Marié se enfadó muchísimo, pese a que entendía que Leonardo en parte tenía razón, pero le molestaba que hablase así de su hijo. Hubo un mes, el mes en el que Mario estuvo más deprimido, en el que los dos amantes casi no se vieron, porque Leonardo no quería dejar sola a Marié ya que, según le decía a Laura, la encontraba «muy diferente, muy trastornada». Leonardo jugaba frente a Laura a ser el marido amantísimo que nunca había sido. En lo que recordaba Marié, en aquellos días Leonardo había estado presente, pero distante. No había sido un amigo, ni un confidente, ni un paño de lágrimas, ni mucho menos un enfermero. Luego Laura hacía un viaje a Berlín. Al principio enviaba mails diarios, pero después se iban espaciando. Laura hablaba de fiestas y discotecas, de sitios y ambientes a los que Leonardo nunca tendría acceso. Se veía a la legua que intentaba ponerle celoso. Laura volvía a Madrid. Leonardo se la encontraba por los pasillos de la universidad cogida del brazo de un chico y le pedía explicaciones. Ella no entendía por qué a él le importaba tanto una tontería como aquélla, pero parecía encantada con la reacción. Laura y él asistían al mismo congreso. Leonardo estaba indignado porque durante la comida Laura había estado «coqueteando descaradamente» con otro de los conferenciantes, un escritor de mucho éxito al que Leonardo despreciaba. Laura le respondía irónicamente que no entendía cómo un hombre que dormía cada noche en la cama de otra mujer podía enfadarse porque ella compartiese mesa con otro hombre. Los mails iban subiendo de tono. Luego un día, sin más, ella dejaba de escribir. No había explicaciones ni razones. Él tampoco las pedía. Algo había pasado entre los dos, alguna escena tan dramática que supusiera un corte abrupto de relaciones, pero no se sabía cuál.

Tiempo después, cuando Mario empezaba a mejorar y la historia de Laura estaba casi olvidada, Marié tropezó, ojeando las estanterías de la librería de su barrio para comprobar si los ejemplares de sus libros seguían allí, con el nombre de Laura, el nombre y el apellido que figuraban en los mails que Leonardo recibía. Laura Saliquet. Evidentemente Laura se había quitado el Fernández que antecedía a su segundo apellido, (no debía de considerarlo un nombre lo suficientemente aristocrático), pero sin duda se trataba de la misma chica, a juzgar por lo que se leía en la información de contraportada. Tenía la misma edad que la Laura de Leonardo y, como ella, había estudiado en la Universidad Complutense. La foto mostraba la imagen de una chica rubia, de pelo largo, cuyo rostro le resultaba a Marié extrañamente familiar. Le llevó un tiempo caer en la cuenta de dónde lo había visto antes. Se trataba de una de las antiguas acompañantes de Benito Monjardín, una de las que más le habían durado, casi tres meses. Marié recordó que aquella chica siempre había flirteado abiertamente con Leonardo en las ocasiones en las que Benito la había llevado a su casa, pero Marié, ingenua como era, nunca creyó que a su marido pudiera gustarle una jovencita tan insípida. Compró un ejemplar. La novela, para su sorpresa y decepción, no hablaba de la relación entre una jovencita y un viejo profesor, sino que trataba de una historia sin pies ni cabeza, un viaje alucinado en Berlín, cuyo protagonista era un hombre. Era densa y metaliteraria, críptica e incomprensible, y sonaba mucho a construcción de artificio, a decorado de tramoya. Muy del gusto de Leonardo, pensó Marié.

Seis meses después le presentaron a Laura Saliquet en una recepción con motivo de un premio literario. Iba del brazo de aquel escritor de éxito con el que había estado mariposeando en una mesa mientras aún estaba con Leonardo.

A mí me cuesta mucho hablar de Pumuky, después de lo que sucedió. Mi hijo, como usted comprenderá, no volvió a ser el mismo desde entonces. Pumuky era un chico guapísimo, sé que usted lo sabe, habrá visto fotos y vídeos, pero era aún más guapo al natural. Era también un chico muy inteligente y carismático. Un verdadero personaje de novela... Pues la belleza no es nada sino el principio de lo terrible, ya lo decía Rilke, lo mismo que Pumuky cantaba en uno de sus temas.

Yo recuerdo, de cuando empezó a venir por casa, que una de las cosas que más me llamaba la atención era la afectación con la que vestía, lo preocupadísimo que estaba por la moda. Hablo de cuando Pumuky tenía quince o dieciséis años. Mario hacía muchas bromas al respecto, alguna vez me contó que Pumuky le robaba las cremas de belleza a su madre, y que se maquillaba. Es cierto que se maquillaba, solía venir a casa con los ojos pintados de negro, claro está que imitaba a los cantantes de los grupos que le gustaban. Venía a casa con esa pinta, los ojos azulísimos subrayados por una raya negra, el pelo teñido color zanahoria y con ese peinado incomprensible, el pelo de punta, como si hubiera metido los dedos en un enchufe. Me explicó Mario que le llamaban Pumuky en homenaje al duende de unos dibujos animados que llevaba el mismo peinado, y sí, tenía algo de duende aquel chico, una calidad irreal. Era muy listo, además. ¿Sabe?, una vez le pedí que me ayudase con un problema informático, y me cobró seiscientos euros. Más tarde me enteré de que todo lo que había hecho Pumuky había sido utilizar un programa que se encontraba gratuitamente en Internet y que, en realidad, él sabía muy poco de informática, el experto en programación es mi hijo Mario. Esto le da una idea de cómo era. Muy listo, muy listo.

Me cuesta mucho hablar de él porque Mario, mi hijo, pasó por un auténtico infierno tras la muerte de su mejor amigo, y en cierto modo hablar de Pumuky implica revivir aquel calvario. Además, en la memoria, tendemos a idealizar los rasgos de los amigos muertos, a convertirlos en literatura, si quiere. Yo veo a Pumuky como a un personaje de novela, a uno de esos beaux terribles de la novela fantástica del XIX, la atracción de lo oscuro, ya sabe, como el conde Drácula, que en la novela original es increíblemente seductor. Pero Pumuky tenía muchas caras, y todo lo que le contara yo no sería sino una recreación litera-

ria, *no podría evitar volver a contar su historia desde mi filtro de novelista, y acabaría siendo un personaje, no el Pumuky real. Supongo que cuando pienso en él tiendo a eliminar los defectos y resaltar las virtudes, pues al fin y al cabo era el mejor amigo de mi hijo. Al final, asumimos como real lo que otros cuentan sobre las cosas, pero no existe una realidad objetiva. Si yo hablo de Pumuky le creo otra vida distinta, más concreta, menos incomprensible que la suya, porque la suya era caótica, como la de todo el mundo, en el fondo, y yo, al hablar con usted, resumo al personaje e intento dotarlo de un sentido, de una significación. Y lo idealizo, por supuesto. Pero claro que tenía defectos. Era un irresponsable y un inmaduro, y tampoco tenía un sentido ético muy formado, como demuestra la historia que le he contado antes, aunque, al fin y al cabo, ¿quién lo tiene? Yo, con los años, me he ido volviendo más y más escéptica y más tolerante con los defectos ajenos, y con los propios, si me apura. He ido comprendiendo que la esencia del ser humano es la competencia. Todos competimos. Por el territorio, por la atención, por el dinero. Las utopías, los ideales, no son más que palabras. Son literatura, en el mejor y el peor sentido de la palabra. La vida real es distinta. Pumuky no era un genio, como tanta gente dice, aunque tampoco dejaba de serlo. A fin de cuentas, el criterio estético es subjetivo, y le extrañará que yo diga eso estando casada precisamente con un crítico. Sin embargo ya le he dicho que los años me han vuelto escéptica.*

Los años y los golpes de la vida. Golpes como el accidente de Pumuky, por ejemplo. Perdone si no estoy siendo de gran ayuda. Quizá deberíamos dejar aquí la conversación. Si le digo la verdad, aún me duele, aún me afecta hablar de aquello. No se lo tome a mal, pero creo que empiezo a arrepentirme de haber accedido a que usted me entrevistara.

Una mujer en su sitio

E s la sala de embarque de un aeropuerto. El mismo aeropuerto en el que Olga se encontró con Romano la mañana que precedería a la noche en la que se acostarían juntos. En el avión, Romano le habló a Olga de su madre, Sabina, la misma mujer que ahora espera sentada en la misma silla en la que Romano se sentó. Ella no lo sabe. Romano tampoco lo sabrá nunca.

Sabina tiene cincuenta y tres años pero aún le queda mucho para estar pasada de calores. Es una mujer muy elegante, por eso no lleva nunca nada que esté a la última moda. Su aspecto —melena cuadrada, los labios pintados de rojo, un traje negro, un collar de perlas diminutas, zapatos de discreto tacón, medias caladas con un dibujo de encaje— transmite un aire de difusa atemporalidad. La gravedad de la expresión, la quietud de las manos, una extraña sonrisa contenida que recuerda a la de la Gioconda, ayudan a componer una imagen mundana a la vez que tranquila.

La salida del avión se retrasa, pero nadie parece particularmente sorprendido, es lo normal en la Terminal 4. Los periódicos reciben cartas al director a diario, las líneas de reclamaciones se saturan. Al principio hubo artículos en la prensa, pero con el tiempo la noticia dejó de serlo precisamente porque los retrasos continuaban, los problemas se habían inscrito ya en la rutina y no tenían nada de novedoso o especial, de noticiable. Sabina se tomaba el retraso con calma, y estudiaba al resto de los pasajeros desde la distancia, como quien mira cuadros, para distraerse.

Al fondo de la sala, en una esquina de la fila de asientos, la que daba al ventanal, una figura le llamó la atención. Se trataba de una mujer delgada y pálida, de cabello oscuro y de facciones tan puras y regulares que recordaban a las de una virgen, a una talla de Salzillo, quizá. Tenía un aire cansado, como de no haber dormido, y una expresión de tristeza infinita. Iba muy sencillamente vestida y peinada, con un traje pantalón negro y una melena corta, pero enseguida se advertía que el traje era de marca y el corte obra de un peluquero caro. Sabina pensó que hacía años que no había visto una mujer tan bella, y que probablemente gran parte de su atractivo se debía al hecho evidente de que ella no sabía que lo era.

La sorpresa fue mayúscula cuando, una vez embarcada, Sabina se encontró sentada a su lado en clase business, con un asiento vacío entre las dos. La mujer se desplomó sobre el suyo como si fuera una anciana, pero no podía tener más de treinta años. Sabina la espiaba disimuladamente por el rabillo del ojo. No quería resultar intrusiva, pero no podía apartar la mirada de ella. Cuando el avión ya había despegado y se encontraban a treinta mil pies, diez mil metros, de altura, Sabina se dio cuenta de que la mujer estaba llorando. Una lágrima silenciosa le caía por la mejilla, con lo cual el parecido con una virgen dolorosa se acentuaba. Resultaba evidente que se reprimía para no sollozar.

Sabina estaba acostumbrada a tratar con gente que sufría, a consolarlos. Pero en general se trataba de personas que habían acudido a ella en busca de ayuda. Ardía en deseos de hablar con su compañera, mas no sabía cómo acercarse a ella. Danzaban por su cabeza palabras justas y convincentes, pero le faltaba la primera. Necesitaba un comienzo que fuera como una puerta abierta hacia una habitación luminosa, una palabra que invitase a escuchar el resto, algo que hiciera sentir a aquella mujer que Sabina podía entenderla.

—Perdone si me entrometo, no es mi intención acosarla... Es que no he podido evitar darme cuenta de que está usted llorando.

La otra se apartó rápidamente, con la mano, la lágrima delatora. No llevaba maquillaje.

—No se preocupe, no me pasa nada —le dijo, en un tono que revelaba que le pasaba algo muy grave. Algo en la perfecta dicción de su acento, ligeramente sinuoso y arrastrado, revelaba a una persona de apellido ilustre.

Sabina sabía, por experiencia, que en un primer contacto pesaban más que las palabras los movimientos de las manos, los tonos de la voz, el calor o la frialdad en la mirada. Sonrió pues, e imprimió a su voz un matiz cálido, una forma de hablar que tenía muy ensayada tras años de ejercicio profesional.

—Verá usted, en mi trabajo veo cada día a gente que sufre y que llora, y yo misma he sufrido y he llorado mucho. Tanto por mi experiencia laboral como por la personal, porque creo que tengo unos años más que usted, le puedo garantizar que la mitad de nuestro sufrimiento está en nuestra cabeza. Hay hechos reales, innegables, que nos afectan. Aunque la forma en la que nos afectan depende en gran parte de nosotros.

La otra la miraba fijamente, pero no articulaba palabra. Sabina continuó.

—Yo misma, cuando tenía más o menos la edad que tiene usted ahora, me encontraba en un avión volviendo de París, y verla a usted me ha recordado aquel momento, porque me pasé todo el viaje, dos horas y media tardaba el vuelo entonces, llorando sin parar, e intentando hacerlo en silencio, tal y como usted hace ahora, para que el resto del pasaje no se diese cuenta. Me acababa de separar, tenía un niño pequeño, salía de un matrimonio muy difícil, un infierno, mi ex marido tenía serios problemas con la bebida, no sabía qué iba a hacer con mi vida, en qué iba a trabajar...

Sabina recordaba con horror aquellos años en París. Era como si un cuerpo oscuro empujase a Guillaume contra un abismo de sombras. Guillaume tendía las manos hacia ella como pidiendo ayuda. Ella habría gritado, se habría acercado, pero no se atrevía a avanzar más, tenía miedo de precipitarse al vacío. Y finalmente las sombras arrastraron a Guillaume y lo envolvieron y no quedaron más que las manos, como las manos de un náufrago, extendidas hacia ella, implorantes. Años después sentiría exactamente lo mismo con respecto a Pumuky.

La mujer seguía contemplándola con los ojos muy abiertos, en los que ahora se leía, por fin, interés, atención.

—... Yo recuerdo ahora aquel viaje y me doy cuenta de que aquel momento horrible constituyó en realidad la llave de mi felicidad. No puede usted imaginarse lo que sufrí entonces en aquel avión. Mi hijo iba a mi lado, dormido, y creo que de no ser por él, de no haber sabido que mi hijo sólo podía contar conmigo, habría hecho una locura, créame. Pero si no hubiese pasado por aquel momento, si no me hubiese ido de París, si no hubiera regresado a Madrid, si mi ex marido no me hubiera dejado por otra mujer, mucho más rica que yo, capaz de pagarle los vicios y de aguantarle sus locuras, yo no habría conocido después otros amores, no habría podido trabajar en algo que me gusta, no habría podido darle a mi hijo tranquilidad, armonía y un hogar estable. Es decir, si no hubiera pasado por aquel momento atroz, no habría podido ser razonablemente feliz ahora. ¿Entiende lo que le digo?

La mujer asintió balanceando la cabeza muy despacio de arriba abajo, con una expresión casi religiosa, como de beata que asiente en misa a las palabras del párroco, lo que acentuaba, una vez más, su expresión de virgen.

—Perfectamente —dijo la mujer.

Tenía la cara fatigada, hundidos los ojos, pero en el fondo de las pupilas resplandecía una luz enérgica, cambiante, que iba pasando del dorado al verdoso y al gris, y que desde lo más profundo hacía centellear la mirada.

—Lo que quiero que entienda es que en aquel momento la situación parecía irresoluble. Yo no tenía dinero, me había gastado todo lo que me quedaba en los billetes de avión. En París habíamos vivido prácticamente de la caridad de la familia de mi marido, él casi nunca trabajó, y se bebía el dinero que su madre nos enviaba. No contaba con recibir ningún dinero de él, pero tampoco con que mi propia familia me apoyara. Ellos eran muy católicos y no veían bien que una mujer se divorciase. Además, tampoco nadaban en la abundancia. Mi padre estaba jubilado, recibía una pensión, y enfermo, y mi madre, entre los gastos médicos y el sueldo de la enfermera que atendía a su marido, estaba apurando todos los ahorros. El piso de mis padres no era el mejor sitio para vivir con un niño pequeño, pero yo no tenía otro lugar adonde ir. No le hablo de esto porque tenga mayor interés en contarle a usted mi vida, sino porque quiero que entienda que a veces las situaciones que nos parecen más difíciles acaban por no serlo tanto. En realidad, el hecho de haber vivido con un alcohólico me había entrenado para afrontarlas. Cuando llegué a Madrid encontré trabajo, un colegio para mi hijo, y un piso. Un piso pequeño en un barrio proletario, pero un hogar al fin y al cabo. Fue difícil, muy difícil, aunque no imposible como yo creía. No conozco la situación que está atravesando usted ahora, pero seguro que hay manera de salir de ella. Lo importante es que usted se convenza de que quiere salir. Y en el momento en que quiera salir, podrá salir.

La mujer asintió.

—Sí, entiendo perfectamente adónde quiere usted llegar.

—Por cierto, me llamo Sabina. Sabina Ragès.

—Mara.

Se estrecharon la mano. Sabina advirtió que la mujer había dejado de llorar.

¿Por qué se había casado con Guillaume? Simplemente, porque a los demás les parecía bien. Cuando Sabina le conoció, ambos tenían diecisiete años. Su familia veraneaba entonces en una urbanización en un pequeño pueblo de Valencia, El Perellonet. La familia de Guillaume también pasaba los veranos allí, eran los únicos franceses del lugar. La madre escandalizaba a todas las señoras con sus exiguos bikinis, el padre las encandilaba dirigiéndose a ellas en un español casi perfecto. Y el hijo mayor rompía corazones a su paso. Era avasalladoramente guapo, como un actor de cine. Y rubio, en una época y un lugar en los que la belleza sólo podía considerarse como tal si era rubia y de ojos azules, el canon de todas las modelos que desde las vallas comerciales anunciaban las bondades de este jabón o aquella crema solar. Sabina no se tenía entonces por una chica guapa, entre otras cosas porque ella era muy morena, «como una mora» solía decir su padre. Había estudiado francés en el colegio y había obtenido las mejores calificaciones, y resultó ser la única en aquella urbanización que podía mantener largas conversaciones con el bello francesito. Por eso, creía ella, él disfrutaba de su compañía, no porque la considerara bonita o especial, y se sorprendió mucho el día en que él intentó besarla. Cuando se lo contó a sus amigas, ellas no podían creer que Sabina le hubiera rechazado. Pero tú estás loca, le decían. Así que pocos días más tarde accedió. No se acostó con él, por supuesto, ella era una chica de buena familia y pensaba casarse virgen.

Se intercambiaron largas cartas en invierno y el romance continuó el siguiente verano. Él le dijo que en París había estado con otras chicas, pero que no se había quitado su imagen de la cabeza. Ella era tonta y le creyó. El romance continuó de forma intermitente. Ella fue a la universidad y tuvo otros novios. Él conoció a muchísimas mujeres. La diferencia entre los amoríos de ella y los de él radicaba en que los de ella eran blancos. Chicos que la acompañaban al cine o a bailar, que la dejaban en casa a las once o, como excepción de algún sábado, a las dos; chicos con los que intercambiaba besos apasionados, pero poco más. A los veintidós años, ella seguía siendo virgen. Él, sin embargo, había perdido la cuenta de las mujeres con las que se había acostado. Se seguían escribiendo cartas, se veían los veranos. Habían decidido ser amigos.

Ella acabó la carrera con las mejores notas de su promoción. Cuando planteó a sus padres la idea del doctorado en La Sorbonne se encontró con mucha reserva y oposición. Que la chica fuera sola a un país extranjero... No era una cosa tan común en la época. Pero los profesores de Sabina confiaban en ella. Una estudiante modelo, una chica tan formal. Uno de ellos era cura jesuita y fue el encargado de convencer a la familia. Él sabía de una residencia para estudiantes en París gestionada por monjas católicas. La familia finalmente accedió. Y, en París, Sabina perdió la virginidad y la fe, pero se doctoró. Y un año más tarde se casó.

Lo curioso es que Sabina nunca estuvo segura de amar a Guillaume. Él había estudiado Filosofía y trabajaba como editor. Sabina hacía traducciones. Vivían en un piso minúsculo en la muy bohemia *rue de la Gaîté*, rodeados de teatros, restaurantes y sex shops. Antes de casarse, ella sabía que él bebía y que salía mucho, pero no convivía con él y no había imaginado, ni de lejos, la magnitud del problema al que se habría de enfrentar. El mismo problema que años después vería en Pumuky. Si algo había aprendido como psicoterapeuta, es que si bien las personas difieren mucho unas de otras, los patrones se repiten.

Mara parecía mucho más calmada, y el color había vuelto a sus mejillas, un tono entre rosa y anaranjado, como de melocotón. Se expresaba con claridad y tenía una voz bonita.

—Se trata, por supuesto, de un problema con un hombre, como quizá usted ya había adivinado. Parecido al que usted me ha contado. Pero quizá es aún más difícil, porque se trata de una cuestión de presiones familiares, de cumplir con lo que los demás esperan de una. No sé, hay cosas que te hacen darte cuenta de que lo que te han enseñado es falso, que te has pasado toda la vida creyendo que querías vivir de una manera, y luego descubres que ésa no era la vida que querías, ésa sólo era la vida que tu madre quería para ti y como nunca has visto otra cosa, creías que ella tenía razón...

—Sí, entiendo lo que quieres decir, ¿te importa que te tutee? —le preguntó Sabina. Mara sonrió y alzó los hombros en un gesto sencillo y encantador—. De hecho, la mayoría de las mujeres conocemos el mismo problema: la disociación entre lo que nos han enseñado a hacer y lo que de verdad queremos hacer. Yo viví exactamente lo mismo, cuando era joven. Me casé pensando que estaba enamorada, pero en realidad me casé para complacer a mi familia. Y créeme que me costó mucho aceptar quién era yo de verdad y qué era lo que quería.

Guillaume no dejó nunca de salir ni de beber ni de tener otras amantes, y Sabina no quiso soportar más porque, en el fondo, y se dio cuenta más tarde, nunca le había amado. Había amado lo que los demás amaban en él. Había amado el sentimiento de saberse envidiada. Había amado el triunfo sobre las otras amantes de Guillaume, que le habían tenido entre las sábanas pero que no habían conseguido llevarle al altar. Había amado el tacto de otras mujeres que Guillaume llevaba impreso en las yemas de sus dedos. Por vía de Guillaume, por experiencia vicaria, había creído tenerlas. De eso último sólo se dio cuenta cuando regresó a Madrid y se psicoanalizó, un trámite necesario para ejercer ella misma como psicoanalista.

La conversación discurrió por cauces tranquilos. Mara no contó nunca lo que le había sucedido, hablaba en términos imprecisos, generales, como si no quisiese revelar demasiado. Sabina tampoco la presionó. Estuvo a punto de darle su tarjeta y decirle que la podía llamar en cualquier momento, pero entonces Mara habría creído que toda la conversación de Sabina no había tenido otro objeto que el de captar una posible cliente. Decidió pues esperar a que Mara le diera su número, o le pidiera el suyo. No ocurrió. Sin embargo, cuando llegaron a Barcelona —ninguna tuvo que recoger maletas, ambas viajaban con sendos *atachées,* el de Mara de piel cara— le entregó algo mucho más especial.

—Ahora me tengo que ir, me espera un coche que viene a recogerme —y con esta frase abortó el ofrecimiento de compartir un taxi que Sabina tenía a flor de labios—. Pero quiero, de verdad, que sepas que agradezco muchísimo todo lo que me has dicho, que me has ayudado mucho más de lo que puedas imaginar. Quiero darte algo.

Se llevó la mano al dedo anular y se quitó el anillo que llevaba. Abrió la palma de Sabina y lo depositó allí, cerrándole la mano acto seguido. El contacto con su mano tibia fue para Sabina como una corriente eléctrica.

—Pero... No puedo aceptarlo.

—Es su anillo. No lo quiero. Me quema en la mano. Pensaba tirarlo por el váter, o por una alcantarilla, o regalárselo a un pobre. Me había imaginado tirándolo a un río desde un puente, una imagen muy romántica y muy simbólica, muy liberadora. Pero creo que prefiero dártelo a ti. —Se inclinó hacia Sabina y depositó en su mejilla un beso suave, como un aleteo. Y fue lo inesperado de aquel contacto, la increíble alegría y excitación que le produjo, lo que le impidió a Sabina reaccionar y rechazar el presente. Mara se alejaba ya. Sabina distinguió a lo lejos un Lexus negro con un chófer bien vestido, de traje de chaqueta, que le abrió la puerta con exagerada ceremonia. Mara desapareció elegantemente en el interior del vehículo.

Contempló el anillo. La montura y el diseño parecían antiguos. Era una sortija de oro blanco con pequeños brillantes engarzados alrededor de una piedra azul de tal forma que la superficie entera del anillo relumbraba como si se tratase de una instalación eléctrica. Las hileras de brillantes emanaban una luz de reflejo rosado. A primera vista, se trataba de un anillo relativamente sencillo, como todo lo que Mara llevaba, pero debía de costar una fortuna. Se lo probó: no le encajaba.

Sabina no sabía qué hacer con aquella sortija. Habría debido devolvérsela a su propietaria, pero no tenía manera de localizarla. Podía venderla, pero le parecía una especie de traición a la mujer que se la había dado. Podría ensancharla y lucirla ella misma, pero encontraba algo raro en lucir el que había sido el anillo de boda de otra mujer. Entonces pensó en Pumuky. Cuando acabó el bachillerato en el Liceo, y cuando quedó claro que Pumuky nunca pasaría ni el *baccalauréat* francés ni la selectividad española, su abuela, casada con el joyero más importante de Madrid, le había convencido para que estudiase gemología y entrase a trabajar como aprendiz en la joyería. Al principio la cosa fue bien, Pumuky tenía gusto para el diseño y buen ojo para las piedras. Pero después hubo una historia turbia a propósito de unas piedras desaparecidas y Pumuky dejó el trabajo. Sabina nunca tuvo claro qué había pasado. Si Pumuky había robado de verdad las piedras resultaba evidente que la familia nunca lo contaría para evitar el escándalo. Tampoco Pumuky solía hablar mucho de aquello.

Por aquella época Pumuky pasaba mucho tiempo en casa de Sabina y Romano. Allí se cenaba siempre a las nueve y media, con puntualidad germánica, y Pumuky sabía que si se pasaba siempre habría un plato para él, porque donde comen dos comen tres: bastaba con añadir más lechuga a la ensalada o cocer más pasta. Una de aquellas tardes Sabina le enseñó el anillo.

—¿De dónde has sacado esto? —le preguntó Pumuky.

—Me lo regaló una amiga.

—¿Qué amiga? ¿La baronesa Thyssen?

—¿Tan caro es?

—No sólo caro. Es antiguo. Mira, reina, la montura es de platino, se trata de lo que llamamos montura *pavé*. A ver..., te explico, ¿ves que las piedras se incrustan en la montura de forma que parezca que la superficie del anillo está pavimentada? Estas piedras no son cualquier cosa, te lo puedo asegurar. ¿Ves? Son cuatro hileras de diamantes talla brillante, por eso relucen tanto. Y ésta, la piedra central, es un diamante azul. Y un diamante azul es una piedra rara, rara, rarísima. Los diamantes de color eran muy populares antes de 1900. Ahora no, ahora las tallas en blanco son la norma. O sea que el anillo es anterior a 1900. Y hay más detalles que me hacen pensarlo. Mira, fíjate en esto, la artesanía de la montura es impecable, pero el tallado de la pieza es imperfecto. ¿Ves este borde?... Eso quiere decir que no está hecho a máquina. Así, a bote pronto, calculo que la fruslería esta pueda tener unos doscientos años. Y puede que sea cara de cojones... Porque los anillos victorianos suelen tener pequeñas agrupaciones de diamantes en lugar de uno grande. Entonces los diamantes eran escasos, casi nadie podía comprar un diamante de talla grande. Así que, si esta sortija fuera tan antigua como parece a primera vista, sería el copón de la baraja, porque es mazo de extraño lo de encontrar un anillo de esa época con un diamante central. Éste debe de costar una pequeña fortuna. Un pasón, Sabina, te hablo en serio. ¿Qué es lo que pretendes hacer con él?

—Bueno... —Sabina no sabía qué decir. Imaginaba que el anillo era caro, pero lo que Pumuky le acababa de explicar la había dejado desconcertada—. A mí no me cabe. Sería cosa de ajustarlo a mi dedo, o de venderlo.

—Sabina, ¿de verdad te lo han regalado?

—Sí, ya te lo he dicho.

—¿Y confías en la persona que te lo ha regalado?

—Pues... No la conozco mucho, la verdad.

—Verás, Sabina, imaginemos, así, por imaginar, como hipótesis, que esa señora te ha regalado un anillo robado. Si quieres vender una pieza así no vas a una casa de empeños, desde luego. Si llevamos esto a cualquier joyero, para venderlo, para tasarlo o para ajustarlo, es más que posible que la policía ya haya hecho correr una descripción del anillo, ¿me sigues? Y si se trata de un joyero con un mínimo de ética, llamará a la policía en un plis.

—Ella me dijo que era su anillo de compromiso, o de boda, no lo sé bien. Acababa de dejar al marido y no quería llevarlo en el dedo.

—Sabina, joder, lo que me cuentas parece sacado de una novela de Marié, no hay quien lo crea...

—Pues fue así, lo creas o no.

—Mira, siempre puedes venderlo, mujer, pero no a cualquiera. O bien lo desmontamos y vendemos las piedras, con lo cual la pieza perdería gran parte de su valor, o bien buscamos a alguien que compre material de este tipo sin hacer preguntas. ¿Me sigues? O llamamos a mi abuelo, claro, que seguro que tendrá una idea de quién puede ser el propietario, me la juego. Y si llamamos a mi abuelo, lo devolvemos. Apuesto mi Fender a que no vemos un euro, porque me da en la nariz que quienquiera que sea el dueño, lo está buscando fijo. Pero..., si lo quieres vender, ya sabes, me avisas.

Aquel «ya sabes» pronunciado en tono cómplice le recordó una confesión que Pumuky le había hecho hacía muchos años. Cuando Charlotte, su madre, aún estaba viva y en los peores tiempos de su adicción, ella había robado alguna joya de la abuela y la había empeñado. Pumuky estaba al tanto, pero nunca la delató. Sabina sospechaba que incluso la había ayudado a venderlas.

Sabina jamás leía prensa del corazón, excepto en la peluquería. Se cortaba y teñía el pelo una vez al mes, y allí, mientras esperaba su turno, hojeaba aquellas revistas sin prestar demasiada atención al contenido. Y de repente la vio, allí, en las páginas de papel cuché. La misma mujer pero maquillada y repeinada, vestida con un *tailleur* tipo Chanel, de la mano de un hombre alto y canoso, que vestía de frac. La foto acompañaba a la siguiente noticia:

Los duques de Salina se separan

Mediante un comunicado los duques de Salina han transmitido el cese de su convivencia, tras diez años de matrimonio y una hija en común.

El enlace matrimonial de don Jaime de Conti-
Ghidini, duque de Salina, y doña Maravillas de Aldán,
segunda hija de los condes de Ponteleón, se celebró
el 18 de marzo de 1997 en la capilla de los Jerónimos
de Madrid. Su noviazgo se había fraguado en París,
donde doña Maravillas cursaba estudios de literatura francesa y don Jaime trabajaba en una entidad fi-
nanciera. Tras su boda, instalaron su residencia en el
centro de Madrid, en el barrio de Salamanca.

Los duques aseguran en su comunicado que se
trata de una decisión meditada, «tomada hace varias
semanas y de mutuo acuerdo», después de no haber
podido superar una larga crisis matrimonial.

Los primeros rumores de separación de la pareja se remontan a hace dos veranos, cuando se publicaron unas fotos de doña Maravillas en compañía
del arquitecto italiano Guelfo Gilbirosa, tomadas a
bordo del yate de éste.

Las alusiones de crisis fueron zanjadas inmediatamente con las apariciones de la pareja en diversos
actos públicos. Sin embargo, el distanciamiento entre don Jaime y doña Maravillas se fue acentuando
durante los últimos meses hasta desembocar en la
ruptura. Hoy el rumor se ha hecho comunicado.

Fuentes de su círculo de amistades señalan que
ha sido doña Maravillas, que se ha trasladado junto con su hija hace varios días a su domicilio de
soltera, la que ha tomado en última instancia la
decisión de separarse y que el duque, que está muy

afectado, se refiere a la situación actual como el momento más difícil de su vida. Especialmente, por lo que pueda repercutir a su hija, que es lo que más le preocupa. Las mismas fuentes aseguran que Guelfo Gilbirosa no tiene nada que ver con la ruptura del matrimonio.

Un mes después Sabina asistía, por compromiso, a una pequeña recepción que Clara Isabel Quintana, la directora y presentadora del programa de televisión en el que Sabina colaboraba cada martes, ofrecía, con ocasión de su cumpleaños, en su mansión de La Moraleja. Un pequeño ejército de camareros se desplazaba a lo largo del salón con bandejas de bebidas y canapés. El programa que la anfitriona presentaba y dirigía era una emisión de máxima audiencia destinada a mujeres de cierta edad, más en concreto, de una edad en la que ya no tienen que ocuparse de sus hijos. Amas de casa sin demasiado que hacer que entretienen las desocupadas mañanas viendo la televisión. Amén de la sección de psicología práctica de Sabina (una colaboración de la que Sabina no se enorgullecía particularmente, pero que continuaba ejerciendo porque estaba muy bien pagada y porque le servía como tarjeta de visita para atraer clientela a su consulta privada), el programa ofrecía secciones de cocina, decoración, moda, cultura (un repaso a las novedades en cine, teatro y literatura que menos tenían que ver con la cultura) y una sección diaria de prensa del corazón que era, con mucho, la que acaparaba los picos de audiencia diarios. El periodista estrella de la sección era un hombre mayor, Octavio López-Scherrer, homosexual orgulloso de serlo y muy, muy amanerado. Se trataba, sin duda alguna, del colaborador mejor pagado del programa. Solía darse aires de gran divo y trataba al equipo con desprecio soberano: era la pesadilla de las maquilladoras y de las peluqueras, a las que gritaba por cualquier nimiedad. A Sabina, sin embargo, y por alguna razón que ella no alcanzaba a entender, la trataba con la mayor consideración, y siempre que ella podía escucharle le decía y repetía a todo el mundo que le parecía una mujer superclase A (tenía la manía de dividir a las mujeres en clase A y clase B) y que le encantaba su *charme*. Pero Sabina nunca le había prestado la menor atención a su sección como tampoco se la prestaba al resto de la emisión. Ella llegaba, se maquillaba, se sentaba, daba la charla que tenía preparada, contestaba a algunas preguntas que las seguidoras del programa habían enviado por correo electrónico y que el equipo había seleccionado, y cuando se consumía su tiempo, se subía a un coche de producción y regresaba a su casa, sin desmaquillarse siquiera.

Sabina se dirigió a Octavio:

—¿Sabes? Me gustaría comentarte una cosa. Por pura casualidad he leído sobre la separación de los duques de Salina, y, en fin, el tema me interesa. Y he pensado: seguro que Octavio sabe mucho más de lo que cuenta.

—¿Y eso? ¿Por qué te interesa tanto?

—Pues porque a ella la conocí, de pura casualidad, en un viaje, y me dio la impresión de que estaba muy afectada, de que sufría mucho.

—No te extrañe. No sé si sabrás que él es casi veinte años mayor que ella. Es una marica mala de las de peor especie, y eso se ha sabido en el ambiente de toda la vida. Pero como es el primogénito y el título es suyo, a la familia le dio por casarlo. Y no sé cómo pudieron embaucar a la pobre criatura, a la niña, a Mara, que entonces debía de tener veinte años... Ella es de buenísima, buenísima familia, pero muy venida a menos y la de él, como tú sabes, nada en dinero. Así que supongo que la vendieron como quien vende a una vaca... Y si sólo fuera que la niña se ha casado con un marica, pues tampoco sería tan terrible la cosa, anda que no hay matrimonios así, y felicísimos, reina, piensa por ejemplo en... —y mencionó a un famoso cantante casado con una duquesa—, cada uno hace su vida y superamigos. Pero yo creo que la pobre chica se casó con otra idea, era muy niña para haber aprendido a ser escéptica, tú me entiendes, *cuore*... Y además, el marido se droga muchísimo, pero muchísimo, según me han dicho, se mete él solo la mitad de la producción de un cártel colombiano. Pues verás, reina mía, el caso es que ahora andan a vueltas y revueltas con lo del divorcio, porque según parece él le ha pegado más de una vez y ella tiene archivadas las denuncias, y amenaza con sacarlo todo a la luz, figúrate tú el escándalo, mi amor, te diré. Y ella pide un fortunón, los cortijos de aquí y las fincas de allá, puedes imaginarte, cielo... Lo que me han contado además es que el marido exigía que le devolvieran el anillo de boda, que era una joya de familia que había pertenecido a Victoria Eugenia de Battenberg, que era así como la bis bis bis tía abuela del duque, y que la niña se ha negado. No sabes los líos que se traen con lo del anillo, ni que fuera el collar de María Antonieta...

Lo siguiente, por supuesto, fue avisar al abuelo de Pumuky. Como era de esperar, conocía a los Conti-Ghidini. De hecho, en alguna ocasión les había ajustado y compuesto joyas. Y fue así cómo, a partir de ciertas discretas gestiones y con muchas llamadas y encuentros privados de por medio, el anillo fue restituido a su legítima propietaria que, tal y como imaginaba Sabina, se había arrepentido mucho del impulsivo acto de regalarlo a una desconocida. De forma que Sabina perdió la oportunidad de ganar muchos millones pero ganó a cambio la devoción absoluta de Octavio, amén del agradecimiento eterno de una de las familias más influyentes de la alta sociedad madrileña.

Pocos días después de que el anillo fuera restituido, Sabina recibió una llamada de la abuela de Pumuky. No se trataba de un hecho infrecuente, dado que en el pasado Clara y Sabina habían mantenido algo muy parecido a la amistad y la relación, aunque se había enfriado un poco, no había desaparecido.

—Sabina, sé que una de las condiciones para devolver el anillo había sido la de no decir dónde lo habías encontrado o quién te lo había dado...

—Así es, Clara, me atengo al secreto profesional. Me lo dio uno de mis pacientes para que yo lo devolviera y no puedo revelar cómo lo obtuvo.

—Hija mía, nada más lejos de mi intención que crearte problemas, pero lo que yo quiero saber... No sé, bueno, hija... Quiero saber si te lo dio mi nieto, Guy.

—Pero ¿qué cosas dices, Clara? No, qué va, por dios, ¿cómo iba a haber caído el anillo en manos de Guy?

—¿Y por qué no? Él es listo, se relaciona con todo tipo de gente, sabe dónde comprar y vender joyas robadas, no quiero hablar del pasado, pero no sería la primera vez...

—Clara, en lo que me conoces, sabes que no miento, que nunca te he mentido. Y tienes mi palabra de honor. Pumuky..., digo, Guy, no tiene nada que ver en esto. Nada, nada que ver. El anillo llegó por otra vía, te lo aseguro.

—Pues no sabes el consuelo que me das, hija, porque es que vivo en un sinvivir con ese chico, que no sabemos por dónde entra ni por dónde sale. Y es un chico inteligentísimo, Sabina, de verdad, tú lo sabes. Ay de mis desdichas, yo es que me empiezo a temer lo peor. Es como cuando de pequeño le veía montar en la bici, sin rueditas, y sabía que se caería, y sí, se caía. Es que veo que va de cabeza, pero que esto no va a ser un simple golpe contra el suelo...

—No te preocupes, Clara, hablaré con él, te lo prometo, hablaré con él.

Pero nunca habló con él. No dio tiempo. La muerte se lo llevó antes de que Sabina pudiera hacerlo.

¿Había restituido Sabina el anillo porque no podía olvidar el impacto que en ella había causado la mirada triste de Mara? (Podía ser, pero lo cierto es que Sabina estaba acostumbrada a las mujeres de miradas tristes, y había aprendido a distanciarse de su atractivo). ¿Por ética? (Es cierto que el anillo no era suyo, en cierto modo, pero también era cierto que ella no lo había robado, que se lo habían regalado). ¿Por superstición? (Pues ella no pudo evitar pensar que un anillo de compromiso entregado por un hombre que no creía en él no podía por menos que traer mala suerte). ¿Por solidaridad? (Al fin y al cabo, Sabina había vivido una historia muy similar a la de Mara, pero en diferentes escenario y ambiente, y entendía que si la joya retornaba a su legítimo propietario,

Mara se ahorraría muchos problemas). Ni ella misma lo sabía. Lo que sí sabía es que el dinero, más allá del que pudiera garantizarle una vida holgada y tranquila para ella y para su hijo, nunca le había interesado demasiado. Había aprendido por experiencia que el dinero no compraba ni la paz ni la tranquilidad ni la felicidad, y que muchas veces, más bien al contrario, parecía atraer la desgracia. Así había sido en el caso de Guillaume. Así había sido en el caso de Mara. Así sucedería en el caso de Pumuky.

Yo nunca lo traté como psicóloga. De haber sido así, no podría estar hablando con usted, porque estaría violando el secreto profesional. Fui su amiga, o eso es lo que quiero creer, y le ayudé en un momento en el que lo necesitaba. Nunca me consideré su terapeuta, nunca le cobré por mis servicios, además no podría haber mantenido con él una relación de terapeuta y paciente dado que nos unía una relación personal de muchos años. Pero sí, sí que le escuché durante horas e intenté ayudarle, en la medida de lo posible. Lo cierto es que nadie puede ayudar a alguien que no quiere ayudarse a sí mismo.

No sé cuánto sabe usted de la vida de Pumuky. Su padre y su madre se habían conocido en Ibiza, a finales de los setenta. El padre estaría allí haciendo vida de jipi, la madre era pintora. Al menos, pintaba. Para entendernos, no era exactamente una gran artista, no sé si usted ha visto los cuadros, y desde luego nunca vivió de su trabajo. Hay quien dice que ella *había sido modelo y que llegó a la isla acompañando a Bernard-Henri Lévy y que él la abandonó, y luego ella conoció al padre de Pumuky. Y se casaron y tuvieron un hijo. Y al poco tiempo él murió. De sobredosis, se supone. O eso es lo que Pumuky creía. Aunque sus abuelos y su madre le habían dicho que el padre había muerto en un accidente de coche. Pero, desde niño, Pumuky había oído conversaciones que no debía haber escuchado. La mayoría de los adultos cree que los niños no se enteran de nada pero los niños lo registran todo, y allí queda. El inconsciente es como una gran grabadora que todo lo archiva y que lo va guardando en cajones más o menos profundos. No sabe cuántos casos veo en mi consulta de personas que recuerdan conversaciones que escucharon a sus padres a los dos o tres años, y cuyo sentido comprendieron perfectamente. No olvide que los niños captan muy bien el tono de la voz, la comunicación no verbal.*

El padre de Pumuky era hijo único, y el nieto, por tanto, el único que los abuelos iban a tener, así que, cuando su hijo falleció, le ofrecieron a la nuera que se viniese a vivir a Madrid. El abuelo de Pumuky, como usted sabrá, era y es bastante rico, así que compraron un piso para la madre y el hijo, un piso situado justo debajo del de los abuelos, y les invitaron a vivir allí. Desde entonces vivieron los dos, madre e hijo, de la caridad del abuelo. Creo que el hecho de que el niño se pasase toda la infancia con la misma cantinela de boca del abuelo como banda sonora, es decir, que ellos dos vivían a costa de su dinero, le afectó mucho. Tampoco debía de resultar muy agradable que la abuela le dedicara, cada vez que hacía algo que a ella no le gustaba, lindezas del tipo «Tienes la misma mala cabeza que tu madre» o «Como sigas así, acabarás como tu padre». Como usted sabe, la identidad se forja muchas veces a partir de ese tipo de afirmaciones. Nosotros las llamamos atribuciones. Basta que le digas a un niño que va a acabar de una manera, para que acabe así. Es la profecía autocumplida. Para colmo, estaban los problemas de drogadicción de la madre. Como usted sabrá, en el Madrid de los ochenta la heroína corría como la pólvora, y ella ya arrastraba problemas de drogadicción desde Ibiza. Según tengo entendido, los propios abuelos intentaron inhabilitar a Charlotte para quedarse con la custodia del nieto, pero nunca se atrevieron a hacerlo por varias razones. En primer lugar porque el niño estaba verdaderamente apegado a su madre, de una forma que me atrevería a calificar de casi enfermiza. En segundo lugar porque Charlotte tenía parientes en Francia, hermanos y hermanas con hijos, y algún abogado les había advertido de que si los tíos reclamaban la custodia desde Francia era más que probable que se la quitaran a los abuelos a favor de los tíos maternos, al tratarse de parejas jóvenes y con hijos de la edad del pequeño Guy. Y finalmente, tampoco les era tan necesario, dado que el crío, en realidad, prácticamente vivía con ellos, pues la madre, que salía a menudo, dejaba que el niño durmiera la mayoría de las noches en casa de los abuelos. Pero eso no impedía que el hijo se enfrentara desde pequeño a todo tipo de escenas que no habría debido presenciar. Llegaba a casa desde el colegio ansioso de abrazar a su madre y se encontraba en su lugar a un guiñapo inconsciente. Charlotte tendida en el sofá, sumida en un sopor etílico o drogada, e incapaz, no ya de abrazarle, sino de despertarse. El niño conoció a una larguísima sucesión de amantes de su madre, hombres y mujeres, presencias más o menos borrosas a las que se encontraba durmiendo o desayunando. No hace falta ser psicólogo para entender que en semejante ambiente desarrolló serios problemas de identidad y de autoestima. Contaba con el cariño de sus abuelos, pero el abuelo era un hombre de la vieja escuela, para nada afectuoso, al que Pumuky temía más que respetaba. Y su abuela tampoco era una mujer particularmente tierna; si bien estoy segura de que sentía por su nieto un afecto estable y profundo, su comportamiento siempre fue más instructivo que cariñoso.

La primera vez que Pumuky vino a mi casa debía de tener unos doce años, y ya entonces me di cuenta de que se trataba de un niño especial, con una sensibilidad artística muy desarrollada pero con serios problemas de falta de afecto, y una necesidad desesperada de llamar la atención. Parecía como activado por un motor, hablaba atropelladamente, correteaba por todos lados e incluso, cuando se sentaba, movía una pierna sin pensar, como si temblara, como siguiendo el ritmo de una música interna... Se rascaba la cara, la nariz, la ceja, se estiraba el labio, jugueteaba con un mechón de pelo, cambiaba de postura... Nunca estaba quieto, nunca se relajaba. Si se le pedía cualquier cosa, por ejemplo, que ayudase a poner la mesa, saltaba a hacerlo sin que pareciese mediar el necesario tiempo de pensamiento entre el estímulo y la acción. Pese a todo, era un niño encantador y divertido, y mi hijo parecía haberle cobrado mucho afecto. Con el tiempo, se lo llegué a cobrar yo también.

Mis relaciones con Charlotte fueron siempre bastante frías, pero sí que me hice bastante amiga de Clara, la abuela, que confiaba en mí, y aún confía, y que me tenía y me tiene por una persona sensata. Como Pumuky vivía a dos calles de nuestra casa, y como los dos amigos iban al mismo Liceo, empezó a hacerse normal que de cuando en cuando se quedase a pasar la noche aquí. Creo que esto a Pumuky le vino bien, porque necesitaba mucho sentirse aceptado y reconocido, y aquí encontraba esa aceptación que iba buscando.

Probablemente usted ya sabrá lo que le voy a contar. En muchas ocasiones, como ya le he dicho, Pumuky encontraba a su madre inconsciente, y él no les hablaba del tema a los abuelos. Pero hubo una vez que la encontró completamente azul y creyó que de verdad había muerto. Llamaron a una ambulan-

cia y no, no estaba muerta, y de alguna manera el SAMUR la revivió. Pero los abuelos decidieron que había que ingresar a Charlotte y la enviaron a una de las clínicas más caras del mundo, que está en un pueblo en los alrededores de Londres, no sé el nombre, pero allí han ido todos los músicos famosos, Mick Jagger y Keith Richards entre ellos, por lo visto. Como puede imaginar, el chico estaba destrozado. Mi hijo Romano me lo comentó, así que yo me presenté en casa de los abuelos y les propuse que Pumuky viniese a pasar una temporada a nuestra casa, porque, según les expliqué, él no podía seguir por el momento en el piso que había compartido con su madre, por supuesto, pero tampoco en el de sus abuelos, porque estaba demasiado cerca del de Charlotte, en el mismo edificio, y todo le iba a recordar a ella. Ésta no era la verdadera razón por la que yo creía que Pumuky necesitaba un cambio de aires. En realidad, yo creía que la influencia de la abuela, empeñada en repetir frases del tipo «Ella se lo buscó» no era la mejor en aquel momento. Por supuesto, les aseguré que podrían venir todos los días a visitarlo y llamarlo cuando quisieran. Clara, la abuela, estaba también muy afectada por el estado de Charlotte. No es que la quisiera, más bien lo contrario, pero, pese a todo, siempre es triste presenciar la autodestrucción de alguien a quien se ha tenido muy cerca, para lo bueno y para lo malo, y Charlotte no dejaba de ser la madre de su nieto y el único vínculo que le quedaba con su hijo.

Así que la propia Clara, que estaba también muy deprimida y, según recuerdo, medicada, necesitaba descanso y tranquilidad, y yo sé que en el fondo agradeció mi oferta no sólo por el bien de Pumuky, sino por el suyo propio.

En aquel mes que Pumuky pasó en nuestra casa nosotros dos mantuvimos muchas conversaciones cuyo contenido no le voy a desvelar. Lo que sí puedo decirle es que se veía ya desde entonces que iba a ser difícil que Pumuky de adulto tuviera una vida feliz. El chico tenía una personalidad verdaderamente obsesiva. Poseía un sentido exagerado de su propia importancia, y ya entonces estaba convencido de que iba a ser un artista famoso. Vivía perseguido por fantasías de éxito ilimitado, en las que todo el mundo le adoraría y le prestaría la atención que ni su madre ni sus abuelos le habían dedicado nunca. Su madre, porque estaba enferma; su abuelo, porque era incapaz de amar; su abuela, porque era demasiado mayor y porque estaba chapada a la antigua, poco acostumbrada a dar ni a recibir afecto. Pumuky se creía especial, y es cierto que lo era, pero su convicción tenía menos de objetiva que de narcisista, y exigía de los demás, incluidos mi hijo y yo misma, una admiración excesiva. En el fondo esto era debido a una baja autoestima. La suya era muy vulnerable, y le hacía hipersensible a la crítica y a la frustración. Cualquier observación o burla podía llegar a obsesionarle. Y era muy distímico, sus cambios de humor eran verdaderamente exagerados, podía pasar de la euforia al más hondo de los abatimientos en cuestión de segundos.

Cuando unos años más tarde Charlotte murió, de una sobredosis, por supuesto, los abuelos, recuerdo, querían vender el piso, pero en su día el abuelo lo había puesto a nombre de su nieto para evitar el pago de impuestos, y necesitaban la firma de Pumuky para realizar la transacción. Pumuky se negó tajantemente no sólo a vender el piso, sino a reformarlo. Experimentaba una necesidad exagerada, casi morbosa, diría yo, de mantenerlo tal y como Charlotte lo había dejado y ella no era lo que se dice un modelo de virtudes domésticas. El piso era una auténtica ruina, un mausoleo lleno de telarañas, pero en él siguió viviendo Pumuky tras la muerte de su madre. A los dieciocho años, con la mayoría de edad, Pumuky había empezado a disfrutar de un fideicomiso que era el mismo que disfrutaba su padre, a partir de no sé qué paquete de acciones, no conozco bien los aspectos técnicos del asunto. La cuestión es que Pumuky no tenía que trabajar, y creo que precisamente eso es lo que agravó su estado depresivo.

Intentó ser joyero, como lo habían sido su abuelo y su bisabuelo, pero lo dejó, o le hicieron dejarlo. Es una historia muy turbia, desaparecieron algunas joyas y parece ser que Pumuky estaba implicado en el asunto. No era la primera vez que Pumuky se metía en ese tipo de líos, eso me lo explicó su abuela, Clara. Ella tenía la idea de que Pumuky era como Robin

Hood, que robaba a los ricos para dárselo a los pobres, y la pobre en este caso era Charlotte, que necesitaba el dinero para pagarse la heroína. Pero yo creo que Clara se engañaba a sí misma. Pumuky robó siempre, eso me lo contaba Romano. Era el tipo de chico que realiza pequeños hurtos en los grandes almacenes, no porque lo necesite, sino por diversión. Esta necesidad compulsiva de saltarse normas es típica de los trastornos límite de personalidad, y yo no quiero ponerle etiquetas a Pumuky, entre otras cosas porque no creo en ellas, y porque, como ya le he dicho, nunca fui su terapeuta, pero sí es cierto que Pumuky tenía una pasión enfermiza por el riesgo, por la transgresión. Y también por los submundos. Le habrán contado que siempre estaba metido en asuntos raros, Romano me hablaba de no sé qué problema con unos traficantes, algo típico de Pumuky. Fue una pena que no pudiera seguir en el negocio de los abuelos, porque Pumuky sabía mucho de joyería, y además tenía un gusto exquisito, y el negocio le gustaba. Habría sido un joyero excelente, pero el caso es que tampoco tenía motivación para serlo, porque no tenía que trabajar, disponía del fideicomiso como ya le he dicho.

Lo del fideicomiso era un regalo envenenado porque a la postre significaba que Pumuky no tenía que lidiar con los retos normales que le convierten a cualquiera en un adulto. Una persona, cualquier persona, madura a partir de un conjunto de transformaciones internas y externas, que se operan desde el momento en que se enfrenta cada día a retos y desafíos, a dificultades que se deben vencer para crecer y madurar, para convertirse, a la postre, en un adulto responsable. Y cuando a un chico tan joven se lo dan todo hecho, le están incapacitando para crecer, pero no creo que sus abuelos lo viesen así.

Luego, por supuesto, estaba el tema de las drogas. Y sí, como a usted ya le habrán contado, Pumuky era politoxicómano. Pero ése no era el problema principal, ni el único problema, ni de lejos. A pesar de que muchos crean lo contrario, uno no se hace adicto a una sustancia o a una persona: se hace adicto a una conducta. No es la heroína, las pastillas, la comida, las tragaperras o la pareja lo que le engancha a uno, sino la propia conducta adictiva. Si no fuera así, los heroinómanos o los adictos al speed podrían desengancharse después del primer síndrome de abstinencia. Pero muchos de los que entran en una clínica de desintoxicación vuelven a recaer al poco de salir: han superado el mono físico, el fácil, sin embargo no superan el verdadero problema, el psicológico.

El adicto es una persona con profundos miedos o inseguridades que encuentra alivio en la conducta adictiva. El tímido bebe o se mete coca; el atormentado toma pastillas o heroína; el ansioso come compulsivamente o juega hasta perderlo todo; el dependiente emocional se pierde por lo que él o ella llama amor y su terapeuta considera adicción. En todos los casos, la conducta adictiva es una forma de huir de la *realidad, de escapar de uno mismo. Pero esa conducta adictiva acaba generando más ansiedad: si comes de más, engordas; si agobias a tu pareja, te deja o abusa de ti; si te enganchas a las tragaperras, te arruinas; si te inyectas heroína, te conviertes en una ruina; si esnifas cocaína, en un paranoico delirante... De esta manera, el monstruo cada vez pide más, en un círculo vicioso.*

Muchos especialistas creen que la adicción tiene un componente genético, lo que está claro es que también influye un factor social. El hijo de un drogadicto o de un alcohólico tiene más papeletas para ser un futuro adicto que el hijo de un abstemio, pero es evidente que si el primero vive en una comunidad en la que el fumar o el beber esté muy mal visto y en la que no haya acceso a esas sustancias, difícilmente acabará siéndolo. Creo que por eso últimamente encuentro en mi consulta tantos adictos al sexo y al amor, porque es una adicción que está socialmente legitimada. No hay más que ver los programas del corazón. Los invitados pasan de una relación a otra como si lo hiciesen a través de puertas giratorias, y a todo el mundo parece resultarle normalísimo que Zutanita, que anteayer estaba enamoradísima de Fulanito, hoy haya rehecho su vida con Perenganito (como si una vida sin pareja estuviera deshecha, una creencia que albergan, por cierto, todos los adictos al amor). Cuando yo era joven, ninguna mujer podía llenarse la boca afirmando con orgullo que el fin de semana había conocido a un chico estupendo y que habían acabado en la cama haciendo de todo y un poco más. Ahora, en la era Sexo en Nueva York, *no sólo no se trata de un comportamiento reprobable, sino que consideramos a la señora en cuestión una chica con suerte. Y probablemente lo sea, a no ser que la chica necesite reafirmarse cada fin de semana a través de una conquista diferente, como les sucede a tantos pacientes míos. Gente que llega al sexo desde la necesidad, no desde la voluntad o el deseo. Lo triste es que muchos de ellos no se dan cuenta. Y la necesidad es un gigante en perpetuo crecimiento, a la que siempre le viene corta cualquier cosa que consigue. Se convierte en la cadena de la libertad y en el credo de los esclavos. Las cosas verdaderamente necesarias en la vida son pocas y relativamente fáciles de conseguir: techo, comida, refugio, cariño. La necedad de los hombres ha creado todo aquello que es excesivo y superfluo, lo difícil de conseguir, lo que no suele durar. El amor pasional, por ejemplo, es sobre todo una construcción social, no un sentimiento real.*

Con esto le quiero decir que el problema de Pumuky no es que fuera un adicto a las drogas, sino que tenía una personalidad muy dependiente. Necesitaba estar huyendo constantemente de sí mismo, necesitaba huir de la realidad. Ya fuera con drogas, ya fuera enganchándose a otras personas. No me extraña que el nombre del grupo fuera Sex & Love Addicts, porque eso es lo que era su cantante. Por supuesto, era *promiscuo, todo el mundo lo sabe. Pero también es cierto que se enamoraba del amor, se enganchaba muy pasionalmente a cualquier relación que mantuviera, incluso si mantenía varias relaciones paralelas y, desde luego, no sabía estar solo.*

Me doy cuenta de que le hablo de Pumuky como si se tratara de un caso clínico. En parte creo que lo hago por deformación profesional. Aunque tampoco quiero pasar al tema personal. Pumuky tenía muchos secretos que yo conocí, y creo que prefiero mantenerme distante al hablar de él, para no correr el riesgo de dejarme llevar por el tono íntimo y acabar revelándolos. Lo que le puedo asegurar es que Pumuky se hacía querer. Su propia necesidad de afecto era tal que se había convertido en una máquina a la hora de conseguirlo de los demás. Los grandes seductores suelen ser hombres de infancia difícil, muy necesitados de reafirmación constante, de que los demás les admiren y les amen. En este caso, además, estamos hablando de un chico que contaba con muchas armas para conseguirlo. La belleza física en primer lugar. Pero también se trataba de un chico muy inteligente, y muy creativo. En realidad su muerte fue una gran tragedia, como la ha sido la de tantos artistas. También es cierto que el temperamento artístico y el impulso autodestructivo suelen estar relacionados. No voy a extenderme sobre el tema, hay mucha literatura científica escrita al respecto. El arte es una forma de sublimar carencias y traumas, y todo artista es, por definición, un neurótico, desde el momento en que el neurótico depende de la mirada ajena. ¿Y quién es más dependiente de la mirada ajena que un artista, ya sea pintor, cantante, escritor o actor? En todos los casos se trata de alguien que pone lo más íntimo de su yo creativo, de sus fantasías subconscientes, a disposición de los otros. Alguien, ya lo he dicho, desesperadamente necesitado de la aprobación ajena.

Como le he advertido, no quiero ser demasiado personal al hablar de Pumuky. Pero le puedo asegurar que era un artista, un verdadero artista, que yo llegué a cobrarle un afecto profundo y sincero y que sentí mucho su muerte, como siento mucho su ausencia. Nunca fue un caso clínico para mí, pese a la impresión que haya podido darle. Fue, sobre todo, un amigo. Sí, un amigo muy querido, a pesar de la diferencia de edad. Como he dicho antes, sabía hacerse querer.

Una mujer resignada

Si uno no se fija demasiado, a primera vista es fácil tomarla por un muchacho. Lleva el pelo corto y la ropa muy holgada, de forma que resulta complicado adivinarle las formas. De la cara destaca sobre todo la boca, unos labios carnosos que descubren, cuando sonríen, una ordenada fila de dientes muy blancos e iguales. Muchos hombres piensan que si se vistiera de otra manera, si se maquillase y se dejase el pelo largo, sería una mujer muy guapa. Muchas mujeres dirían lo mismo. Pero las mujeres que a ella le interesan la encuentran guapa exactamente así. Es una mujer tranquila, revestida de una gravedad ajena a sus años.

Parece que tuviera diez o quince más.

Cuando tenía dieciséis se obsesionó con su profesora de Dibujo, que era una pintora con aire de vivir permanentemente en una nube. Isabel representaba exactamente todo lo que Iria echaba en falta en su casa: la intensidad vital, la curiosidad artística, el sentido poético de la vida. Isabel se pasaba la mayoría de las clases mirando por la ventana, silenciosa y distante, embebida en sus propios pensamientos, después de indicarles a sus alumnos el tema sobre el que debían trabajar e impartirles algunas nociones de cómo tenían que aplicar la técnica. Con la mirada perdida hacia el infinito, tras el cristal, y vestida siempre con una especie de túnicas indias coloridas y vaporosas, los rizos dorados cayéndole por la espalda, Isabel componía una obra de arte en sí misma. La verdad es que muchos de los chicos de la clase estaban enamorados de ella, y más de una chica también. Aquello no tenía nada de raro, dado que sólo había otra profesora mujer, la de Matemáticas, y se trataba de una señora de sesenta años y escaso, por no decir inexistente, atractivo. Hasta aquí la historia resultaría tópica, digna de una novela de Marié, la tantas veces contada historia de amor no correspondido del alumno o alumna que se obsesiona con su profesor o profesora, o más bien, con lo que el profesor o profesora representa. Porque el alumno o alumna nada sabe en realidad de las fantasías más oscuras del objeto de su amor; de su secreto centro o de la huella de cualquiera que sean los fuegos que íntimamente le devoren; de los ecos de las voces que conserve en la memoria; de los recuerdos borrosos de lo que para él o ella fuera importante y ya no conserve; del destino que le empuje y que crea o no crea tener que cumplir; de los más inaccesibles recodos de sus sueños o de los sordos gemidos de sus anhelos no cumplidos. El alumno no conoce en realidad a su ídolo, pero lo construye en su imaginación y lo corta y cose a la medida de sus deseos, lo dota de una inteligencia superior, de un talento sublime y de una sensibilidad exquisita. En el momento en el que la alumna de diecisiete años se acuesta con su profesora de treinta y cinco esta historia tan manida y tan romántica se convierte en un asunto sórdido que hay que ocultar a toda costa, en un embrollo de citas clandestinas, de culpabilidad y lágrimas. Cuando la alumna cumple los dieciocho se atreve, por fin, y en medio de una discusión familiar, a soltarlo en casa. Estoy enamorada de una mujer. Semejante confesión ya es, de por sí, bastante difícil de aceptar, pero cuando la madre descubre de quién se trata la mujer en cuestión, el asunto adquiere proporciones épicas. La madre amenaza con denunciar a la profesora, pero no hay ninguna prueba de que el asunto haya comenzado antes de que la menor tuviera la edad del consentimiento. Y el argumento de la madre, según el cual la profesora ha engañado a la hija, no es válido en un tribunal. De todas formas la madre se presenta en el instituto y organiza una escena ante el director digna de la Bernhardt. El rumor se extiende como una epidemia, el escándalo está asegurado. La profesora solicita un cambio de plaza. La antigua alumna deja la casa de su madre y se instala en la de la novia.

La profesora, que nunca había convivido con otra persona, hombre o mujer, piensa que se trata de un arreglo temporal, hasta que las aguas vuelvan a su cauce. Siete años después, la alumna seguirá viviendo en su casa.

Cuando Iria descubre por fin a Isabel, despojada del velo de idealización con el que la había cubierto, se encuentra con una criatura frágil y complicada, que se sume a veces en depresiones profundas como abismos, que la incapacitan hasta para levantarse de la cama, desgranando quejas monocordes para las que parece no existir consuelo ni esperanza. Iria cree que este temperamento profundamente neurótico se debe a la condición de artista de Isabel, y la tiene por alguien especial, diferente. El arte es para Isabel como un segundo mundo que lleva en la cabeza, poblado de pesadillas y de espectros tenebrosos, y en el que se pierde a menudo, abandonando por completo el mundo real y tangible en el que vive Iria. Por esta razón, cree Iria, Isabel es incapaz de gestionar el espacio material en el que vive. Su casa es el sitio más desordenado y lúgubre que Iria ha visto jamás. El polvo se acumula en las estanterías, los platos crían moho en el fregadero y montones de lienzos inacabados se apilan en las paredes. Iria se encarga de poner orden. Da una mano de pintura, ventila las sábanas, friega el suelo, quita el polvo, ordena los armarios, tira cachivaches inservibles. Se ocupa de todas las tareas domésticas para que la pintora no tenga otra cosa en la que pensar que no sea su arte, y poco a poco se hace imprescindible para Isabel. Nunca se plantea la cuestión de que Iria se ponga a estudiar o busque un trabajo. Iria lo consideraría una traición a Isabel y a Isabel la situación le resulta comodísima. Poco a poco Iria se convierte en un ama de casa e Isabel en un marido tiránico, que se queja cuando la comida tiene poca sal o cuando se entera de que la colada se ha desteñido en la lavadora, y que su jersey favorito, antaño blanco, ahora es rosa. Este acuerdo no escrito de convivencia, que en principio habría debido ayudar a Isabel a superar sus problemas, no hace sino agudizarlos. Antes, el hecho de que tuviera que ocuparse de asuntos terrenales tales como ir al supermercado o llamar a un fontanero le impedía dedicarse por entero a sus depresiones, pero desde que tiene a Iria se puede permitir pasarse tardes enteras encerrada en su estudio, pintando o llorando. Además, en algún cajón escondido en las profundidades de su subconsciente, Isabel sabe que cuanto más débil se muestre más dependerá Iria de ella, pues el sentido de la responsabilidad y la conciencia de sacrificio de su novia la mantendrán amarrada como por una cadena. Poco a poco ambas se encierran en el piso y en su propio círculo de intimidad secreta, invisibles las dos para el mundo porque ellas, a su vez, tampoco quieren ver a nadie.

Isabel consigue una baja por depresión, y más tarde pide la excedencia. Después desarrolla una extraña agorafobia, apenas se atreve a salir a la calle y si lo hace debe ser siempre acompañada de Iria, aferrada a su brazo como un náufrago a un salvavidas. Esta depresión aguda coincide con una de las etapas más productivas de Isabel, que empieza a pintar unos extraños lienzos fríos, de un llamativo azul mineral, que se venden como rosquillas, pues tanto en dimensiones como en color se ajustan muy bien a la moda en decoración. Es Iria la encargada de negociar con el marchante y de gestionar la venta de las obras, es Iria la que habla con la prensa, es Iria la que se encarga de vestir y maquillar a Isabel para las *vernissages* de inauguración y la que la lleva prácticamente de la mano. Isabel, pálida, frágil, bella y distante, se gana una reputación de mujer sensible y enteramente devota a su obra. Iria se convierte en asistenta, secretaria, gestora y jefa de prensa; Isabel en una artista más o menos reconocida.

Pero el cuadro idílico tenía, por supuesto, sus zonas de sombra. En una relación tan cerrada en sí misma es imposible que no salten chispas. Había veces en las que a Iria le exasperaba la pasividad de Isabel, que, por su parte, se iba volviendo cada día más despótica y exigente. Iria le reprochaba que la tratara como a una esclava. Isabel le respondía que si estaba cansada de ella, ya sabía dónde estaba la puerta, pero las dos sabían que Iria no tenía adónde ir. Había cortado casi por completo las relaciones con su familia, a la que apenas veía cuatro veces al año —por Navidad, por Reyes, con ocasión del cumpleaños de su padre y del de su madre— y casi no tenía amigos, dedicada como estaba a Isabel a tiempo completo. Algunas de sus discusiones acababan degenerando en disputas más que subidas de tono, en las que las dos se decían cosas de las que luego se arrepentían, y en las que los pinceles y los tarros de pintura solían acabar volando por el aire. Después Isabel se encerraba en el estudio y se ensimismaba en su ira, su desconcierto y su inseguridad. Iria salía a la calle y se ponía a pasear sin rumbo, fumando un cigarrillo tras otro, convencida al principio de que odiaba a Isabel, más tarde de que odiaba al mundo, y finalmente de que se odiaba a sí misma. Lo único que realmente deseaba era que Isabel la dejara en paz, que madurara, que creciera, que se curara, que renunciara en suma a amarla así, a someterla a chantajes sentimentales y exigencias despóticas, a hacerla bailar al son de sus caprichos, que la quisiera de otra manera y que abdicara de exigencias enfebrecidas y fuera de lugar que ni Iria era consciente de haber alentado ni era capaz de comprender y que no tenía, en definitiva, por qué soportar. Durante esas caminatas, que podían durar varias horas, se dedicaba a observar los escaparates, los restaurantes, los anuncios de las marquesinas de los autobuses, los faros de los coches, las parejas que paseaban abrazadas, los hombres que, como ella, avanzaban solos y que le dirigían miradas a veces hambrientas y otras desdeñosas. La ciudad era como su cabeza, oscura, enmarañada, confusa. Horas más tarde volvía a casa después de que Isabel se hubiera dormido. A veces pensaba que, encerrada en ese piso y esa vida, se estaba perdiendo algo importante, serio, porque la ciudad sería mucho mejor amante y, además, nunca dormía.

ire, hace más de diez años, Isabel me llevó a ver una exposición de fotos de William Cluxton dedicada a Chet Baker que me impactó tanto como para que inmediatamente fuera a una tienda de discos y me llevara toda la discografía disponible de Chet. De aquélla yo andaba siempre corta de dinero, así que el gesto tiene mucho más valor que si lo hubiera hecho ahora. Me había enamorado de las fotos, pero más me enamoré de la música. Cualquiera que haya escuchado My Funny Valentine, I fall in love so easily o I am a fool to want you interpretados por Chet me entenderá. Mire, de aquélla no había Internet, ni móviles, ni contestador automático, ni todavía Isabel se había vuelto tan neurótica, y aún me podía yo permitir el lujo de tirarme en la cama con la luz apagada y empaparme de música. En momentos como aquéllos, entendía las palabras de Russ Freeman, que es un músico de jazz también, y que venía a decir algo así como (a ver, me sé la frase casi de memoria porque me en-

canta) que unas cuantas veces había tenido una experiencia extracorpórea mientras tocaba y que sentía cómo él mismo, el cuerpo astral, estaba a su lado o detrás de él mismo, del cuerpo real, mirándole tocar mientras tocaba, y sabía que la magia estaba actuando. Sí, la pasión por el jazz me la contagió Isabel, claro. Pero no crea que sólo ella. A Romano le gusta muchísimo el jazz también. Y todo lo que le gustaba a Romano, le gustaba a Pumuky, eso lo sabía cualquiera que los conociera un poco. Pumuky, en muchos sentidos, no era más que una mala copia de Romano.

Las fotos de Claxton, que creo que resultan intensamente eróticas a día de hoy pero que parecían casi pornográficas en su momento, retrataban a una pareja de jóvenes guapos hasta la exageración y aparentemente muy colados el uno por el otro: se trataba de Chet y su joven esposa Halema. La música de Chet, tan dulce, tan delicada, tan..., no sé cómo le diría..., intensa, habla del amor y recrea el amor. Ninguna de sus letras toca otro tema, ninguno de sus solos sugiere otra cosa. Pero Chet, de amor, sabía más bien poco, qué quiere que le diga.

Sí, por supuesto, de aquélla yo sabía que Chet Baker había sido heroinómano y que se había suicidado y tal, pero de alguna manera me había hecho yo una idea así como muy romántica: un hombre autodestructivo por ser excesivamente sensible para soportar la fealdad del mundo, un suicidio por amor. Pero, mire, nada más lejos de la realidad. Pumuky me regaló la biografía de Chet, y el tío al que el libro retrataba no era más que un yonqui insoportable, egocéntrico, manipulador y violento, que maltrató a todas sus mujeres y que no hizo el menor caso a ninguno de sus cuatro hijos. O sea, una especie de cadáver andante, un tío al que se le podía aplicar la frase de una de sus propias canciones: Can not live but never dies. De hecho, las fotos que me habían hecho soñar no eran las de una pareja feliz. Porque, según contaba el libro, en aquella sesión de fotos Chet había estado particularmente insufrible y violento y Halema ya estaba pensando en abandonarle, harta la pobre chica de sus cambios de humor y tal. O sea, mire, que en verdad el cuento de hadas que yo me había montado en mi cabeza no tenía nada que ver con la realidad.

Mire, si hago la lista de músicos a los que admiro muchísimo me aterra ver cómo en todas las biografías se los retrata como seres insufribles en los que no se podía confiar y que maltrataban a sus mujeres. Liszt, Chopin, Ian Curtis, Miles Davis, Bill Evans, Kurt Cobain, Camarón. Sea clásica, flamenco, jazz o rock, da igual. Y ahora, incluya a Pumuky en la lista. Y no le digo que él maltratara a sus mujeres, pero gritarlas, fijo, delo por hecho, que Pumuky era muy mujeriego y también muy gritón, muy histérico y tal. A mí me gritó millones de veces, yo lo tenía muy asumido, en el fondo me la soplaba, mire, ya sabía que de vez en cuando se le iba la pinza y que luego se le pasaba.

Otro libro que también me prestó Pumuky, Por favor, mátame, que es una radiografía del punk rock *americano, tampoco es que presente una idea así como muy amable de ninguno de los músicos retratados: otra vez la misma imagen, repetida una y otra vez en diferentes personajes, del niñato egocéntrico, caprichoso, manipulador y violento, ya hablemos de Iggy Pop, de Jim Morrison, de David Bowie, de Tom Verlaine o de Joey Ramone. O sea, músicos que chuleaban y pegaban a sus novias, que robaban a sus mejores amigos para agenciarse un chute, que vivían en el caos más absoluto y en la autodestrucción más feroz. Músicos reverenciados por seguidores y fans que veían en ellos el colmo de lo cool y de lo moderno. Músicos de nombres que se repiten en mi estantería. Músicos como Pumuky, si le digo mi verdad.*

Mire, ¿qué quiere que le diga? ¿Que la droga te hace más creativo? En absoluto, y sé de lo que hablo, que yo me he metido y me meto, no tanto como Pumuky, pero lo mío. ¿Que los creadores son seres especialmente sensibles incapaces de enfrentarse a pelo a la existencia cotidiana? Entra dentro de lo posible, en parte, habría que preguntárselo a Sabina, no sé... ¿Que la autodestrucción tiene algo de fascinante porque representa, no sé, algo así como un abismo, como un instinto de muerte que todos llevamos dentro pero al que la gran mayoría no nos atrevemos siquiera a asomarnos? ¿O será que el Homo sapiens que todos y todas somos en el fondo, echa de menos el peligro y la adrenalina y se chala y se vuelve autodestructivo cuando está obligado a llevar una existencia cómoda y con-

trolada? No sé, no sé y no sé... Lo que sí sé es que el inmenso desfase entre lo que la foto sugería y la triste realidad me ha obligado a reflexionar mucho, pero mucho, de hasta qué punto, mire, Pumuky no era más que... algo así como una pantalla sobre la que tanta gente proyectó su propio sueño romántico. Su belleza, su encanto, su glamour, *su* savoir faire... *no eran más que un barniz que se descascarillaba a los dos golpes. Debajo, no había más que un niño mimado empeñado en conseguirlo todo a base de rabietas. Vale, más cosas también había, seguro. Había un gran amigo, también, y un tío estupendo a ratos y tal. Pero no el gran músico que la gente dice ahora que es. Lo sabré yo, que he sido su vecina tantos años.*

Lo cierto y verdad es que es mucha casualidad que en el mismo edificio convivan dos pintoras, qué quiere que le diga, pero el caso es que se trata de un edificio muy antiguo, de los que aún conservan pisos enormes, pisos de los que ya no quedan en Madrid, pues ahora casi todo el mundo que hereda un piso así de grande lo subdivide en otros dos pisos o en varios apartamentos, revende o realquila y así hace el negocio. Sabe usted, nosotras pensamos en hacerlo, vender una parte del piso y quedarnos con la otra para nuestra vivienda, y que Isabel alquilara un estudio en cualquier sitio, pero Isabel no puede hacerlo porque sólo tiene el piso en usufructo, sabe usted, no será completamente suyo hasta que muera su madre. La verdad es que durante mucho tiempo no nos tratamos mucho con los vecinos, como le cuento, a Pumuky y a su madre nos los cruzábamos en la escalera y nos saludábamos y tal, poco más. Mire, desde luego, nos fijábamos en ellos dos más que en cualquier otro, porque los dos eran guapos de aburrir, las cosas como son, la madre era una preciosidad, se lo juro por la mía, pero ya se veía a las claras que tenía un problema. En el mismo pellejo estaba, y tenía la cara hecha una pasa, pero le quedaban aún muchos restos de su antigua belleza. Del hijo, qué le voy a contar, ya habrá visto usted fotos. Cuando me enteré de que la madre era pintora le dije a Isabel que algún día nos tendríamos que pasar por su piso y presentarnos. Pero, sabe usted, de aquélla, Isabel estaba en lo peorcito de su depresión y tal y no quería ver a nadie, así que me pasé yo solita. Ya la pobre mujer estaba muy mal, se le notaba en la cara. El piso estaba hecho un desastre, había incluso telarañas en el techo, olía mal y todo. Y yo enseguida me di cuenta de que Charlotte no era pintora, como mucho pintora de caballete, y que desde luego hacía tiempo que ya no producía. Sabe usted, en el mundillo este del arte te encuentras a muchos presuntos pintores que no lo son, que en verdad viven de las rentas que han heredado, constituyen casi una especie en sí misma. Mire, te los encuentras en las exposiciones cada dos por tres. Pero casi nunca tienen marchante, ni exponen en una galería de nombre y, mire, las cosas como son, yo no me tengo por ninguna experta, pero después de tan-

tos años con Isabel creo que algo he aprendido, y le puedo decir que Charlotte no tenía talento ninguno. Su hijo la adoraba, eso se notaba a la legua, era muy, muy cariñoso con ella, un amor. Prometieron que nos devolverían la visita pero nunca lo hicieron, y yo casi me alegré de que fuera así, porque, mire, si Charlotte llega a venir a casa yo habría tenido que esconder todas las cosas de valor y tal, sí, como le cuento, tan mal estaba la cosa. No sé si sabe que ya había estado a punto de palmarla una vez, que la internaron en una clínica de Londres y tal... Pero, mire, desde aquélla cada vez que me encontraba con Pumuky en la escalera me paraba a hablar con él de todo y de nada, que al fin y al cabo teníamos casi la misma edad y yo nunca he tenido amigos de mi edad y tal, desde el instituto. Yo de aquélla nunca decía que Isabel y yo éramos pareja, y al principio Pumuky creía que Isabel era mi madre. Yo no me atreví a decirle la verdad, no le conocía mucho y no quería meterme en más líos. Cuando su madre se murió se enteró toda la escalera, claro, vino una ambulancia y luego el forense y luego el juez y tal. Los abuelos pusieron una esquela en el portal comunicando el día y la hora del funeral. Isabel no asistió, pero yo sí, y cuando llegué me sorprendió ver a tanta gente y todos tan arreglados y tan mayores; luego me enteré de que los abuelos eran gente de apellido, y que los asistentes eran amigos de los abuelos, no de ella, y me quedé con la impresión, sabe usted, de que

Charlotte no tenía amigos. Pumuky estaba muy bien vestido, con un traje negro y tal, y se le veía muy entero. Me agradeció mucho que hubiera ido, creo que me lo agradeció de verdad.

Después no vimos a Pumuky en una temporada y yo pensé que se habría ido a vivir a otro lado, con unos parientes o algo así, y que el piso se vendería y tal. Pero luego volví a verlo. No hablaba más que maravillas de la madre de Romano, de Sabina. Creo que habían hablado mucho tras la muerte de Charlotte, que Sabina iba a verlo todos los días. Mire, estaba obsesionado con ella, sabe usted, enamorado. También, creo yo, para mí, que buscaba una sustituta de la madre. Me contó que pensaba quedarse en el piso en el que había vivido, solo. Si le digo mi verdad, a mí me parecía una locura, un piso tan grande, tan lóbrego, un chico tan joven y con la madre que se había muerto precisamente allí. Pero, al fin y al cabo, los abuelos vivían en el piso de arriba, así que solo, lo que se dice solo, no iba a estar. Pumuky comía todos los días con ellos y tal.

Fue desde aquélla cuando nos hicimos amigos de verdad. Yo a Pumuky le consideraba mi mejor amigo. Él a mí no, pero es que él tenía más amigos, y yo no. Yo no veía a mucha gente, al marchante de Isabel y poco más, no nos relacionábamos mucho pero yo tampoco lo echaba a faltar, a mí con Isabel me bastaba y me sobraba. Lo que sí es cierto y verdad es que la pareja no lo llena todo. Mire, quien más quien menos necesita a alguien con quien hablar, a quien contarle según qué cosas que a tu pareja no le cuentas, y tal, o a quien hablarle, precisamente, de tu pareja. Además, yo era muy joven y ahora puedo reconocérselo a usted aunque entonces no me lo reconocía ni a mí misma: Isabel me aburría y me cargaba, yo era demasiado joven para encerrarme en una casa, no me di cuenta entonces, pero ahora lo sé. Y lo cierto y verdad es que él era un buen amigo, escuchaba mucho, no es que estuviera siempre disponible, porque a veces desaparecía días enteros y tal, y otras no te abría la puerta, pero cuando estaba, estaba. Le habrán contado a usted que tenía muy mal genio y que era un poco imprevisible y tal. Pues sí. Pero, mire, cuando era encantador era el chico más amable del mundo, muy seductor. Para que se haga una idea, sabe usted, Pumuky es el único hombre que yo haya conocido con el que creo que yo podría haberme acostado.

Mire, a lo largo de los años yo empecé a notar que Pumuky iba cuesta abajo. Un día llamabas a su casa y te lo encontrabas borracho perdido o puesto a las once de la mañana, tan ido que le costaba reconocer quién eras y tal. Y al día siguiente se te presentaba en casa a las seis de la madrugada, excitadísimo, insistiendo en que tenías que subir a su casa a escuchar una canción que acababa de componer, y no entendía que te enfadaras porque te había despertado, el que se enfadaba era él porque no estabas dispuesta a atenderle. Una tarde estábamos en su cocina y empezó a discutir conmigo a cuenta de una película que a mí me había gustado y a él no, y no le sabría decir cómo fue la cosa, pero de pronto empieza a pegar unos gritos de chalado total y al momento me lo encuentro con un cuchillo en la mano, como le cuento, con ojos de alucinado, amenazándome, yo le di la razón como a los locos, qué iba a hacer. Al día siguiente él se acordaba de nada y de menos.

De aquélla conocí a Sabina. Me pasé una tarde por la casa de Pumuky y me la encontré a ella allí, tan divina. Se parece muchísimo a esta actriz, cómo se llama, Fanny Ardant, igual de angulosa. Ah, que usted ya la conoce a Sabina, no lo sabía. Pues no tengo que decirle cómo es y tal. Pero yo entendí por qué Pumuky se había enamorado de ella, porque incluso a su edad era una señora muy guapa y muy..., eso, muy señora. Sabina estaba allí porque el mismo Pumuky la había llamado, depresivo y borracho perdido, suplicándole que fuera a verle. Eso me lo contó Pumuky más tarde. Desde aquélla me crucé a Sabina en el portal unas cuantas veces. Yo de aquélla, sabe usted, sospechaba que podían estar liados y tal, porque lo cierto y verdad es que Pumuky de sus amantes no me hablaba mucho y, sabe usted, como que me parecía raro que la señora viniese a verlo tan a menudo y tal. Mire, sigo pensando que es posible que se enrollaban, con aquellos dos, nunca se sabe. Pero es posible que fuera a verlo sólo porque estuviera preocupada por él.

El caso es que un día me los encuentro a los dos en el ascensor, y como ya me picaba a mí la curiosidad y tal, me da un pronto y les suelto a bocajarro que les invito a comer a los dos en mi casa. Aceptan y quedamos para el sábado siguiente. Tenga usted en cuenta que Isabel y yo no recibíamos mucho. Mire, Isabel tiene muchos problemas a la hora de relacionarse socialmente y tal, no es lo que se dice muy abierta, y como que no le hizo ninguna gracia que yo hubiera invitado a una desconocida, y estuvo de morros toda la semana. Yo me esforcé mucho por cocinar bien, a mí me gusta cocinar, eso es lo puro cierto y verdad, pero aquel día me esmeré, me tiré horas en la cocina y tal. Isabel se encerró en su estudio, estaba de muy mal humor. Luego me dijo que ella no quería salir a comer, que atendiera yo a los invitados. Tuvimos una bronca sonada, como comprenderá. Y al final Isabel dijo que vale, que comía con los demás, pero llegó a la mesa con unos morros hasta el suelo, sabe usted. Yo finjo que no me entero y sirvo la comida. Sabina alaba el plato y dice que está delicioso. Isabel dice «pues yo encuentro que está quemado». Claro, ésa fue la gota que colmó el vaso. Yo, que ya estaba hasta el coño de sus tonterías, me puse a gritar y a decirle que estaba harta de que me tratara como si fuera su chacha. Comprendo que no debía haberlo dicho con invitados delante y tal, pero entiéndame usted a mí, ya estaba cansada de comulgar con ruedas de molino. Y luego me puse a llorar allí mismo. Sabina se levan-

ta, toda digna, divinísima ella, con sus maneras de gran señora, y me habla en tono de enfermera, que me tranquilice, que beba agua, que no pasa nada. Me tranquilizo, respiro hondo, me siento, empezamos a comer. Y Sabina, muy tranquila, muy estupenda, muy en su sitio, nos larga una lección sobre los inconvenientes de la relación fusional, que se ve que era la nuestra, y nos dice que nos convendría visitar a un terapeuta de pareja y tal. Isabel cambia de actitud, se le desarruga el ceño y parece de pronto superinteresada por lo que Sabina le cuenta. Isabel le habla de su depresión y le explica detalladamente la medicación que toma. Sabina le dice que ella intenta no recomendar medicación a sus pacientes, que en su opinión la gran mayoría de los casos pueden solucionarse con terapia. Isabel, mire..., parecía mismamente que estuviera bebiéndose las palabras de Sabina. Total, que al final Sabina promete que le va a acordar a Isabel una cita con un médico amigo suyo para ver si le conviene una terapia de deshabituación y puede así ir reduciendo poco a poco la dosis de lo que toma y tal. Yo estaba entusiasmada, porque llevaba años diciéndole a Isabel que todas esas porquerías que se metía no podían ser buenas, que a mí me parecía que meterse tantas pastillas era lo mismo que ser una drogadicta, drogadicta legal, eso sí, pero para el caso. Y nada, que la comida continuó en muy buen ambiente, y cuando se fue Sabina estábamos encantadas, Isabel de muy buen humor, y yo más.

Pues Isabel se va al médico aquel y comienza una terapia. Al principio yo la acompañaba a todas partes, porque, sabe usted, ella tenía mucho miedo a salir a la calle sola, le entraban ataques de angustia, de ansiedad, de pánico o como usted quiera llamarlos. Pero de a poco empezó a ir sola, en taxi, y yo estaba contentísima, imagínese. Mire, yo creía que las cosas nos iban muy bien, pero Isabel empezó a decir cosas muy raras, que Sabina tenía razón, que nuestra relación era fusional, siempre la maldita palabra, que era una historia enferma, que no nos venía bien a ninguna y tal. En fin, que Isabel insiste, que tenemos que separarnos, que ella necesita su espacio... Y se va al pueblo de sus padres, en La Mancha.

Entonces yo sumo dos y dos y se me ocurre que cómo puede ser que de la noche a la mañana Isabel, que no podía salir a la calle sin mí, de repente se pase el día fuera de casa, porque los dos últimos meses había pasado casi todas las tardes fuera y tal, y pienso que si va a terapia las sesiones duran una hora, sabe usted, y como que si va y vuelve en taxi y tal, pues como que no le puede llevar más de dos horas la cosa. Y, mire, a mí como que me suena un poco raro lo de que vaya todos los días a terapia porque la gente suele ir una vez por semana. Y soy tan idiota, sabe usted, que no veo lo evidente, sino que lo primero que pienso es que se ha metido en una secta o algo así, porque había oído hablar de muchos casos de artistas que iban a una clínica de desintoxicación, y la tal clínica la llevaba una secta. Así que llamo al psiquiatra o a lo que fuera, y pregunto que cada cuánto va Isabel allí. Y me dicen que información confidencial sobre pacientes sólo se la pueden dar a los familiares. Y yo insisto, insisto, insisto y al final me presento en la consulta. Y le lloro a la secretaria, y tal, y le cuento la historia, no le digo que Isabel me ha dejado, sólo le digo que se ha ido y que no sé dónde está. Y ella me acaba diciendo que Isabel sólo fue a tres sesiones y que luego dejó de ir. Y como Isabel no tenía móvil ni usaba casi nunca el ordenador, porque yo le llevaba todos los asuntos, se me ocurre ponerme a registrar sus cosas, su estudio. Y luego reviso la factura del teléfono, porque de esas cosas de facturas y contabilidad de la casa me ocupaba yo, sabe usted, y veo que hay llamadas diarias, siempre hechas a la misma hora en la que yo salgo para ir a la compra, de diez a doce, y siempre al mismo número, un número que yo no conozco. Y marco el número y me sale un contestador: «Está usted hablando con Sabina Ragès». Y dejo un mensaje a Sabina para que me llame y le insisto en que estoy muy preocupada y tal. Y Sabina me llama y me dice que yo debo hablar con Isabel. Y localizo a Isabel donde sus padres. Y me cuenta que está enamorada de Sabina.

Y yo, sabe usted, le pareceré a usted una tonta, pero yo siempre había pensado que lo nuestro era para siempre, que envejeceríamos juntas y tal; nunca, ni una vez, se me había pasado por las mientes que lo nuestro se pudiera acabar. Y tenga usted en cuenta que yo no había trabajado en la vida, que no tenía estudios, que no había hecho otra cosa que cuidar de Isabel, y que tampoco tenía adónde ir, que con mi familia no me hablaba, y que no tenía más amigos que Pumuky. Así que me presenté en casa de Pumuky llorando como una magdalena. No puede usted imaginarse cómo estaba yo. Me quería morir, estaba hecha polvo. Y Pumuky me dice que ni caso, que él conoce bien a Sabina y que a Sabina le gustan mucho las mujeres, y le gustan mucho las mujeres casadas, pero que las historias de Sabina no suelen durar, y que además Isabel por muy guapa que sea, no es para nada su tipo, que Isabel está demasiado loca y que Sabina no tiene espíritu de sacrificio. Le dije que yo no había ni siquiera intuido que Sabina era lesbiana, y Pumuky me dijo que lo que era Sabina era un espíritu libre, cosa que me hizo sospechar, una vez más, que entre ellos dos había habido algo; mire, no puedo jurarlo por mi vida, qué quiere que le diga, pero lo creeré siempre. Y, sabe usted, le habrán contado de Pumuky, que era un drogadicto, que era un narciso, que era un mujeriego y que se bebía el agua de los ceniceros y tal, pero lo cierto y verdad es que conmigo se portó como nadie. Me acogió en su casa y movió Roma con Santiago para buscarme un trabajo. Yo creía que no servía para nada, pero Pumuky me hizo ver que sí que servía, que al fin y al cabo había sido la secretaria y casi, casi la marchante de una artista conocida du-

rante diez años, así que se enteró de un puesto de secretaria que había en Esfinge y llamó a Olga, la directora, que creo que de aquélla estaba liada con Pumuky, porque Pumuky, ya le he dicho antes, tenía esta cosa con las mujeres mayores y tal, y me puse a trabajar allí. Y me gustó. Y de repente, fue como si pudiera imaginar un mañana sin Isabel, una semana que viene sin Isabel, un año que viene sin Isabel, e incluso una vida sin Isabel, esa vida que me había negado a mí misma, cuando me exilié a aquel piso oscuro a hacer de secretaria, de asistenta y de enfermera, cuando le regalé mi cuerpo y mi cabeza a Isabel, cuando me convertí a mí misma en ofrenda y me entregué en un acto de delirio total, en el que sólo me faltó envolverme en celofán y ponerme en el pelo una cintita rosa, pero, ya ve, todo fue empezar a trabajar para otra causa que no era la de Isabel y construir una armonía conmigo misma, frágil, pero que estaba allí, mía, y al desdibujarse la imagen de Isabel empezó a concretarse y emerger la realidad, el mundo real al que yo le había dado la espalda tanto tiempo, como posible... Y fue de aquélla cuando el grupo pegó el bombazo, con el tema aquel que creo que usted habrá escuchado alguna vez, el de Coge palomitas, *que se repitió hasta la saciedad en todas las radiofórmulas. El videoclip fue uno de los más vistos en YouTube aquel año, la prota era Lluvia Rojo y salía morreándose con unos chicos de la serie aquella de televisión,* El internado, *no sé si usted lo recuerda.*

Y cuando pasó lo que tenía que pasar, que Sabina se hartó de Isabel igualito que Pumuky me había predicho, yo no podía ya volver con Isabel. No quería dejar mi trabajo. Le digo que estaba enamoradísima de Isabel, pero no podía volver. Y de aquélla fui yo la que decidió ir a terapia y tal. Pero ahora somos intimísimas amigas, nos vemos casi todos los días, y, si le digo mi verdad, casi como que le estoy agradecida a Sabina de que se liara con Isabel porque si no lo hubiera hecho, yo seguiría amargada, encadenada a aquella vida de maruja, no habría conocido la vida como ahora la conozco. Se lo digo sin broma, sin ironía, sin acritud: de verdad, después de todo, le estoy agradecida a Sabina.

Mire, yo en Esfinge hacía un poco de todo. Al principio cogía el teléfono y archivaba papeles y tal, pero poco a poco fui haciendo más cosas. Como bien decía Pumuky, después de diez años de llevarle todos los asuntos a una artista conocida, aquello era un juego de niños. Empecé a organizarles las giras a los grupos. No sé cómo explicarle lo que hacía: si un grupo, digamos, iba a tocar en Valencia, era yo la que me ponía en contacto con todos los medios, desde las radiofórmulas a los fanzines, pasando por las teles locales, y organizaba las citas para las entrevistas. Y era yo la que reservaba habitaciones de hotel y era yo la que llamaba a la sala para explicarles las necesidades de equipo y de catering y tal, y se me daba bien todo aquello porque soy muy organizada, siempre lo he

*dicho. Isabel dice que los artistas son caóticos de por
sí y que por eso yo era su complemento perfecto, porque no tengo temperamento artístico y sí temperamento racional. Un comentario así es como un bombón relleno de pimienta: hay mucha mala leche en
algo que se dice que pretende ser amable, eso es muy
de Isabel.*

*De aquélla fue cuando Enrique Marina fichó
al grupo, y ya sabe usted, les hicieron un destacado en
MySpace, doble página en el EP3, Pumuky salió en el
Vanity Fair en unas fotos de Outumuro... todo el mundo hablaba del grupo. Enrique y Olga trabajaban
codo a codo, la mayoría de los grupos que gestiona-
ba Enrique acababan tocando en los festivales que
organizaba Olga, que eran casi todos los importantes de la geografía nacional. Aparte de las cervezas,
luego empezamos a colaborar también con una compañía de telefonía móvil, así que cada vez había allí
más dinero para organizar festivales, y tanto los
unos como los otros empezaron a meter dinero en
los 40 Principales y en MTV para que hicieran la
mayor publicidad posible a los festivales y a los grupos y, ya de paso, indirectamente, a los teléfonos y a
la cerveza. Y, claro, siendo un grupo de tres tíos buenos con un cantante espectacularmente guapo, era
fácil moverlos y tal, Pumuky tenía una imagen muy
fuerte, no era tan fácil olvidarlo. Y mire, sí, la música no estaba mal, era contundente, pegadiza, con
su rollito alternativo y tal, pero no nos engañemos,*

si el cantante llega a ser menos sexy, otro gallo les habría cantado. Pero claro, no todo podía ir bien, estaba escrito.

Pumuky se volvió loco, más de lo que estaba, que ya es decir. Supongo que cualquiera se vuelve loco si cada vez que sube a un escenario sabe que cuando baje podrá elegir entre cualquiera de las tías y gran parte de los tíos que estaban allá abajo coreándole, y se lo podrá follar. El subidón de ego debe de ser adictivo. Pero no se trataba sólo de eso. También se trataba de cansancio físico. Pongamos, por ejemplo, que el grupo tiene que tocar en Valencia. Pues se suelen levantar a las seis de la mañana para salir de Madrid a las siete y llegar a Valencia a las once. A las doce tienen una rueda de prensa. Luego, un montón de entrevistas en radios y teles locales. Por la tarde prueban sonido, y por la noche tocan. Y aguantar hora y media de concierto, bajo el calor de los focos, dando saltos sin parar, puede ser realmente agotador. Así que casi todo el mundo acaba por meterse algo para aguantar, y no tiene ni que comprarlo, la gente se lo ofrece y tal, todo dios tiene, el dueño de la sala, los periodistas, los pipas, el propio road manager. *Marina se mete coca como el que más, de eso estoy segura, y me consta que muchas veces le pasaba sus gramos al* road manager *para que tuviera al grupo contento. Mario y Romano nunca han sido de meterse mucho, pero Pumuky tuvo de siempre aquella vena viciosa y tal, y, claro, se perdió. Según nos contaba el* road manager, en cada bolo montaba alguna. Sus trifulcas con Mario y Romano eran constantes, estaba cada vez más inaguantable, más ido.

Luego estaba la cuestión del dinero. Yo veía que Pumuky siempre tenía problemas de pasta y me escamaba, porque con todo lo que tocaban y tal se tenían que estar haciendo ricos, amén de que tenía lo suyo propio, de una herencia o un lío así. Vale que él se metía mucho, seguro, pero no al nivel de fundirse semejante pasta en tan poco tiempo, además de que a él siempre le invitaban. Y yo le pregunté, claro, que en qué se le iba tanta guita, y ahí me enteré de lo que cobraba por concierto, y aluciné, porque por mucho que yo no supiera exactamente lo que Marina cobraba por ellos, era imposible que a ellos les llegara tan poco, incluso si descontábamos la comisión de la agencia, del mánager y del promotor de zona. Así que me mosqueé, y se me ocurrió investigar. Hice muchas llamadas, fingiendo que tenía que revisar tal o cual factura del departamento de contabilidad, y empecé a cuadrar cosas. Revisé en los ficheros de Olga, cuando ella no estaba, claro, y me enteré del precio al que ella vendía cada festival, de lo que pagaban los de las cervezas y los de los teléfonos, me enteré de lo que cobraban exactamente los promotores de zona y de lo que pagaba cada sala en los conciertos que llevaba Marina y en los que no intervenía Esfinge y ahí me di cuenta de que les estaban tangando una pasta gansa. No sabía cómo, porque supuestamente todo estaba regulado y muy bien regulado y facturado, y estaba clarísima la comisión de la promotora y del mánager pero suponía que por algún lado había facturas falsas, así que una noche, aprovechando que yo tenía las llaves de la oficina porque como era la última mona del escalafón era la primera que entraba a trabajar, a las nueve de la mañana —Olga llegaba siempre entre las diez y media y once y a veces ni llegaba—, me metí en la oficina y le cotilleé el ordenador a la de contabilidad. Y ahí vi el truco, el de la promotora, cómo engordaban gastos facturando servicios que no existían. Aparecían unas facturas a nombre de una sociedad que facturaba en cada concierto por conceptos absurdos, como catering (el catering lo pone siempre la sala) o relaciones con medios (las relaciones con medios las llevaba yo). Y esa misma sociedad facturaba en concepto de promoción de zona de la mayoría de los conciertos de los grupos que Esfinge promovía, cobrando unas cantidades disparatadas. Después, desde esa sociedad, se le pagaba una ínfima parte de lo facturado a los verdaderos promotores de zona. No sé si usted me sigue, entiendo que es un poco lioso. En fin, el caso es que los estaban tangando. Lo siguiente fue indagar en el registro mercantil y enterarme de que los socios de la empresa eran don Enrique Marina Sanz y doña Olga Díaz Aguilera.

No me atreví a contarle la historia a Pumuky porque imaginaba que se pondría hecho un basilisco, pero acabé por decírselo todo a Romano, incluso si *sabía que me jugaba los garbanzos, que en el fondo me daba lo mismo porque me estaban pagando muy mal. Mire, mi lealtad estaba con Pumuky, que era mi amigo y que me había buscado el curro. El caso es que era muy difícil desbaratar el asunto, habría que sacar todas aquellas facturas, buscarse un buen abogado, demostrar las cosas. Y si lo hacían, adiós grupo. Se acabaron los festivales y el trato de favor de los medios, se acabó todo. Cuando Romano se lo contó a Mario, éste puso el grito en el cielo. Para empezar, a él le había jodido mucho lo de aparecer en los 40 Principales y tal. Por no hablar de lo de hacer el vídeo de la canción, que en principio era un tema como muy político, una crítica a los medios de comunicación, con tres actores tan sumamente* mainstream *como Lluvia Rojo, Raúl Fernández y Fernando Andina. Con el rollo político que él llevaba por entonces lo de salir en según qué medios le parecía una traición a sus ideales, como que se habían convertido en un grupo de mojabragas, y tal, y aquello fue la gota que hizo colmar el vaso. Cuando al fin se lo contamos a Pumuky lo encontramos de lo más pragmático. Dijo que como el contrato con Marina duraba sólo cuatro años, más valía apuntar callado aquellos cuatro años y más tarde buscar otro mánager. Yo pensé que como por entonces Pumuky estaba liado con Olga —se suponía que era secreto, pero era un secreto a voces, aunque yo creo que ella algo tenía con Marina, que estaba casado, y Pumuky estaba con Valeria, un follón todo, qué* quiere que le diga— pues estaba tratando de salvarle la cara a ella, por amor o por encoñe o por lo que fuera. Todos flipamos. Mario y Romano dijeron que iban a buscar a un abogado para consultarle, y que entonces tomarían una decisión. Pero la decisión nunca se llegó a tomar porque Pumuky se murió antes.

El caso es que Pumuky apareció un día en las oficinas de Esfinge, puesto perdido, y sin decir ni hola a nadie atravesó el pasillo y se metió derechito en el despacho de Olga, cerrando la puerta con un portazo tras de sí. Tuvieron una discusión a gritos. Como era a puerta cerrada no nos enterábamos muy bien de qué hablaban, pero yo ya suponía de qué iba la cosa. Nadie se atrevía a intervenir, pero al final Olga salió ella misma del despacho, con Pumuky detrás, gritando a voces que era una zorra hija de puta parásita y no sé cuántas cosas más y que iba a matarla. Olga se encerró en el cuarto de baño y al final, entre tres personas, sujetamos a Pumuky y tratamos de tranquilizarlo. Yo me lo llevé a la calle y nos fuimos a la cafetería. Pumuky iba claramente puesto o borracho, tenía los ojos rojos y tartamudeaba, se le trabucaba la lengua, no le pillábamos una. Había tenido algún pollo con Olga y estaba indignado. Decía que iba a llamar a un abogado y que iba a desmantelar todo el chiringuito y tal, que ella y Marina se iban a caer con todo el equipo, que le daba igual si no volvían a tocar en la puta vida, que si hacía falta se iban los tres a París e iniciaban una carrera en Francia... Pocos días *después a Pumuky lo encontraron con un tiro en la cabeza, así que nadie habló nunca con el abogado, nadie contó nunca nada de aquello, nadie ha contado nada hasta ahora.*

A mí me destrozó lo de Pumuky, de verdad que me destrozó. Casi más que lo de la ruptura con Isabel. Porque yo a Pumuky le quería muchísimo, muchísimo. Como a un hermano, o más, porque hay mucha gente que a sus hermanos les quiere poco y nada. Yo misma, sin ir más lejos. Paso de mis hermanos. Mire, para mí, mi hermano fue Pumuky. Fue el mejor de los amigos. Me ayudó cuando peor estaba y me sacó del hoyo. No sabe lo mal, lo inmensamente mal, que lo pude llegar a pasar cuando se suicidó. Si es que se suicidó. Porque hubo momentos en los que pensé que Olga y Marina podrían haber movido hilos, llamar a alguien y tal, ya sabe. Dicen que si tienes los contactos necesarios cualquier rumano te quita a alguien molesto de en medio por seis mil euros. Ya, supongo que es una barbaridad pensar algo así, pero no puedo evitar rumiarlo a veces.

No sabe lo destrozada que me quedé cuando lo de Isabel se acabó. Allá estaba yo, sin estudios y sin haber trabajado nunca. Me sentía una inútil, que no valía para nada, que nadie podía quererme... Hablaba mucho con Pumuky, le contaba que muchas veces pensaba en acabar con todo, en meterme de golpe todas aquellas pastillas que le habían recetado a Isabel. Y Pumuky se reía mucho de mí. Me decía

siempre: «Pero, Iria, ¡no te puedes suicidar a los vein-
ticinco años! ¡Tienes que esperar a los veintisiete!».
Porque a los ventisiete se habían suicidado Janis Jo-
plin, Jimi Hendrix, Ian Curtis, Jim Morrison y Kurt
Cobain. Bueno, los dos primeros no se habían suici-
dado, la habían palmado de una sobredosis y tal, pero
una sobredosis no es más que un suicidio encubierto,
porque el drogata cuando se mete sabe perfectamen-
te que se juega la vida y que antes o después va a
acabar de esa manera. Y Pumuky siempre decía que
él se iba a hacer famoso primero y se iba a suicidar
después en cuanto cumpliera los veintisiete. Y claro,
yo de aquélla pensaba que era una broma y tal, que
lo decía para que yo dejara de decir tonterías, pero
el caso es que lo repetía mucho, una y otra vez, de
una manera muy obsesiva. Y hablaba de las cancio-
nes que quería en su funeral y todo. Usted ya sabe
que Pumuky se suicidó con veintisiete años. Y que
encontraron una carta, una especie de testamento o
algo así, un escrito en el que decía qué canciones que-
ría escuchar en el funeral. Mire, yo tengo claro y cris-
talino que ningún chico normal de veintisiete años
escribe una cosa así, tan negra, tan morbosa. Y Pu-
muky tenía muchas razones para vivir, pero también
era un chico muy triste. Echaba mucho de menos a
su madre y hablaba mucho de ella. No había tocado
el piso desde que Charlotte murió, todo estaba como
ella lo había dejado. Su habitación, la de ella, estaba
tal cual. Cuando yo estuve en el piso dormí en otro

cuarto, y cuando iba su amigo Mario, que también vivía con Pumuky, por temporadas, lo mismo. Yo creo que, en el fondo, Pumuky quería irse con ella, con Charlotte. Y al final lo hizo. O alguien consiguió que lo hiciera.

Una mujer envidiosa

Empezó poniendo copas en la barra, la eligieron por sus piernas espectaculares y porque no tenía ningún reparo en enseñarlas, al contrario, siempre lleva minifaldas muy cortas, es una de sus señas de identidad. Luego la hicieron encargada porque demostró tener algo más que piernas: cabeza para los números, sentido de la responsabilidad y el temple de una Agustina de Aragón a la hora de lidiar con borrachos y marrulleros. No habla más idioma que el español, y ni siquiera lo hace correcta o normativamente. Habría podido estudiar una carrera, pero no obtuvo beca y sus padres no iban a mantenerla cinco años, ni a pagarle los libros y las clases. Viste con gracia y con originalidad, pero sin eso que algunos periodistas esnobs llaman estilo o clase. Y la verdad es que cualquier trapo que se pone le sienta bien, porque tiene un cuerpo de escándalo que hace que cualquier trapo que se quite le siente aún mejor. La cara es graciosa, la nariz pícara y la mirada inquieta, pero no llega a ser guapa. Y no se sabe mover, según muchos. Avanza con contundencia de soldado y con los pies hacia dentro, como un pato. No es, por lo tanto, una mujer educada, culta, delicada o elegante; y lo sabe. No puede competir con Valeria, criada por buenísima familia y educada en colegio de pago. A veces Romano la hacía sentirse inferior cuando le hablaba de los libros que leía, pronunciando los nombres de los autores en impecable francés, cuando le exponía teorías que ella no entendía y de las que nunca había escuchado hablar, cuando tarareaba canciones de grupos que ella ni siquiera había oído mencionar y cuando contaba chistes que ella no entendía. Y entonces debía recordarse a sí misma que a fin de cuentas estaban en el mismo bar, cada uno a su lado de la barra, y que la diferencia residía en que él había llegado hasta La Taberna Encendida en una moto pagada por sus padres y que ella había llegado por su propio pie: por sí misma, en todos los sentidos. Que ella lo había hecho todo sola desde los dieciséis años, y que él, sin embargo, no habría llegado donde estaba sin el dinero de su madre, que había podido y querido pagarle casa, comida y educación. Y entonces ella dejaba de sentirse inferior y pasaba a sentirse superior, pero el cosquilleo no le duraba mucho, porque luego empezaba a comerle el resentimiento con un estremecimiento impotente. Pensaba que si hubiera nacido en otra casa ahora sería ella, y no Valeria, la que durmiera con Romano, y cada vez que le venía la idea a la cabeza le subía una acidez recomida de rabia por el estómago. Envidia venenosa, verde y muda, y una lúcida y nada sutil avaricia del cuerpo de Romano, de la belleza y la clase de Valeria. De aquella Valeria tan preciosa y tan perfecta, con una hermosura sin fisuras ni oquedades ni zonas de sombra, que no requería de esfuerzo ni artificio para mantenerse, que resplandecía desde cualquier ángulo y bajo cualquier luz, a cualquier hora del día y de la noche, fueran los que fueran el peinado o el modelo; de aquella Valeria que avanzaba agresiva y magnífica, como si solamente a su paso el paisaje cobrara algún sentido, que no sería otro que hacerle a ella de marco; de aquella Valeria alta, rubia, estatuaria, con ese aire de autoridad natural y ligeramente desdeñosa que suelen tener las lesbianas y las mujeres ricas; de aquella Valeria cuya conversación estaba constantemente salpicada de nombres conocidos, de personajes con los que se relacionaba y de restaurantes y locales a los que acudía con asiduidad, garitos de precio prohibitivo que los hacía inaccesibles para el común de los mortales, categoría a la que ella, Valeria, en su calidad de diosa, evidentemente no pertenecía, porque casi se diría que Valeria formaba parte de una *jet-set* tan exclusiva que ni siquiera aparecía en el papel cuché. La belleza de Valeria tenía un no sé qué de irreal, la cabellera lustrosa, bruñida, pesada, de color oro viejo, desparramándose en soberbia cascada por la espalda, la nariz insolentemente levantada hacia arriba, el desdeñoso mohín de suficiencia, de sentirse permanentemente codiciada, esa firmeza y esa seguridad al andar que parecen exclusivo privilegio de las hembras que se saben muy miradas... Sonia ha conocido a ese tipo de semidiosas a través de Yamal, el propietario del bar, mujeres como Leonor Abril, esa actriz que es la mejor amiga del dueño, gente de vida hueca, dedicada exclusivamente a que las vean en los sitios en los que se deben dejar ver, a los triunfos sin objeto y a las pasiones efímeras, nacidas y muertas en la misma noche, a través de copas y rayas. Mujeres que atraen todas las miradas en cuanto entran en un local, especializadas en captar piropos y lisonjerías que ellas saben estimular con un mero gesto y que no recogen más allá de su epidermis, mujeres que viven inmersas en una especie de fiebre de vanidad. Mujeres llenas de sí mismas pero siempre vacías. Sonia piensa que quizá, si hubiera nacido en la casa de Valeria, a día de hoy no tendría ni temple, ni responsabilidad ni cabeza, y sería tan blanda y tan lacia como su rival, porque siempre le pareció que Valeria iba por la vida de puntillas, como si tuviera miedo de romper algo.

Lo que ya le acababa de poner histérica era la postura izquierdosa aquella de Romano, Mario y Pumuky. Es cierto que Romano no hablaba demasiado de política, y Valeria nunca, pero lo de pasarse el día citando al tal Debord y al tal Foucault (a los que Sonia no había oído siquiera mencionar hasta que los conoció) sugería un lustre progre. Y si tan moderno eres, Romano, si tanto crees en la justicia social, ¿por qué no me llevas a vivir contigo, me sacas de este garito de mierda y compartes conmigo tus ganancias y tu suerte? Lo pensaba a menudo, claro, pero nunca lo decía. En realidad, pensaba Sonia a menudo, más conocida como La Chunga, lo que Romano entendía por justicia no era más que una injusticia cometida a su favor.

El bar no es mío, pero como si lo fuera. El dueño se pasa poco, y supongo que sabe perfectamen te que yo siso y que me llevo dinero de la caja, pero no creo que le importe una mierda porque al fin y al cabo Yamal es rico, muy rico, y prefiero no pensar por qué mantiene este bar. De tapadera de algo, creo yo. Yamal supuestamente es pintor, artista, pero el dinero le viene, o eso dicen, de que controla el trapicheo de hachís de este barrio*. Puede ser, no tendría nada de raro, pero a mí, en el fondo, me la sopla, ni me va ni me viene. A mí este trabajo me cae de puta madre, está bien pagado, es fácil, soy casi la jefa, no tengo que darle cuentas a nadie. Es cierto que me pierdo cosas. Vivir de noche es una jodienda. El bar cierra a las tres martes, miércoles y jueves, a las cinco viernes y sábado, a la una los domingos. No abrimos los lunes. Eso quiere decir que yo, cada día, me levanto a las dos de

---

* Ver *Cosmofobia*, de Lucía Etxebarria.

la tarde, y me da el tiempo justo a comer, a recoger un poco la casa y a salir a comprar lo que necesite. A veces me voy al cine, sola, y a veces a ver a mi madre, la pobre, que me da pena haberla dejado sola con el hijoputa cabrón ese que se casó con ella, que vergüenza me da llamarlo mi padre. Pero, a lo que iba, que trabajar de noche es muy chungo, que te desconecta mucho de la vida real, que estás siempre cansada, pero claro, no es de esto de lo que veníamos a hablar.

Yo les conocí a los tres en la barra. Y no, no recuerdo la primera vez que vinieron. Aquí viene mucho famosillo, actores de la tele y músicos. Y cuando ellos empezaron a venir no eran conocidos. Supongo que sí, que me fijaría porque estaban bien buenos los tres, vale, Mario no tanto, pero por aquí también viene mucho material follable, empezando por el dueño. La gente dice que Pumuky era uno de los tíos con más morbo de España pero yo le puedo decir que de cerca no era para tanto. Sí, claro, alto y delgado y tal. Pero, créame, el escenario embellece. Porque el que está en el escenario está por encima de ti, elevado. Y tú le sientes, eso..., por encima de ti. Y luego está lo de que el Pumuky salía medio desnudo, sudando, moviéndose..., era una imagen muy sexy. Pero así, de tú a tú, perdía mucho. Y Romano, al contrario, ganaba en las distancias cortas, aunque en el escenario o en el videoclip no se le viera tanto. En Mario no me fijé nunca, qué quiere que le diga. Sí, dicen que está bueno, puede, pero para mí, como si fuera invisible.

Cuando no es fin de semana, hay muchos ratos perdidos en una barra. A veces yo me traigo un libro y todo. De cuando en cuando alguien viene a que le sirvas algo, pero, ya le digo, mucho tiempo te lo pasas mano sobre mano, o intentando hacer algo de provecho, limpiar la barra, ordenar los vasos, tirar las botellas vacías... Un coñazo. En esos ratos agradeces que alguien venga a hablar contigo y te dé palique, y así es como me hice yo amiga de Romano, porque él hablaba muchísimo conmigo. Y su mirada me cosquilleaba en la boca, en las tetas, a lo largo de las piernas, como una mano tranquila que me acariciara. Y yo, claro, me dejaba acariciar, encantada. Yo estaba convencida por entonces de que yo le molaba, pero me hacía la dura. Hace tiempo que he aprendido a no dar demasiado pie a los que te entran en el bar, a dejarles que se lo curren un poco. Si te ven fácil, malo. Ya de entrada piensan que eres fácil porque estás detrás de una barra, así que les tienes que quitar a toda hostia esa idea de la cabeza, ponerte chunga, y si siguen adelante puede ser que les intereses de verdad, no sólo que están borrachos y envalentonados, y les ha dado por entrarle a lo más visible, que sueles ser tú. Lo que le decía, solían venir los tres, Pumuky, Mario y Romano. Los dos primeros charlaban entre ellos, y Romano me daba la brasa a mí. Hablaba mucho, tenía y tiene un pico de oro y yo, qué quiere que le diga, yo empezaba a estar coladita por él. Y justo cuando ya le iba a tirar los tejos, cuando estaba decidida a dar un paso ade-

lante y a jugarme el todo por el todo, aparece un día con un pibón, el tipo de pibón espectacular que puede llevar escote y minifalda sin que parezca una puta de esquina, escuálida, divina, nunca lo olvidaré, aquella noche ella llevaba un modelito rojo, y me dice: «Ésta es Valeria». Y no hace falta que añada «Es mi novia» porque algo se notaba entre ellos, no sé, la forma de mirarse. Y yo habría querido odiarla pero no pude. Habría podido odiarla si hubiera sido un poco menos divina, pero se trataba de un caso de esos en los que te rindes antes siquiera de presentar batalla, porque reconoces la superioridad del contrario, y no sólo por la belleza; ella tenía, y tiene, algo más..., un aura, un lustre, un algo que te hacía respetarla. Tenía ángel. O clase. Pero supongo que el propio Romano, y sobre todo Mario, habrían dicho que lo de decir que tenía clase era..., pues eso, clasista.

Valeria llevaba, se lo he dicho ya, un minivestido rojo de Dior a juego con unas gafas de sol que se había colocado a modo de diadema. No es que yo sepa mucho de moda, pero identifiqué la marca enseguida gracias a los enormes logotipos. Y algo en la manera en la que ella se movía, en su acento pijo, me convenció nada más verla de que no se trataba de falsos Diores, de que ella era de esas mujeres que rechazan imitaciones, en todos los campos de su vida. Las uñas de sus diez dedos estaban esmaltadas en el mismo tono del trapo. Era tan despampanante la tía... Hasta un punto que me hizo dudar de si ese cuerpo de anuncio

*no debía algo de su perfección al bisturí de un ciruja-
no, ya sabe usted. Su tono, su manera, todo en ella
imponía autoridad. Lo tenía todo para gustar a un
hombre, incluso para hacerle perder la cabeza a más
de uno, pero no hacía más que quejarse de lo mal que
la habían tratado todos los tíos que había conocido.
Tuvo un novio escritor, famoso, un cocainómano que
casi no la tocaba, y al siguiente, un periodista probablemente más famoso que el anterior, no le cogía el
teléfono desde que ella se enteró de que su mujer, con
la que él decía que ya no follaba (el discurso típico,
ya sabe, me quedo en casa por los niños y porque ella
no sabría vivir sin mí), estaba de nuevo preñada. Todo
en ella, su físico cuidadísimo, sus modales de niña pija,
su modelito impecable, su obsesión por contarme sus
historias sentimentales, hablaba de su deseo de inspi-
rar amor, pero no parece que ella misma lo sintiera
o lo hubiese sentido nunca.*

*Me enteré más tarde, y me lo dijo el propio Ro-
mano, que a Valeria fue conocerla y enrollársela. Ella
no fue tonta y no se hizo la difícil, vio que la ocasión
la pintan calva y que hay que agarrarla de las orejas si
hace falta. Y claro, yo sé, él sabe, Valeria sabe, que en
realidad me tiraba los tejos a mí, pero se cruzó Valeria y... Si yo no hubiera esperado tanto, si le hubiese
dado alas desde el principio... Pero de qué sirve ahora hacer cábalas, qué más da. Pues así la cosa, desde
entonces el trío calavera empezó a venir con Valeria,
y ahí se quedó el asunto. Yo, que seré muy de barrio*

y muy chunga, pero sé ser elegante, igual no en la ropa o en la forma de hablar, pero sí en las maneras, siempre fui muy amable con ella, y le dedicaba la misma sonrisa que a Romano, como si entre nosotros dos nunca hubiera habido nada. Y es que, a fin de cuentas, por decirlo de alguna manera, no lo había habido. Y luego un día Romano me viene con la historia. Valeria busca compañera de piso. Un chollo, una habitación enorme, soleada, en pleno centro, calefacción central, ascensor, edificio nuevo, por cuatro duros. Eso sí, nadie puede saber que yo vivo allí, y si la madre de Valeria va a visitarla, que como mucho van a ser tres días cada dos meses, yo no puedo estar allí, porque el piso se lo han comprado los padres a Valeria, y no quieren que realquile. Pero Valeria está un tanto jodida, con el agua al cuello y no le vendría mal un extra. Yo no le pregunté por qué, pero Valeria iba siempre bien vestida, con ropa de marca y zapatos caros, y supuse que el extra lo quería para sus modelitos. Cualquier persona con dos dedos de cabeza habría dicho que no, menuda locura, aquello era meterse en la boca del lobo, y yo le podría decir que me decidí porque el precio era un chollo y la habitación maravillosa, y porque Susana, mi compañera de piso, ya me había dicho que en dos o tres meses se iba. Pero yo sé, y me lo reconozco a mí misma aunque me cueste, que hubo morbo de por medio, como si pensara que por vivir con una tía así se me iba a pegar algo de ella, o como si quisiera demostrar que yo no era menos que ella. Pues así la cosa, que al mes estaba allí instalada, viviendo con la chica que follaba con el tío que a mí me gustaba. Romano no vivía allí, en aquel piso en el centro con calefacción central y ascensor, Romano seguía viviendo en la casa de su madre, pero como si viviera, pasaba mucho tiempo allí.

No crea, a mí, Valeria, pese a todo, me empezó a caer bien, y me acabó gustando. Era una buena tía. Pija, frívola, esnob, vacía, pero buena tía. Sus padres le habían comprado el piso, sus padres le habían pagado los cursos, sus padres le enviaban dinero cuando la cosa iba muy mal y eso a mí, lo reconozco, me creaba un mal rollo, un ¿por qué ella sí y yo no?, y no me mire usted así, la envidia es humana. Aún si ella se lo hubiera currado, si se hubiera ganado su super-pisito en la calle Arenal currando como modelo, pero no, ella currar, lo que se dice currar, no curraba mucho, hacía muchos castings y poco más; no se había ganado nada, todo se lo habían dado. Pero por otra parte lo raro es que la cogí cariño, a Valeria, porque era una tía maja y simpática. Hubiera sido muy fácil odiarla si fuera una bruja, pero no lo era. Se me hacía difícil odiarla pero acabé odiándola de todos modos. La odiaba y me gustaba, no sé cómo explicarlo. Quizá la odiaba porque me gustaba. La admiraba y por eso la envidiaba. Porque lo tenía todo: belleza, dinero, ángel, aura, encanto... y a Romano. Cómo no iba a odiarla si los escuchaba por las noches, el crujir de los muelles, el ruido de las patas de la cama contra el *suelo, los gemidos contenidos, si me imaginaba todo lo que estaba pasando y me ponía mala, de los mismos nervios, de una mezcla de envidia y excitación, pero estoy segura, segura, de que a ellos también les ponía saber que yo les escuchaba. Todo fue raro desde el principio, varios meses de martirio y triángulo.*

No sé cuántos meses duró aquello. Los fines de semana yo me levantaba y los veía desayunando juntos, ella mordisqueaba una tostada y bebía tazas y tazas de café negro, enganchada estaba, al café. Él se comía dos tostadas con mucha mantequilla y mucha mermelada y luego acababa por comerse la mitad de la de ella. No se tocaban mucho, eso siempre me llamó la atención. Luego salían con sus modelos a juego, los mismos Levi's 501 de pitillo, las Converse, las Ray-Ban, como recién salidos de un catálogo de revista de moda, y sí, había que reconocerlo, parecían hechos el uno para el otro.

Total, que cuando yo ya no esperaba nada y me había resignado a mi suerte, aparece una noche Romano en el bar, solo, debía de ser un martes porque el bar estaba vacío, y yo, nada más verlo entrar, no sé por qué, me olí algo. Se acercó a la barra y se inclinó hacia mí, como muy cariñoso, sonriente, y poniéndome ojitos, y yo pensaba: «Éste se ha cabreado con la Valeria», pero no preguntaba, me limitaba a seguirle la corriente y a invitarle a copas, una, otra, otra más. Las suficientes como para que no se fuera y como para ponerle contento, pero muy poco cargadas, no fuera a ser que se me desmayara antes siquiera de que el alcohol le soltara la lengua y se atreviera a decirme por qué había venido solo, y por qué se quedaba tanto rato en la barra si no estaban allí sus dos amiguitos, ni nadie a quien yo conociera, y nos dieron las horas, y llegaron las tres, y yo dije: «Tengo que cerrar el bar», y él dijo: «Vale, te espero y vamos a tomarnos algo», y yo le dije: «Pues nos tendremos que ir al Candela, que es lo único que va a estar abierto a estas horas». Y le juro que nunca, en los dos años que llevo trabajando en el bar, he adecentado el bar a tanta hostia, recogí los ceniceros y los vasos en diez minutos, los fregué en cinco, no barrí siquiera. Enseguida estaba echando el candado. Cuando la puerta ya estaba cerrada y la persiana metálica bajada y todo, cuando íbamos a salir por la puerta él me dijo: «¿Sabes?, el Candela está muy lejos, y hay que subir una cuesta horrible... Igual sería mejor que, ahora que no queda nadie en el bar, nos tomásemos algo tú y yo a solas, con la música que nos gusta». Y ahí me cosqué fijo de lo que quería y no hubo que explicarme más. Volví a subir la persiana metálica y antes de que me diese cuenta ya estábamos morreándonos y quitándonos la ropa a tirones. Y acabamos en la sala del fondo, la de la segunda barra, que sólo se abre los fines de semana, allí hay una especie de chill out *con cojines, y bueno, pasó de todo, de todo, fue una de las experiencias más excitantes que yo haya vivido nunca. ¿Que si me sentí culpable? No. ¿Que si pensé en Valeria? Sí. Valeria* estaba allí entre él y yo, estoy segura de que él también pensaba en ella, pero en ningún momento yo sentí culpabilidad, sólo un subidón de triunfo que me ponía como una pastilla. Luego recuerdo que nos quedamos dormidos, y que, cuando por fin salimos, la luz del sol nos dio como una bofetada. Nos fuimos a desayunar a un bareto de la calle Argumosa, y luego él dijo que se iba a casa. Nadie dijo nada de volver a llamarse o repetirlo. Y el sábado siguiente él estaba de nuevo en casa, en el salón, tumbado con Valeria en el sofá, ella con la cabeza apoyada en el hombro de él, y él con el brazo sobre el hombro de ella, acarameladitos los dos, espumas y terciopelo, y yo allí, como si nada hubiera pasado, como si no se la hubiera comido, como si no hubiéramos desayunado juntos, como si no me la hubiera metido por el culo sobre los cojines del chill out, y saludé, puse buena cara y me fui a trabajar. No sé cómo lo conseguí, se lo juro. Porque yo creía que me moría, de verdad. Es una putada bien gorda esa de que las emociones se traduzcan en sensaciones físicas. A mí me dolía el estómago de tal manera que parecía que me lo estuvieran estrujando como quien escurre un trapo de cocina. Recuerdo que bajaba andando hacia el bar, por la calle Buenavista, y se me saltaban las lágrimas. Eres tonta, Sonia, tú eres gilipollas. Y en cuanto llegué al bar me metí un chupito de vodka nada más entrar, para aguantarlo. Y a partir de entonces, me puse de mal en peor. Estaba siempre de mal genio, gritaba por todo. Mi equilibrio era jodido,

*y el más mínimo golpe, el primer borracho que me
decía una impertinencia, el repartidor de las cervezas
que llegaba tarde, un vaso que se caía, me hacían caer
de cabeza. Yo siempre he sido un poco chunga y borde,
pero entonces me desmadré, todas mis observaciones
eran desagradables y sarcásticas. Qué digo, peor que
sarcásticas. Corrosivas. Cualquier palabra que tuviera la menor relación con el amor me retorcía un ner-
vio. En el bar sólo quería escuchar música industrial,
nada de palabras, nada de cosas dulces. Y si me ponía
a leer un libro esperaba nerviosamente según qué pá-
rrafos, los veía acercarse ya desde media página antes,
los imaginaba, los temía, y finalmente me forzaba a
saltármelos para neutralizarlos, no quería leer nada
que tuviera que ver con el amor o el sexo. Ardía de
rabia. Me despertaba un montón de veces por la noche. Y lo peor llegaba al despertar, no conseguía arras-
trarme fuera de la cama. Era como si sufriera una
enfermedad muy grave que me tuviese baldada todo
el día y que me provocaba repentinos accesos de dolor,
y debía tener cuidado con todo lo que pudiera atraer-
me al chungo, como el alérgico al gluten que debe
preguntar en el restaurante si la tortilla se ha frito en
una sartén escrupulosamente limpia. Había música
que no podía escuchar, libros que no quería leer, rincones de la calle que evitaba. Si pasaba por el* chill
out, *y tenía que hacerlo varias veces cada noche, me
mordía los labios y me forzaba a no pensar, a no recordar. De vez en cuando llegaban algunos momen-*

tos planos y tranquilos en los que me asombraba yo misma de la intensidad de lo que sentía durante el resto del día, hasta que volvía a subirme aquella rabia que me consumía y confirmaba que sí, que era tan jodida, tan corrosiva, como la recordaba. Me inventaba un montón de excusas para estar lo menos posible en casa y no coincidir con Valeria, llegaba a casa todo lo tarde que podía, y me metía una pastilla para dormir mezclada con un chupito de vodka, para no escuchar el mínimo rumor de la presencia de Romano, porque sus gemidos intuidos a través de la pared ya no me ponían en absoluto.

Pero cuando Romano volvió a pasar por el bar, allí me tuvo, comiendo de su mano. Tenía que haberle mandado a la mierda, digna y fría, pero no supe o no quise o no pude. Aquella segunda vez ni siquiera fingí la pamema de cerrar el bar y bajar la persiana. Él se quedó esperando tranquilo, acodado en la barra, y cuando el bar cerró y echamos al último borracho, aprovechó que yo me agachaba para poner el candado y me cogió por detrás, fuerte. Me sujetó por la nuca y me mantuvo allí, quieta. Luego me bajó muy despacio las bragas. Yo llevaba minifalda, como siempre. Después estuvo un rato largo acariciándome las nalgas, sin decir nada, y después me pegó. Por supuesto que resultaba humillante, pero todo era humillante, el hecho de que fuera el novio de Valeria, de que me usara como me usaba. Los golpes de la palma contra las nalgas hacían un ruido seco. La cabeza dice no, el

328

*cuerpo dice sí. Porque mi cabeza me decía que aque-
lla situación no debía gustarme, que era chunga, que
no me interesaba, que no quería probarla. Pero al
cuerpo le gustaba. Cogí la mano de él y la llevé hasta
mi entrepierna. Él siguió el juego, y tocó el clítoris
como quien aprieta un botón. Empezó a mover el
dedo hacia arriba y hacia abajo, despacio. Yo notaba
que estaba empapada. Entonces sentí otro dedo dentro, que también se movía, arriba y abajo. Y en un
momento dado, desconecté la cabeza. Y cuando desconecté la cabeza, perdí completamente el sentido de
la realidad. Pudieron ser dos minutos pero me parecieron dos horas. Me habitó una fuerza furiosa, secreta,
una avidez subterránea y delirante, eléctrica. Y de
repente, cuando volví en mí, recordé dónde estaba.
Quién era él. Lo que había pasado. Yo intentaba hablar pero me resultaba imposible, sentía que había
perdido la voz. Luego fue como si escuchara un cor-
tocircuito en la cabeza, un zumbido, lo recuerdo perfectamente, como una película que se atasca. Y después
no recuerdo nada. Cuando abrí los ojos estaba en el
chill out, y él estaba a mi lado, bebiendo una cerveza,
tan tranquilo. No le había sorprendido, por lo visto,
que me hubiera desmayado de placer.
 Seguimos así durante meses. Él venía de cuando
en cuando al bar, no avisaba antes, no llamaba. Yo le
daba vueltas y más vueltas a la idea de dejar el piso,
pero algo me retenía allí, la idea de controlar a Valeria, quizá, de estudiarla. Pensaba que disponía de una*

oportunidad que tienen pocas mujeres que se acuestan con un hombre comprometido: yo no tenía que fantasear con la otra, no tenía que construirla en la cabeza porque la tenía allí, todos los días, a mi alcance. En general me mentía a mí misma. Ésta es la última vez y a la próxima no le dejo quedarse en el bar o, en realidad, yo sólo quiero a Romano para una cosa, y lo que haga o deje de hacer con Valeria no es asunto mío. Pero la historia avanzaba, en mi cabeza y en mi cuerpo, a mi pesar. Allí había un enganche sexual muy fuerte. Porque hablar, lo que se dice hablar, no hablábamos mucho. Él siempre hablaba y habla de libros que no he leído y de grupos que no he escuchado. Pero supongo que con Valeria sí que no hablaba nada, porque tampoco es que Valeria sea la mujer más culta de la Tierra, por mucho colegio de rica y de prestigio al que haya ido, lo sabré yo que he vivido con ella. Aunque tampoco es tonta la tía. No, nada tonta. Lista como el hambre, como una serpiente, la jodía.

Luego Valeria encontró un trabajo. Se ve que un día se hartó de no hacer nada y de pasarse las mañanas planchada en la cama, hojeando revistas de moda en las que ella no aparecía fotografiada. O por lo visto los padres se cansaron de mantenerla. Pues así la cosa es que encontró trabajo. Con un joyero. No con un joyero cualquiera, no. Con los abuelos de Pumuky, toma ya. Carrer, la joyería más importante y más antigua de España, orfebres y artesanos desde mil ochocientos y pico. No sé si sabe usted que tienen

*a un diseñador para hacer la línea más moderna de
la joyería, porque las joyas de Carrer, el estilo Carrer
de toda la vida, eran un poco como de señora mayor,
ya me entiende usted, y andaban necesitando un la-
vado de cara, una colección nueva, más audaz. El
diseñador este fue un niño prodigio en su día que
había trabajado antes, por lo visto, en París con Cartier
y Van Cleef & Arpels. Sergio Cortina, se llama. Ha
creado para la joyería una línea de superdiseño, muy
exclusiva, como para mariquita rico o así. Yamal, por
ejemplo, tiene una pulsera de Cortina para Carrer,
de oro blanco. Numerada. Sólo hay cincuenta piezas
en todo el mundo, es marca de la casa. Son piezas ca-
rísimas, porque te venden la moto de que lo que llevas
puesto no es una joya, sino una escultura. En fin, pi-
jadas varias. La cosa es que si vas al taller de Carrer
y preguntas por el atelier de Cortina te sale a recibir
una chica guapísima y elegantísima que te pregunta
qué estás buscando. Un collar para mi mujer, dices, o
un regalo para mi novio. Y esta chica guapísima y
elegantísima te echa un vistazo y de una ojeada decide si tú has llegado sólo para pasar la tarde o si de
verdad estás dispuesto a gastarte seis mil euros en un
collar de oro blanco y diamantes. Y si decide que sí,
que te los puedes gastar, se esfuerza en que te los gas-
tes. Y te invita a un té, o a una coca-cola, o a un gin
tonic, lo que tú le pidas y te va paseando por el taller
(es una tienda, pero hay que llamarlo taller) enseñán-
dote tal pieza o tal otra, comentándote las virtudes*

de cada pulsera, cada anillo y cada collar, y convenciéndote de que más que una adquisición, se trata de una inversión, y de que estas piezas se revalorizan, todo con mucho tacto, con mucha elegancia y mucha mano izquierda. No, no es una dependienta cualquiera, porque Cortina no tiene dependientas, tiene relaciones públicas. Y esta chica es la que tiene que llamar a las revistas de moda para alabarles las maravillas de cada nueva colección, y conseguir que escriban una nota sobre el toque Cortina, y es la que tiene que escuchar las lloreras de las clientas de toda la vida cuando vienen a comprar pero acaban contando que su marido tiene una amante, porque no tienen a nadie más que les escuche. Y esta chica es Valeria.

Como fuera, Valeria se hizo muy coleguita de Sergio y a los dos meses se había convertido en su mano derecha, y Sergio se la llevaba a todas partes, a todas las ferias de joyería internacionales, a Nueva York, a Londres, a París, a Milán, a Basilea. Hasta a Hong Kong y a San Petersburgo se la ha llevado, según me cuentan, porque yo ya no la veo. Por entonces Valeria viajaba mucho a Barcelona porque Carrer tiene otra tienda allí. Y es que Sergio había decidido hacer de ella su asistente personal, que aprendiera todo el oficio con él, que le ayudara a gestionar con proveedores y demás, o eso nos contaba ella. Lo primero que pensé yo es que su jefe se la estaba follando, y que de ahí venía lo de llevársela a todas partes. Pero qué va, Cortina es la mayor maricona de *la historia, y no tocaría a una mujer ni con un palo de escoba. El caso es que Cortina es una maricona mayor que se ha pasado la juventud de cama en cama y que de pronto se ve más solo que un bebé en un bosque, y se ve que de repente encontró a una amiga y a una confidente, a una depositaria de secretos, que es lo que es en realidad una secretaria, o vete tú a saber si en realidad Valeria de verdad servía para el trabajo, porque Valeria, eso no se puede negar, era muy digna y muy correcta, y muy mona y muy lucible, siempre seria e indiferente, y con la palabra justa a flor de labios, porque a Valeria se le notaba mucho lo del colegio de pago. Quizá a Cortina se le había encaprichado lo de ir por medio mundo con una chica guapa colgada del brazo como a quien le da por pasear a un afgano. Pues así la cosa, de la noche a la mañana Valeria empezó a viajar mucho, y a viajar entre semana, y el grupo de Romano, como casi todos los grupos, solía tener los bolos de invierno en fin de semana, así que cuando Valeria estaba en Madrid Romano no estaba, y viceversa. Y así fue como Romano y yo nos fuimos liando cada vez más, y nos fuimos confiando como gilipollas. Un día le dije que yo pasaba de follar en el bar, que yo me iba a casa, no dije que Valeria no iba a dormir en el piso aquella noche, pero él ya lo sabía. Quizá otro que no fuera Romano habría puesto reparos, se habría mostrado así como más sentido para con el recuerdo de su novia, habría sentido escrúpulos ante la posibilidad de ti-*

rarse a otra en la mismísima casa que pagaban los padres de su novia, pero Romano no es así, yo creo que a Romano la idea no sólo no le echó para atrás, sino que le puso más aún. Así que cada vez que Valeria se iba nosotros follábamos en el piso, y si él no tenía cargo de conciencia, menos iba a tenerlo yo, como usted comprenderá.

Y nos confiamos, y nos pasó por putos pringaos. De repente abro los ojos y me encuentro con Valeria allí, de pie, frente a mí. No había forma de negar lo que pasaba. Estábamos en la misma cama, desnudos. Romano seguía durmiendo a pierna suelta. Valeria se quedó mirándome un rato largo: «Mañana mismo te vas, tú sabrás dónde, pero no quiero volver a verte». Luego cerró la puerta y se fue.

Dejó una nota en la cocina. Dijo que no quería vernos a ninguno de los dos, y que se iba a casa de Sergio. Que me daba tres días para sacar mis cosas y marcharme.

Yo despierto a Romano y le cuento lo que pasa. Y le enseño la nota de Valeria. Y él sólo repite, una y otra vez: «Mierda. Mierda, mierda, mierda». Luego salta de la cama y se abalanza a por el móvil. Valeria no le coge el teléfono, por supuesto. «Y tú, ¿qué vas a hacer?», me dice. «¿Tienes adónde ir?». «Pues no, la verdad es que no». Pienso por un momento en volver a casa de mi madre, pero sólo por un momento. «Supongo que mientras encuentre algo puedo dormir en el bar», digo. «Pues lo mejor será que recojamos tus cosas», me dice él. «¿Tienes muchas?». Y yo me quedo tan sorprendida de que él se preste a ayudarme, porque la verdad es que no me lo esperaba. Acostumbrada como estoy a que los tíos me traten como a un trapo, me sorprendió que él se preocupara por mí, porque yo esperaba lo contrario, que se me quisiera quitar de las manos como una patata caliente, porque a fin de cuentas si había perdido a Valeria era por mi culpa, o así lo sentía yo. Y de repente me di cuenta de que en realidad Romano era un tío legal. Sería un mentiroso de cojones, pero... tenía buen fondo. Pues así la situación, empaqué mis cosas, que no eran tantas, y me fui.

Lo de dormir en el bar lo decía en serio, pero no resultaba tan fácil. Por las noches allí hacía un frío mortal y se escuchaban ruidos muy raros. Le pedí por favor a Romano que viniese a dormir conmigo porque me daba miedo estar allí sola. Él me dijo que por él me llevaría a casa de su madre, pero que prefería dejarla fuera de su vida. Así que sí, se quedó conmigo en el bar una semana, hasta que yo encontré una habitación en un piso compartido con una estudiante italiana, sin calefacción central ni ascensor, y con una habitación mucho más pequeña que la que tenía en casa de Valeria, y por el que tenía que pagar casi el doble de lo que pagaba cuando estaba con ella, pero que por lo menos estaba a dos calles del bar, una ventaja muy grande. Esa semana me di cuenta de que Romano era un tío muy majo, y creo que fue entonces cuando empecé a enamorarme de él, porque hasta entonces lo que estaba era encoñada, pero no enamorada.

Romano me dijo que llamaba a Valeria varias veces al día, y que ella nunca le cogía el teléfono. No decía nunca si estaba arrepentido o dolido o si la echaba de menos, y yo tampoco preguntaba. Cuando me instalé en el nuevo piso solía pasar a verme y de vez en cuando dormía conmigo. Nos comportábamos como si fuéramos novios, es decir, que nos veíamos casi todos los días y seguíamos follando juntos y tal, pero nadie hablaba nunca de amor, de relación o de compromiso.

Habría pasado un mes o así desde que Valeria nos pilló cuando Romano me contó una noticia que me dejó blanca como la cal de la pared. Recuerdo que estábamos los dos tomando una cerveza en una terraza de la calle Argumosa y de pronto él me lo soltó con toda la calma del mundo, como si no le importara...

Como si no le importara, me dijo que Pumuky se había liado con Valeria, que se lo había dicho el propio Pumuky, que la Valeria le había ido con el cuento a Pumuky de lo nuestro y que, como al Pumuky siempre le había gustado Valeria, aprovechó. Romano estaba convencido de que a Valeria no le gustaba tanto Pumuky, que se lo había liado sólo por joder. Y sí, claro que Romano estaba jodido, pero no pensaba demostrárselo ni a la una ni al otro. A la una porque si realmente lo había hecho por joder, Romano no pensaba darle el gusto de que supiera que lo había conseguido;

al otro porque se conocían desde pequeños y, según contaba Romano, el Pumuky siempre se había liado a las tías que él se liaba, ya iban la tira de veces. En cuanto Romano se levantaba una tía ya sabía que antes o después esa tía acabaría con Pumuky. Romano se lo había contado a la madre y todo, y la Sabina le había dicho que eso pasaba porque Pumuky lo admiraba, porque Pumuky quería ser como Romano, algo así como los chavales que le copian el modelo o el peinado al actor o al cantante de turno. Porque el Pumuky hablaba como Romano, vestía como Romano y se tiraba a las mismas tías que Romano. Yo le pregunté que si siempre se lo había tomado con tanta calma, y él me dijo que más que calma aquello era resignación. Que él ya sabía que Valeria iba de moderna entre las modernas y que le molaba mazo lo de tener a un novio que tocaba en un grupo de moda, y que seguro que le molaba más aún lo de follarse al cantante que es como más vistoso que el bajo. Y si ella era tan pava que no veía lo que Pumuky buscaba, allá ella, según Romano. Y si Pumuky estaba bien con Valeria, pues qué le iba a hacer. Él sabía que había perdido a Valeria porque la cagó, y punto, y que le tocaba comerse el marrón, que no podía protestar o quejarse. Su madre le había dicho siempre que había que aprender a aceptar las consecuencias de los actos. Es que él siempre, antes o después, acaba hablando por boca de su madre. En realidad el grupo debería haberse llamado Adictos al Complejo de Edipo, porque es que los tres, oiga, los tres, tenían esa obsesión con la madre que les unía más que la música, casi. Pumuky, el más obseso de todos, porque su madre estaba muerta. Además, me contó el propio Romano que la madre de Pumuky había sido modelo, como Valeria, y rubia también, que se parecían. La hostia en verso, vamos.

Durante el tiempo que Pumuky y Valeria salieron juntos no volví a ver a ninguno de los dos por el bar, supongo que porque Valeria no quería verme. Me decía Romano que una o dos veces Valeria se presentó en el local de ensayo a recoger a Pumuky, y que trató a Romano con mucha cortesía y dignidad, como si allí no hubiera pasado nada. No sé si a Romano le jodió mucho o poco lo de Valeria, la verdad es que no se le notaba. Lo que tampoco parecía era muy enamorado de mí. Nos seguíamos viendo, sí, y seguíamos follando, pero no todos los días.

Ni idea de cuánto tiempo estuvieron juntos Valeria y Pumuky. Unos dos meses, calculo. Dos meses de tranquilidad para mí. No sabía nada de Valeria y veía a Romano a menudo, aunque para mí nunca fuera suficiente. A veces también venía Mario al bar, pero Pumuky nunca. Precisamente una noche en la que estaban los dos en el bar, Mario y Romano, a este último le empieza a sonar el teléfono y a llegarle mensajes sin parar. Como en el bar no hay mucha cobertura, Romano sale a la calle y cuando vuelve nos cuenta que era Pumuky, fuera de sí, y que Romano le había convencido de que se pasase a tomar una copa.

Cuando llegó traía la cara desencajada, estaba muy pálido, parecía más cadavérico que de costumbre, lo cual es mucho decir en alguien tan esquelético como él, y por primera vez entendí la expresión esa de los ojos que se salen de las órbitas, porque traía tales ojeras y estaba tan delgado que parecía que los ojos le iban a saltar de un momento a otro. Hablaba como una ametralladora, y jadeaba en vez de respirar, como si hubiera venido corriendo. Traía las pupilas dilatadas y las orejas, de puro blancas, transparentaban la luz, como si fuera un resucitado. A mí me pareció que iba puesto de algo, de coca o de speed, y que llevaba días sin dormir. La voz le sonaba entrecortada, como de lágrimas que contuviera.

«Esa zorra... Esa zorra. Es que no doy crédito. La muy hija de puta, la muy trepa...».

Y le alargó a Romano una revista de esas del corazón abierta por una página señalada. Romano examinó las fotos que Pumuky quería que viera. Se quedó un rato mirándolas y luego me las pasó a mí.

El titular decía algo así como: «David Martín, sorprendido con su nuevo amor».

El cantante de moda paseaba por la calle abrazado a una chica rubia. Se notaba que las habían tomado con teleobjetivo y no eran imágenes de muy buena calidad, pero a Valeria se le reconocía fácilmente.

El Pumuky estaba megamosqueado porque se había enterado por la tele, ¡por la tele! Había visto en la tele un programa de esos del corazón en el que hablaban del reportaje y había bajado las escaleras saltando de cuatro en cuatro, no había esperado ni al ascensor, para comprar la revista en el VIPS, *que era el único sitio abierto donde vendían prensa a aquellas horas. Y estaba que trinaba, no porque le pusieran los cuernos, sino porque le pusieran los cuernos con semejante hortera y porque lo supiera toda España. A ver si me explico, como que parecía que lo único que le dolía era el puto orgullo, como que Valeria se la soplaba. No sé, oiga, es mi impresión. El Romano le intentaba tranquilizar, que no era para tanto y tal, pero yo sabía muy bien que Romano estaba encantadísimo por dentro con lo que había pasado. Y veía que sí, que era un tío legal, más de lo que yo creía al principio, porque cualquier otro habría aprovechado para joder al Pumuky y Romano no lo hizo, no echó más sal sobre la herida ni sacó más punta a la situación. Pero Mario, todo lo contrario, azuzando como a un toro cuando le ponen el trapo rojo, que si es una zorra, que si es una trepa y una hortera de marca mayor, y una hijaputa, y que qué suerte haberse librado de ella, y que nos bebiéramos unos chupitos a la salud de la nueva pareja, que eran tan horteras el uno como el otro. Y sí, hay que reconocer que el David Martín es un rato hortera, joder, no sé si usted lo ha escuchado, mojabragas total.*

En fin, que acabaron todos aquella noche con una tajada monumental. Pumuky estaba completamente fuera de sí. Acabó pegando gritos y dando sal-

tos, *y gracias a dios que aquella noche casi no había gente en el bar, porque se le fue la olla completamente. Luego se quedó dormido con la cabeza sobre la barra y entre Romano y yo nos lo llevamos al* chill out *y lo acomodamos sobre los cojines, porque sabíamos que no podríamos ni siquiera meterlo en un taxi. Y otra vez más nos quedamos allí dormidos, sobre los cojines, Romano y yo abrazados el uno al otro y Pumuky sobándola en una esquina.*

A la mañana siguiente, cuando abrió los ojos, yo ya no vi la espina del dolor que lentamente va hincándose, sino el puñal clavado de golpe hasta el pomo, no sé si lo pilla. Me pareció que Pumuky estaba de verdad muy mal, y pensé si no estaría en realidad más enamorado de Valeria de lo que nosotros queríamos creer. A fin de cuentas, es verdad que Pumuky vivía obsesionado con su madre y eso siempre lo había sabido yo, no sólo porque me lo hubiera dicho Romano sino porque el propio Pumuky me lo había contado mucho tiempo atrás, cuando venía más a menudo por mi bar, en alguno de sus muchos pedos chungos, lamentosos y llorones. Y si Valeria se le parecía tanto... Además, Pumuky era muy orgulloso, y David Martín tenía más éxito que él. En fin, que yo creo que fue entonces cuando empezó el rodar cuesta abajo de Pumuky, y no sé si al final se acabó matando por Valeria o por su madre o por qué coño, pero sí estoy segura, segurísima de que Valeria tuvo algo que ver. Y no lo digo por rencor ni por celos ni por envidia ni nada parecido, que no soy de ésas.

Una mujer bella

L lega el verano y todos los años la misma mon-
serga. Anuncios de cremas anticelulíticas que
muestran los culos imposibles de niñas de dieciséis
años que nunca han tenido celulitis ni han necesitado
crema alguna, convenientemente retocados por el
Photoshop para eliminar granos, marcas y demás
imperfecciones. Esqueletos de chicas en bikini, piel
y huesos, lánguidas miradas, que la llaman desde
las marquesinas de los autobuses y en las fotos de las
vallas publicitarias de los centros comerciales. Cuerpos desnudos o semidesnudos que le gritan desde
todas las esquinas: estás gorda. Sufre. Ayuna. Compra. Consume. Adolescentes que sólo comen una
manzana y dos yogures al día, señoras que pedalean
como locas en la sala de *spinning* a dos pasos de la
hiperventilación. Eternas conversaciones de gimnasio
y de piscina: ¿Has probado la dieta del pomelo? No,
yo ahora estoy con el Biomanán. Y el estribillo de
esa canción que Pumuky compuso y que ahora re-

suena en la cabeza: *Ya son las nueve de la noche, no ceno, luzco tacones y minifalda, escuálida, gordísima, quemando grasa sobre la pista, ay, qué mareo, ¡dame pastillas!* Se descojona cuando lee en dos revistas, dos, de moda, sendos bienintencionados artículos sobre la epidemia de anorexia y de insatisfacción femenina con el propio cuerpo, que le llegan precisamente desde un continente que dedica un tercio de su contenido a desplegar cuidadísimas fotos de chicas filiformes. Por supuesto, a ella también le entra el mismo ataque. No me sienta bien esta falda, estos pantalones, ¡tengo que perder cinco kilos! Pero entonces se recuerda a sí misma lo que siempre le decía Romano: ¿Qué coño les das tú a los hombres para que te persigan tanto? En realidad, a la postre, a la que de verdad perseguían era a Sonia, o al menos era a Sonia a quien Romano persiguió. Valeria no entiende por qué Romano se mareó con esa niñata que de *fashion* no tiene nada, a la que le sobran curvas y le falta porte. Valeria no quiere admitir que sabe perfectamente que lo que en el fondo les gusta a los tíos son las chicas que les ríen las gracias a mandíbula batiente, que bailan en la pista bien cenadas y sin necesidad de pastillas, que les miran a los ojos, que les regalan los oídos, que se presentan cercanas y amigas, como promesas de inacabables noches de felicidad que no se alimenta de deslumbrar al ajeno, sino de su propia raíz, de una antigua y gozosa confianza, de una alegría que nunca envejece por mucho que gane kilos o arrugas. A veces Valeria siente pena por sí misma y por todas esas chicas que en su gimnasio se matan a hacer *spinning* y se intercambian dietas supuestamente milagrosas, las chicas que en los vestuarios se pellizcan los muslos examinándose la piel de naranja. Siente pena, pero no quiere sentir desprecio. No las considera idiotas, ni a ellas ni a sí misma, sólo demasiado sensibles, desesperadas por ser aceptadas, queridas, y atrapadas en una paradoja, porque cuanto más se obsesionen por gustar a todos menos se van a gustar a sí mismas, y es que de la poca autoestima emana una desesperación que es como un perfume demasiado dulzón, que espanta a los que se acercan.

El valor de la belleza se lo habían grabado a fuego a Valeria en la cabeza desde que era muy pequeña. Un ejemplo de que la belleza era más importante que cualquier otra cualidad lo proporcionaba el nacimiento viviente del colegio. Cada Navidad se organizaba un belén animado, en el que participaban niños y niñas de todos los cursos de primaria. Ser elegido para representar a san José o a la Virgen María era un gran honor, pues ambas figuras eran el centro del nacimiento, donde confluirían todas las miradas. Cuando en noviembre se anunciaban los nombres del niño y la niña que harían del uno y de la otra, los dos elegidos se pavoneaban hinchados y henchidos de orgullo. El niño que hacía de san José solía estar en los últimos cursos y había de ser más o menos alto. Pero también existía una regla no escrita que estipulaba que debía ser un niño aplicado, de buen comportamiento, y mejores buenas notas. La elección de la Virgen María nada tenía que ver, sin embargo, con los méritos académicos o de conducta de la designada para hacer de Santa Madre. Hubo un año, por ejemplo, en que hizo de Virgen María una niña del último curso que suspendía casi todas las asignaturas. Sin embargo Dorita era guapa, muy guapa, y tenía unos ojos azules que hacían juego con el celeste manto de la Sagrada Señora. Porque la Santa Madre de Dios había de ser, sobre todas las cosas, bella.

En principio, la vida debería haber sido muy fácil por entonces. Al fin y al cabo no había facturas que pagar ni caseros con los que pelearse ni cañerías que no funcionaban, y si las había, era su madre la que llamaba al fontanero. De Valeria sólo se esperaba que estudiara, y que no se hiciera notar demasiado. Y no debería haber sido demasiado difícil, puesto que a ella le encantaba estudiar. Pero a los demás no parecía gustarles tanto que ella lo hiciera. En casa, sin ir más lejos, jamás celebraron sus notas. A algunos compañeros de curso les regalaban cosas si aprobaban, pero ella, que no sólo aprobaba, sino que además sacaba sobresalientes, nunca merecía el menor elogio por parte de sus padres. Y en clase las cosas eran aún peores. Por ejemplo, hubo una tarde en que Tudela, que era el único chico medianamente inteligente de su clase —o por lo menos el único que parecía tener un gusto musical formado, que no es lo mismo pero entonces a ella se lo parecía—, le espetó en mitad de un debate sobre sexo en la clase de Ética: Y tú de estos temas qué vas a saber, empollona. El resto de los alumnos rió mucho la gracia, y acto seguido el profesor les largó una filípica sobre el respeto y los buenos modos, pero a ella se le quedaron grabados el apelativo y las risas como si se los hubieran marcado a fuego sobre la piel. Quizá por eso suspendió las Matemáticas aquella evaluación. Cuando vio que a sus padres no parecía importarles el suspenso, de la misma forma que nunca les habían importado sus sobresalientes, decidió que dejaba de estudiar. No tuvo mayores problemas con la Lengua o la Historia, no le hacía falta empollar para sacarlas adelante, le bastaba con responder a las preguntas a partir de lo que sabía por las novelas que leía (sacó sobresaliente en Historia porque escribió un resumen del *best seller Holocausto* en el examen sobre la Segunda Guerra Mundial), pero las Matemáticas y la Física se le resistían. ¿Qué podía importarle a ella cuánto tardaría en estrellarse un ascensor que descendía con una aceleración x o cuándo exactamente chocarían dos trenes que avanzaban el uno hacia el otro a una velocidad de y km/hora? Puede que si los presupuestos de los problemas no hubieran sido tan catastrofistas ella habría podido sentir algún interés. No debió de ser casualidad que precisamente cuando suspendió las Matemáticas y la Física fue cuando un chico la besó por primera vez. Y que fuera Tudela, precisamente, aquel al que le cupo el dudoso honor.

Sí, las cosas deberían haber sido fáciles por entonces. No había facturas que pagar ni caseros con los que pelearse ni cañerías que no funcionaban. No había castings a los que asistir ni representantes a los que llamar. No había drogas ni alcohol, no había condones ni sexo infectado. Y de Valeria sólo se esperaba que estudiara, y que no se hiciera notar demasiado.

Exactamente eso, que no se hiciera notar demasiado.

Su madre se pasaba las tardes sentada en el salón esperando a un padre que parecía que nunca llegaba. Cuando él salía del trabajo —un hombre seductor, joven, apuesto, en absoluto casero, del que nadie entendía por qué se había casado y por qué se había ido a casar precisamente con una mujer a la que no le gustaba nada salir— se iba a tomar cañas con sus amigos o a cualquier otro sitio y nunca llegaba hasta tardísimo, la mayoría de las veces cuando su mujer ya se había ido a la cama, cansada de esperarle.

El padre solía llamar alrededor de las siete. No voy a ir a cenar, tengo mucho trabajo, id empezando vosotras. La madre y la hija comían una frente a la otra, la mayoría de las veces sin cruzar palabra. La madre suspiraba, la hija se entretenía en dibujar formas en el plato con la comida. Después se separaban. Valeria se iba a su cuarto. La madre arrastraba los pies hacia el salón y se echaba en el sofá, desde donde contemplaba, de lejos, el programa que pasaban por televisión, al que de todas formas no prestaba demasiada atención. La madre parecía vivir una existencia ralentizada, como si sus movimientos y sus actuaciones fueran más lentas que las del resto de los mortales. Sólo el ruido del ascensor podía sacarla de su letargo. Si lo escuchaba, se activaba como por un resorte. Cuando, al cabo de unos minutos, comprobaba que el ascensor no se había detenido en su piso, volvía a sumirse en su apatía. Valeria se sentía paralizada entre la compasión y el desprecio, entre el amor y el odio que sentía hacia su madre, entre el vértigo que le causaba aquel espectáculo patético y la impotencia, el malestar casi físico, de contemplarlo con ojos sorprendidos y asqueados y no poder hacer nada por cambiar el guión o alterar la disposición del escenario. La madre vivía atrapada en una trampa en la que ella misma se había metido, inmovilizada, obstinada en una desolación para la que no admitía ni alivio, ni descanso ni matices. Valeria no entendía gran cosa de la situación —años más tarde se dio cuenta de que su madre estaba clínicamente deprimida— pero tenía la impresión de que las ausencias de su padre habían colocado a su madre a la defensiva. Cuando ambas caminaban por la calle, de paseo o de compras, Valeria advertía en la expresión de su madre una precaución y una desconfianza enfermizas hacia los hombres que miraban a la hija.

A veces el padre desaparecía durante semanas. Se iba de viaje de negocios, decía la madre. Pero nunca llamaba. Ni había ninguna explicación sobre cuándo volvería. Valeria entendía que no había que hacer preguntas al respecto. Cuando se ausentaba durante mucho tiempo, Valeria notaba su falta de una forma casi palpable, pero también notaba que se acostumbraba resignadamente a esa ausencia, como echaba de menos a alguna muñeca de la infancia que su madre había acabado por tirar a la basura. Si las ausencias se prolongaban demasiado, la madre se pasaba largas horas hablando por teléfono con una amiga, siempre la misma, en voz baja y entre aparatosos suspiros. Una parte de Valeria filtraba la información que no se creía capaz de soportar —las quejas de la madre, su deseo de morir, los insultos al padre, las alusiones a otras mujeres—, y de las conversaciones sólo retenía la posibilidad de regreso del padre. Nunca se iba del todo, siempre acababa por volver, pero su presencia era como de extra en una película, no parecía que fuese particularmente significativa. Valeria siempre tuvo muy claro que su padre no las quería a ninguna de las dos. No sólo que no las quería, sino que además ni siquiera se fijaba en ellas.

Valeria había sido una niña guapa, aunque regordeta, y quizá por eso, creía ella, nunca había podido ser la Virgen María en el belén viviente. Pero de pronto, a los catorce años, el patito feo pegó el estirón y se convirtió en un cisne de ojos azules y cuello largo. Y se hizo visible. El descubrimiento de que la belleza servía para obtener un tipo de atención que hasta entonces nunca había recibido ni de su madre ni de su padre ni de los profesores le sorprendió muchísimo, pero también la asustó. Qué guapa eres, le decía Tudela. Pero cuando Valeria se atrevió a enseñarle sus poesías le dijo que eran ñoñas e infantiles. Cuando entras en un bar, parece que un foco te iluminara, todo el mundo se te queda mirando, le dijo Julián. Pero Julián era el mismo que la llamó pedante el día que ella intentó explicarle entusiasmada por qué le había emocionado tanto la lectura de un libro de la Beauvoir. Llevo meses mirándote en el autobús, tú no te fijabas en mí pero yo en ti sí, no sabía qué hacer para llamar tu atención, le dijo Santiago. Pero Santiago fue el mismo que se enfadó terriblemente el día en que Valeria le señaló que se había equivocado al coger el desvío de la carretera porque había interpretado mal una señal, y que le reprochó que la tratara como una profesora trata a un alumno. La primera vez que te vi le pegué un codazo al chico que estaba a mi lado, y cuando me dijo que te conocía no paré hasta que nos presentaron, le dijo Mikel. Pero Mikel era el mismo que le pedía, cuando ella llevaba alguna cinta que quería que escucharan en el coche, que apagara aquella música ratonera, por favor. Valeria extrajo, pues, de sus primeros amoríos, una conclusión clara. A los hombres les gustaba el envoltorio, la cáscara, pero en realidad no les gustaba el interior, la Valeria esencial.

No les gustaba que leyera libros que ellos no habían leído o que escuchara a grupos de los que ni siquiera habían oído hablar. No les gustaba que ella fuera más lista y que a veces les llevara la contraria. Y le venían a la cabeza aquellas frases que su madre le había repetido durante años y que se le habían grabado a fuego en la programación inconsciente. «Con ese carácter, hija, no vas a encontrar hombre que te aguante» o «El día que traigas un novio a casa y vea el desorden de tu cuarto, se te acaba la relación». Acabó no fiándose mucho de ninguno, y tratándoles verdaderamente mal. Era borde, fría y arisca, porque tenía el íntimo convencimiento de que antes o después iban a dejarla o a traicionarla, cuando descubrieran lo que había debajo del bello envoltorio, así que prefería acelerar el proceso. Normalmente, ellos se cansaban antes, pero si algún heroico y esforzado pretendiente aguantaba sus locuras mucho tiempo, era ella la que un día decía adiós. Nunca estaba sola porque siempre había una larga lista de aspirantes a llevarla del brazo. Los encontraba en todas partes: en los bares, en las cafeterías, en los parques. La seguían por la calle, le dejaban notas en el buzón. Ella los despreciaba pero también los necesitaba. Quería seguir sintiéndose visible.

Y así fue como la alumna de sobresalientes no llegó a ir a la universidad. No fue una decisión consciente, pero lo cierto es que nadie la animó a que usara la cabeza para algo más que para lucir la sedosa melena rubia que se la adornaba. Cuando cumplió dieciocho años, la propia madre de Valeria la acompañó a Madrid para que se entrevistara con la directora de una agencia de modelos, una señora en la que la madre confiaba a ciegas porque habían ido al mismo colegio. Fue la primera vez en muchos años en la que Valeria vio a su madre entusiasmarse por algo. La señora le había dicho por teléfono que si la chica no valía ella se lo haría saber inmediatamente, porque, le explicó, la mayoría de las que se llaman agencias de modelos no son sino agencias de prostitución encubiertas. Pero nosotros somos serios, añadió, sólo trabajamos con las mejores y sólo trabajamos en moda y publicidad, nada de historias turbias. Si la niña no vale, te lo diré y no te daré falsas esperanzas. Pero la niña valía, claro que valía. Valía su altura y valía su piel de porcelana y valía su cara de muñeca pero sobre todo valía, eso lo recalcó mucho la señora, su clase. Lo bien que anda esta niña, lo bien que se mueve, eso no se paga con dinero. Y la madre se esponjaba de orgullo, encastillada en una vanidad delegada. Sí, la niña es guapa, me lo han dicho siempre. Y después vinieron las fotos en *Telva* y después un año en Milán compartiendo apartamento con otras cuatro chicas tan guapas como ella, un año presentándose a castings, un año de depresión absoluta, la decisión de que no quería ser modelo. Vuelta a Madrid, al apartamento que su padre le regala al cumplir los veintiún años, porque la familia de Valeria —¿lo hemos mencionado?— es rica, dos años en una escuela de arte dramático, protagonista de varios cortos, y de muchos más anuncios que le dan el suficiente dinero como para poder pagarse la comida y los trapos aunque de vez en cuando Valeria no tiene ningún reparo en llamar a casa para pedir dinero. Otra vez pateándose la ciudad de casting en casting, papelitos pequeños en series de televisión, alguna sesión en una película que ni siquiera llegó a estrenarse en salas comerciales. La sensación de que su vida estaba completamente vacía. Muchos amantes. Fotógrafos, realizadores, actores, guionistas, escritores, periodistas. Peldaños de una escalera por la que ella quiere subir pero por la que siempre acaba resbalando. Unos cuantos descalabros por el camino.

Y una noche, en una fiesta, aparece Romano.

Varias investigaciones psicológicas demuestran lo decisivo de los recuerdos infantiles, conscientes e inconscientes, a la hora de elegir una pareja adulta. Parece ser que antes de que una persona se fije en otra ya ha construido un mapa mental —el llamado mapa del amor—, un molde evolutivo que se forma en nuestros cerebros, y que conforma un modelo a seguir, una imagen única del amor, tan única como lo son nuestras impresiones digitales. Los niños desarrollan esos mapas entre los tres y ocho años de edad, a partir del conjunto entre lo heredado biológicamente y lo adquirido mediante las distintas interacciones compartidas con miembros de la familia, o con amigos, y a través de experiencias y hechos fortuitos a lo largo de la vida. El mapa del amor existe primero en la mente, en los sueños y fantasías, y luego esas imágenes, tras la pubertad, pueden ser traducidas a la acción con un compañero o compañera. Así pues, antes de que el verdadero amor llame a su puerta un hombre o una mujer ya ha elaborado los rasgos esenciales de la persona ideal a quien amar.

En el caso de Valeria su mapa del amor estaba muy bien delimitado y exigía del objeto amado ciertas características. Los hombres debían ser altos, atléticos o al menos anchos (hombres grandes, como se suele decir coloquialmente) y debían tener patillas, manos bonitas, voces graves y cierto estudiado desaliño en el vestir. Resultaba imprescindible un sentido del humor muy ácido y una amplia cultura general. Vestir de negro suponía un plus.

Si alguien se decidiera a iniciar un estudio arqueológico en el territorio sentimental de Valeria probablemente encontrara la huella que dejó su padre, la forma en que vestía, la música que escuchaba, los libros que leía, las actitudes que adoptaba e incluso sus patillas, aquel estilo que estuvo tan de moda en la niñez de Valeria.

Tal era la devoción de Valeria por un tipo determinado de hombre —un tipo que se daba en Tudela, en Santiago, en Julián, en Mikel y en muchos otros: el mismo hombre, muchos hombres diferentes— que antes de que Valeria se marchase a Madrid, cuando Valeria llegó tarde a una cita en la que había quedado con su novio de entonces y con una amiga que la conocía de toda la vida, se los encontró a los dos sentados en la misma mesa del muy concurrido bar. La amiga había reconocido al novio nada más entrar por la puerta: alto, elegantemente desaliñado, manos muy grandes, patillas.

En cuanto al mapa del amor de Romano, sabemos que incluía estas características: mujeres asertivas, altas, inteligentes, irónicas, de cabello y piernas largas, manos lunares, bocas carnosas y gestos amplios, con una marcada debilidad por las narices muy rectas pero no pequeñas. El mismo tipo que se repetía en Valeria y en Sonia —quizá distintas a primera vista pero con muchos rasgos comunes que un observador entrenado habría sabido reconocer— y que se remontaba sin duda a Sabina.

De forma que en aquella fiesta, cuando Romano y Valeria chocaron como dos estrellas que colisionan en el espacio, cada uno activó la programación mental del otro, provocando una especie de shock químico en sus respectivos circuitos neuronales.

Las mujeres emiten feromonas al ovular, como cualesquiera otras hembras mamíferas, hormonas que se transmiten a partir del sudor y que los hombres pueden percibir aunque no sean conscientes de ello. Por su parte, a partir de las feromonas transmitidas en el sudor masculino, las mujeres detectan, también de forma completamente inconsciente, el complejo de histocompatibilidad mayor (CHM) del sistema inmune, y sienten mayor atracción por los varones con un CHM diferente al propio. Resumiendo, cuando una mujer está ovulando resulta más atractiva para los hombres. Pero además, la pituitaria de esa mujer es más receptiva y a partir de la secreción del sudor de los varones es capaz de detectar información transmitida en las feromonas del hombre, de manera que, sin saberlo, se sentirá inmediatamente atraída por un sujeto genéticamente compatible.

Aquella noche Valeria había bailado durante una buena media hora en la pista del club y por lo tanto sudaba copiosamente y segregaba feromonas a ritmo de cadena industrial. Hemos de suponer que estaba ovulando aunque no tengamos constancia fehaciente de este hecho, dado que el ciclo menstrual de Valeria es tan caótico como su propia personalidad. Romano también sudaba, y rápidamente Valeria detectó, aun sin saberlo, un CHM compatible. Estos hechos, unidos a la coincidencia de sus respectivos mapas del amor, desataron una tormenta química que les forzó a fundirse en un beso.

La saliva masculina transporta testosterona, un afrodisiaco natural. El nivel de testosterona de Romano podría ser más alto de lo normal, un hecho deducido a partir de factores como el tamaño de su pene y de sus manos, la abundancia de su vello corporal, su altura y una incipiente alopecia casi indetectable, que se manifestará en su plenitud a partir de la treintena, todas ellas características secundarias exclusivamente masculinas e indicios evidentes por lo tanto de un alto nivel de hormona masculina.

Desde aquel preciso instante los respectivos sistemas nerviosos de nuestros protagonistas se pusieron en marcha y se produjeron sendas descargas de feniletilamina (FEA), un compuesto de la familia de las anfetaminas que desata la pasión. Casi inmediatamente después vinieron las descargas de dopamina, que es el neurotransmisor relacionado con el placer y la recompensa. Las descargas de ambas sustancias provocaron en Romano y Valeria una necesidad incontrolable de sexo, que se resolvió casi inmediatamente.

Tras cada encuentro sexual (y aquella noche y en la mañana siguiente hubo varios) se mezclaba con la oxitocina (la hormona de la confianza y el apego), la serotonina (que genera bienestar), la dopamina y la noradrenalina (que dilatan las pupilas y aceleran la tensión). Esto explica por qué al día siguiente los dos tenían la sensación de conocerse de toda la vida, por qué estaban dispuestos a hacerse confidencias que nunca le hubieran hecho a nadie y por qué se sentían tan acelerados y eufóricos a pesar de que casi no habían dormido. Para colmo, la descarga de dopamina inhibió en ambos las labores del córtex frontal, donde reside la racionalidad y el sentido crítico.

A partir de ese momento la cultura popular afirma que nuestros protagonistas se habían enamorado. Algunos podrían objetar que un enfoque cientificista de este hecho despoja de contenido romántico el asunto, pero lo cierto es que la explicación científica de un tsunami (el fondo marino se desplaza en sentido vertical, de modo que el océano es impulsado fuera de su equilibrio normal, y cuando esta inmensa masa de agua trata de recuperar su equilibrio, se genera un maremoto) no le resta a la ola gigante ni majestuosidad ni tragedia. Y desde luego, lo que sucedió desde aquel 15 de octubre no se puede catalogar de otra manera que de fenómeno natural. Como dijo uno de los autores favoritos de Valeria, el amor no es sino una negra tormenta que se desencadena en la estación equivocada.

En ese sentido, las comedias románticas tenían razón: era el destino, estaban hechos el uno para el otro. Cada cual venía diseñando al otro en su cabeza desde los tres años y para colmo tenían genes compatibles. No pudieron evitarlo. Las tragedias griegas lo advertían: el fondo común de lo trágico siempre estriba en la lucha contra un destino inexorable.

Valeria cree al principio que se había ido a la cama con Romano como podría haberse ido con cualquier otro. No es hasta la mañana siguiente, cuando le oye hablar, cuando se da cuenta de que Romano no es cualquier otro. De que Romano la escucha cuando habla. De que Romano le prepara el desayuno. De que Romano habla de las cosas que pueden hacer juntos, de los sitios que quiere que ella conozca, de la madre y los amigos a los que quiere presentarle. De que Romano le hace reír con sus chistes y le hace pensar con sus observaciones. De que Romano sí ha leído los libros que ella lee y sí ha escuchado a los grupos que ella escucha, y mucho más. Romano ha visto películas, Romano va a exposiciones, Romano le dice que es lista, que la admira. Valeria sospecha que Romano es distinto a los demás y lo va confirmando según pasan los días, cuando la lleva a los sitios prometidos, cuando le presenta a su madre y a sus amigos, cuando descubre que Romano valora sus observaciones, cuando piensa que, por una vez, alguien cree que su cabeza vale para algo más que para lucir el sedoso y rubio pelo.

Es tan ingenua Valeria, o tan segura está de su belleza, o tan ciega en su enamoramiento, tan subida en su nube y tan alejada de la Tierra, que no sospecha nada cuando conoce a Sonia, ni se le ocurre pensar que la camarera pueda ser algo diferente a lo que Romano le ha dicho que es: una muy buena amiga. Y además, se le ve a Romano tan entregado, tan embelesado en su enamoramiento, que Valeria no concibe siquiera que él tenga ojos para otra mujer. Por eso, cuando le comenta a su novio la idea de compartir el piso, y cuando él sugiere el nombre de Sonia, no imagina ninguna amenaza, y acoge a Sonia en su casa como a un pájaro cuco que vendrá a robarle el nido.

Pero poco a poco Valeria va bajando de su nube cuando Romano deja de ser el novio perfecto y se le ve cada día más distraído y menos entregado. Al principio Romano llamaba varias veces al día y enviaba una decena de mensajes. Luego las llamadas y los mensajes se fueron espaciando. Más tarde fue ella la que llamaba. Y por fin, Romano empezó a dejar de coger las llamadas, y tardaba incluso un día en responder a los mensajes. Cuando empezaron a salir juntos, dormía con ella casi todas las noches, y después dormía en casa de su madre, y por fin Valeria se dio cuenta de que no sabía dónde dormía Romano cuando no dormía con ella. Y Sonia, por su parte, también había cambiado. Al principio se mostraba amable y complaciente, con la discreta gratitud de un perro recogido, pero de un tiempo a aquella parte se mostraba cada vez más rara, huidiza y esquiva. Pero lo cierto es que Valeria tardó mucho en sumar dos y dos. No se dio cuenta de lo que estaba pasando hasta una tarde en la que, recién llegada de Barcelona, encontró una de las púas del bajo de Romano (siempre las mismas, Fender) tirada en medio del pasillo. Ese detalle no hubiera tenido nada de particular si no fuera porque dos días antes, justo antes de irse a Barcelona, Valeria había pasado el aspirador por todo el apartamento. Por lo tanto, si había una púa de Romano en el suelo, eso quería decir que Romano había estado allí cuando ella no estaba. Y eso sólo podía significar una cosa.

Pensó en encarar directamente a Romano pero sabía que él lo negaría todo, y que el hallazgo de la púa no constituía una prueba concluyente. Seguro que él encontraba una excusa, o podría decirle que la púa era de otro, de otro que se la había regalado a Sonia. Así que Valeria tuvo que recurrir al más rastrero y al más manido de los trucos: el móvil. Hubo de esperar con paciencia digna de una santa a que Romano fuera al cuarto de baño para mirar los mensajes. Nada comprometedor. Excepto un mensaje de Sonia: «Anoxe no staba xq tenía gripe. Cdo vngs a bscarm avisa ants. No stoy smpre a tu dspsición, sabs? ☺ bss». Podía ser el mensaje de una amiga. O no.

Le quedaba recurrir a un segundo truco rastrero. Anunció que se iba a Barcelona por tres días y, para que quedara claro el tiempo que iba a tardar, le encareció a Sonia que estuviera a la espera de un paquete que le tenía que llegar por mensajero, dado que ella misma no podría recogerlo. Así le quedó claro que Sonia creería contar con tres días de apartamento libre, y Romano también, pues a él le había dicho claro y expreso cuándo iba a volver.

Cuando regresaba a su casa, a las ocho de la mañana, cuarenta y ocho horas antes de la fecha señalada, aún creía que no encontraría a Sonia y Romano juntos. Tenía incluso preparada la excusa que pensaba dar para su llegada anticipada: la tía de Sergio había sufrido una apoplejía y ambos habían tenido que regresar de urgencia. Sabía que si realmente tenían un asunto y no los sorprendía en esa ocasión, ya nunca tendría la oportunidad de hacerlo, puesto que no estarían tan locos de acostarse en el apartamento de ella sabiendo que Valeria siempre podría regresar antes de tiempo. Se decía a sí misma que era una paranoica, una exagerada, que todo era fruto de su imaginación, que en realidad nada había entre ellos dos, y estaba prácticamente convencida de ello cuando introdujo la llave en la cerradura. Se sentía culpable incluso de haber dudado de ambos.

Pero en el momento en el que se encontró la chupa de cuero de Romano colgada en el perchero, la culpabilidad se disolvió y la rabia vino a sustituirla.

Cuando abrió la puerta y los vio, no sintió el dolor físico que había previsto, el dolor que habría impedido todo pensamiento, sólo tenía la extraña sensación de que el cerebro se le llenaba de agua, que se ahogaba lentamente.

Erguida y temblorosa, fulminó a Sonia con el sombrío resplandor de sus ojos muy abiertos, y luego con la mayor seriedad y compostura le dijo: «Mañana mismo te vas, tú sabrás dónde, pero no quiero volver a verte». Valeria percibió su propio tono calmo, como si le llegara desde lejos. En realidad, apenas si podía pronunciar palabra, tenía la boca entumecida, la cara rígida por la propia ira reprimida.

Valeria sufría. Pero no lo hacía notar. Al fin y al cabo, llevaba años sufriendo pero sin quitarse nunca la sonrisa desdeñosa y festiva, calada como una máscara. No les iba a conceder ni a Sonia ni a Romano la victoria definitiva de verla llorar o perder la calma.

Pumuky estaba ahí, esperando, lo había estado desde el principio. Mientras estaba con Romano, Pumuky siempre le dedicó miradas cargadas de sobreentendidos, sonrisas malévolas, frases de doble sentido. El deseo estaba siempre presente porque siempre fue vencido, en todas las ofertas que Pumuky le hacía y que fueron rechazadas, en el estímulo que precisamente por inhibido se había sublimado en renuncia y había crecido hasta parecerse peligrosamente al verdadero amor. Y sí, al principio ella había creído que estaba algo, algo, enamorada de Pumuky, como parecía estarlo casi todo el mundo.

Cada vez que habían coincidido, y habían sido muchas, una mirada, una sonrisa, un gesto amable, le indicaban que él estaba ahí, al alcance de la mano. Pero por si las miradas, las sonrisas y los gestos fueran ambiguos o equívocos, Pumuky se encargó de dejárselo bien clarito y expreso. Sucedió, precisamente, en el bar de Sonia. Romano había salido a atender una llamada porque en aquel garito había poca cobertura, y la llamada se alargó durante casi media hora. Sonia estaba atendiendo a los clientes y Mario ligaba con unas chicas muy jóvenes. Pumuky y Valeria se enzarzaron en una conversación de lo más banal sobre zapatillas de deporte. Aquella noche Valeria llevaba unas Converse de color rosa y Pumuky se preguntaba si podría encontrarlas en el número 44. Decía que le encantaría tener unas Converse rosas, que resultaría de lo más provocador. Valeria le dijo que sabía qué gabinete se encargaba de la imagen de Converse, y que seguro que se las regalaban siempre que él las luciera en los conciertos. Una conversación ridícula, desde luego. No recuerda cómo ni en qué momento Pumuky soltó la perla. Valeria, me da igual qué zapatillas o qué zapatos lleves, por mí podrías ir vestida de harapos o de monja. Me parecerías siempre la mujer más guapa del mundo. Lo único que me jode es que Romano te pillara antes.

Había oído mil veces expresiones así o parecidas. Pumuky nada dijo de me pareces inteligente, o ingeniosa o dulce. El enamoramiento se desvaneció. Pumuky era como los demás, pero el que estaba más a mano y también el que más daño haría a Romano.

Todo fue tan simple como pulsar nueve dígitos. Al otro lado de la línea estaba la oportunidad de la venganza. No fue el deseo lo que la llevó hacia Pumuky, sino el orgullo herido, la humillación ardiente de una reina que ha sido traicionada por un lacayo y engañada por una fregona.

Pero Pumuky no era Romano. Romano era tranquilo y calmado. Pumuky era un torbellino con patas. La tenía siempre en danza, de aquí para allá. La llevaba de la mano de un lado a otro, de un *vernissage* a una *performance,* de allí a una inauguración, a un estreno, a un concierto de un bar a otro, siempre diferentes, siempre parecidos, demasiado alta la música, demasiado apretujada la gente, demasiado enrarecido el ambiente por el humo de los cigarrillos, los dos cogidos de la mano, en la otra un vaso frío y largo, asiéndose a veces de la cintura para descubrir bajo la piel finísima la sorprendente e inesperada dureza de los huesos —tan delgados los dos y tan pálidos que pudieran haber sido hermanos en lugar de amantes—, aislados y protegidos por el ruido y el tumulto, por la música y el humo, enlazados el uno al otro por una intimidad recién descubierta y algo extraña, en esos locales en los que nadie conoce a nadie, garitos apenas iluminados por el chisporroteo de los cigarros —porque aquí no ha llegado la cartesianeidad europea que prohíbe fumar en los bares—, en el límite mismo de la invisibilidad, antros en los que Pumuky olfateaba la noche como un perro de presa, restregándose contra Valeria como si de ese contacto hubiera de brotar la luz, con una intensidad ansiosa que parecía nacida de la desesperación, embriagado del entusiasmo y la fiebre de la caza, poseído por la absurda y ansiosísima esperanza de que la dicha aún se presentaría en su vida como un huracán maravilloso e irrevocable, una brusca fortuna que merecía, que le era debida. La ciudad era para Pumuky como un tiovivo en el que uno tenía que ir cambiando constantemente de un caballito a otro, un aturdidor vértigo de música y de luces en perpetuo movimiento, que él atravesaba dispensando aquí y allá breves movimientos de cabeza y pequeños ademanes estudiados con la mano, mientras el aire parecía abrirse a su paso como la hierba alta. Si por él fuera, nunca dormirían. Parecía que le costaba entender que Valeria tenía un trabajo que le encantaba. Pero a Pumuky —pronto se dio cuenta Valeria— no le gustaba estar quieto. Lo que le gustaba era que lo vieran, y sobre todo que lo vieran con ella. Le entusiasmaba presentarla a cualquier persona con la que se cruzaban. Te presento a mi novia, decía, y ni siquiera añadía el nombre, como si con el posesivo bastara. Y en cuanto veía la ocasión, quería que les sacaran fotos, siempre juntos, como si fueran un animal bicéfalo. De vez en cuando echaba una ojeada a su alrededor para cerciorarse de que los otros hombres le envidiaban. Al principio resultaba divertido y excitante, pero enseguida se convirtió en un juego agotador. Valeria siempre tenía sueño y Pumuky siempre tenía el remedio mágico a mano: unos polvitos blancos que la despertaban, que mantenían la exaltación en la cabeza sin aflojar las piernas.

El sexo con Romano, aquellos apasionados acoplamientos y contiendas, aquellos placeres y dolores mutuos, había resultado absorbente hasta un nivel casi demencial. Deslumbrados ambos, punteado el silencio por la respiración y los jadeos, y los ritmos emocionantes y toscos del sexo, y algún ¿te gusta, zorrita?,

—que hubiera debido sonar cómico pero que, muy al contrario, excitaba a Valeria hasta el paroxismo, porque le encantaba que Romano lo verbalizara todo, y porque aquel *franc parler* la alentaba a ella a explorar todas las posibilidades de su propio cuerpo, a veces de un modo tan temerario como devoto—, buscándose a tientas en la oscuridad, ansiosos de más contacto, medían sus fuerzas y aprendían nuevas habilidades, y cualquier movimiento de Romano producía en Valeria una reacción inmediata; le recibía con las piernas abiertas, con la boca abierta, con una abierta necesidad que rayaba en el delirio. A veces se enzarzaban en luchas absurdas, aferrándose con violencia en el sofá, arrancándose la ropa a tirones —algunos de los modelos más caros de Valeria perdieron los botones o se rasgaron—, cayéndose al suelo, estirándose, retorciéndose, pegajosamente próximos, sin reglas. Cuando Romano se quedaba en calzoncillos y Valeria contemplaba cómo aquella sucinta prenda apenas retenía la polla tensa, se sentía enferma de deseo, y tenía que acariciarla a través del fino algodón. Después le bajaba la prenda, cogía el miembro en la mano, lo sopesaba con la lengua, acariciaba el frenillo con la punta para conseguir volverle a él loco, se lo introducía en la boca y notaba la cabeza roma contra el velo del paladar, empujando hacia la garganta, mareada Valeria por el aroma dulzón y viscoso que exhalaba, como una flor exótica y letal, la polla de Romano. Adoraba que él la follara a cuatro patas con estremecedora y despaciosa vehemencia, dando a cada embestida, cuando tenía el miembro hundido hasta los testículos, un último desvío indagatorio que le hacía a Valeria gemir de placer y gruñir de dolor, que le metiera a la vez un dedo en el culo, sentir cómo el dedo y la polla se tocaban apenas separados por una fina membrana; adoraba sentirse absolutamente llena de él, todo el cuerpo concentrado en la entrepierna desde la que emanaban como en círculos concéntricos oleadas de placer que al final se resolvían en lentas y hondas convulsiones. Fue muy extraño pasar del cuerpo fuerte y compacto, tosco y recio, lleno de líneas convexas, de Romano, de aquellos brazos largos y potentes, con las masas fugaces bien distribuidas que se formaban a la mínima flexión, al cuerpo flaco y desgarbado de Pumuky, un cuerpo liso y suave, sin vello, tallado en músculo y fibra, en el que se marcaban una a una las costillas como en los personajes de los frescos y retablos medievales, y que inspiraba cierta sorpresa en su desamparo; y del estilo salvaje y decidido de Romano a la dulzura tierna y tímida de un Pumuky que la besaba incansablemente en los ojos, en la garganta, en la boca, en los pechos, que le acariciaba con la mano la cintura, los muslos, el hueco tibio entre las piernas, sin dejar de preguntar ¿estás bien, reina?, ¿tienes frío?, ¿estás cómoda?, ¿te sientes a gusto?, como si Valeria estuviera hecha de cristal o de porcelana y pudiera rompérsele de pronto entre las manos, y Valeria asentía en silencio y se abandonaba a aquella violenta y repentina ternura, y se

refugiaba en el hueco de su hombro porque aquel torso pálido casi resplandecía de tan hermoso y casi irreal
y le conmovía la forma en la que él la trataba, como si
le hablara a una niña que se hubiera despertado asustada en mitad de la noche, amándola con silenciosa
languidez y con una entrega reservada, inexperta a
veces, imitativa. Cuando él la acariciaba con las puntas
de los dedos, y yacía allí, desnudo, a su lado, como si
afirmara la única certidumbre de su vida, a ella le fascinaba aquella especie de don de entrega, esa necesidad
tan evidente de amar y ser amado, y le dejaba que, de
rodillas a su lado, la besara y la lamiera y la acariciara,
mientras se ahogaba en el torrente de palabras tiernas
que él le dedicaba, en un río de incredulidad ante el
hecho de que todo pudiera ser a la vez tan igual y tan
distinto; y sentía el cuerpo extrañamente pasivo, como
lejano, y una mano de él en cada seno, una lengua en
su lengua, un quererse creer aquel delirante andamia-
je de fantasías al que Pumuky se empeñaba en llamar
amor, un cierto cosquilleo, un placer agradable y en-
volvente, un dejarse llevar y querer, dócil y enajena-
da, fraternalmente suya, bajadas las defensas, o anu-
ladas. Pero aquello no era deseo, ni pasión. Casi no
era siquiera sexo. Era exactamente eso, necesidad.

El desastre de la cabeza de Pumuky sólo podía com-
pararse al desastre de su casa. Valeria, tan pulcra y
ordenada, (porque no se cumplieron las agoreras pre-

dicciones de la madre y Valeria, en cuanto dispuso de un espacio propio que nadie la obligaba a limpiar o recoger, se convirtió en un ama de casa modélica), no concebía cómo se podía vivir en semejante leonera. El polvo acumulado en los muebles era tanto y tan espeso que éstos habían adquirido una pátina grisácea, y por todas partes se hacinaban montones de cosas: de libros, de revistas, de antiguos vinilos, de papeles emborronados con esbozos de poemas o de letras de canciones. Valeria entendía que la decoración de una habitación y la disposición del mobiliario tenían poder para crear una impresión dolorosa y afectar el carácter de quien viviera en una casa. Sabía también que Pumuky vivía encadenado a la casa por una creencia supersticiosa en el espíritu o el recuerdo de su madre, cuya supuesta fuerza expresaba a menudo en términos sombríos. Mi madre no se ha ido de aquí, decía él. A veces la siento mirarme, a veces se me presenta en sueños. La casa era lúgubre de por sí y aquel autorretrato de la madre que presidía el salón se le antojaba a Valeria lo más tétrico de todo, como si la muerta dirigiera desde su trono su reino de tinieblas. Lo peor era el evidente parecido entre las dos. El mismo cabello largo y rubio, los mismos ojos rasgados, el mismo corte de mandíbula.

Le gusto demasiado, pensaba a veces Valeria, porque no entendía aquella pasión de Pumuky, aquella obsesión por querer llamarla todos los días, por enviarle mensajes cada cinco minutos, por decir y repetir que ella era la mujer de su vida. Y Valeria intuía que él no la quería por lo que ella era, sino por lo que representaba, por algo a lo que la asociaba. Imaginaba que el amor de Pumuky tenía que ser algo más que la fascinación ante la belleza, una belleza que de todas formas Pumuky también poseía. Pensaba más bien que aquella obsesión sería el resultado de sucesos pretéritos, de acontecimientos ignorados, hacía tiempo terminados, pero cuyo reflejo todavía reverberaba; de correspondencias y parecidos con otros amores anteriores o incluso simultáneos que ella ignoraba, pero que se reflejaban en el ardor de sus ojos y en el temblor de las palabras que le dedicaba, en todas aquellas atenciones y desvelos excesivos, teniendo en cuenta que casi no se conocían.

Me ama porque le recuerdo a su madre, y a quién sabe qué historias que no quiero ni imaginar.

Me ama porque me parezco a su madre, pensó el primer día que entró en aquel piso.

Le gusto porque Romano me ha tenido, pensó al cabo de un mes.

Porque la obsesión de Pumuky con Romano era evidente. Hablaba de él a todas horas, y lo peor es que probablemente ni siquiera se daba cuenta de que lo hacía. Si iban a ver una película, salía a colación la opinión que Romano tenía del director; si asistían a un concierto, Pumuky recordaba que fue Romano el que le alertó de la existencia del grupo; y si iban a ver una exposición, resultaba que el artista era íntimo de

Sabina. Para Valeria, era evidente que Pumuky estaba más enamorado de Romano que de ella. La noche en la que Pumuky, en la cama, le preguntó aquello de «Dime, ¿Romano folla bien?», Valeria decidió que ya había tenido suficiente. Y saltó de Pumuky a David como si avanzara de liana en liana por la selva de los aspirantes al triunfo artístico. Ni el uno ni el otro le importaban gran cosa pero David, desde luego, era mejor pasaporte para la fama que Pumuky.

Con Romano había sido distinto, a Romano lo había querido.

Pero no quería ni acordarse de ello.

Habría preferido decírselo ella misma a Pumuky y sintió mucho que se enterara de aquella manera. Al fin y al cabo, Pumuky era buen chico y la había tratado bien. Pero nunca pensó que Pumuky se lo fuera a tomar así. Le enviaba a diario decenas de mensajes de todos los tonos, desde el indignado al suplicante, pasando por el irónico, y le hacía montones de llamadas que ella nunca cogía, hasta el punto de que Valeria tuvo que desconectar el móvil. Su insistencia, al principio halagadora, acabó por resultar terrorífica.

Una mañana, cuando se disponía a abrir la tienda, sintió, de repente, que tenía a alguien detrás, alguien que se acercaba. Se dio la vuelta. Tenía ante sí a un Pumuky pálido, desencajado, los azules ojos enmarcados por unas ojeras casi negras, que se acercó lentamente hacia ella con el paso cansino del animal que no encuentra la salida de la jaula.

—Valeria...

—Qué...

—Te he seguido.

—Ya veo.

—Lo estoy pasando fatal, Valeria, y no comprendo...

—No hay nada que comprender.

—¿No me encuentras cambiado?

—Sí, te encuentro cambiado, tienes mala cara, deberías irte a casa.

—Me debes una explicación.

—No te debo nada.

—Sí que me debes. No me puedes dejar tirado como a una colilla en una acera. ¿Acaso no significaba nada para ti?

Valeria se le quedó mirando de arriba abajo. Venía escasísimo de carne: siempre había sido delgado pero ahora era poco más que el pellejo agarrado al cuerpo, y los ojos se le habían agrandado de forma que los traía encendidos y abultados. La voz le salía desmayada y fatigosa y los labios se veían resecos y como tostados de la calentura. Tenía toda la pinta de no haber dormido en toda la noche, en varias noches. La camiseta estaba sucia y arrugada, los vaqueros raídos, las zapatillas negras de algo que parecía barro, el pelo pringoso, los ojos rojos, las ojeras negras, el rostro blanco.

—No, nada. No significabas nada. ¿Es eso lo que quieres oír? ¿Qué ganas poniéndote en ridículo de esta manera, acosándome así?

—¿Y de verdad te acuestas con ese..., con ese gilipollas?

—No es gilipollas. Y sí, me acuesto con él, aunque no es asunto tuyo.

—Mío y de todos los que compran la mierda de revista del corazón en la que salíais magreándoos. Joder, tía, es que tú no sabes ni imaginas siquiera lo que sentí cuando os vi porque... —hablaba atropelladamente con una excitación nerviosa que ya rayaba en el desvarío.

Valeria respiró profundamente y apartó los ojos del rostro de Pumuky. De repente le odiaba. Sentía por él un asco profundo, un hartazgo inconmensurable.

—Me voy a matar, me voy a matar... —dijo él con una voz sin timbre, como de perro acostumbrado a dormir al relente.

—Una amenaza así no se repite, se realiza. —El rostro de Valeria se iluminaba de alegre ferocidad, disfrutaba siendo cruel, lanzando contra él todo el odio que le inspiraba, como un rebote duro de pelota—. ¿Sabes lo que te digo, Pumuky? Mátate, mátate ahora mismo. ¿Cómo no se te ha ocurrido antes? Así me dejarías en paz de una puta vez.

Pumuky se quedó mirándola de hito en hito durante unos segundos que se hicieron eternos.

—¿De verdad quieres que me muera? —articuló al fin, en un tono de voz que parecía repentinamente serenado.

—Pues sí. Si tanto me amas y yo no te amo, mejor será que te mates y que dejes de perseguirme. Porque cuando se ama se muere del mismo amor, ¿no? Dímelo tú. Y si de verdad me amas, te agradecería mucho que me dejaras vivir en paz.

Pumuky se dio la vuelta, sin decir palabra, y ella se sintió milagrosamente aliviada. Fue la última vez que lo vio. Se enteró de que él la había dejado para siempre de la misma manera que se había enterado él de que ella le había dejado: por la tele.

Y o les he oído decir a alguno y a alguna que se suicidó por mí, pero qué va. No fue por mí. Él no me quería, y eso lo he tenido siempre muy claro. O sea, decía que me quería, pero no me quería. Simplemente, quería estar conmigo, que no es lo mismo. Yo no le importaba mucho. O sea, que no me escuchaba cuando hablaba de Sergio o de la tienda, o de mis planes o de mis proyectos. Era como hablar con una hoja de papel secante, las palabras salían de mi boca y desaparecían como si él las absorbiera. Como que él nunca se preocupó gran cosa por lo que yo pensara. Y tampoco crea usted que en la cama era muy apasionado, o sea, no se le veía muy loco por mí. Tierno y dulce, sí, pero follar, lo que se dice follar, con penetración y todo... En fin, no me haga usted hablar. Si nos pasábamos el día saliendo, apenas estábamos en casa, no teníamos mucho sexo. Además, había otras, yo lo sabía, esas cosas... como que se saben. Ya sabe, el teléfono que suena a las tantas de la mañana, una *horquilla que te encuentras en el lavabo, un pelo oscuro y largo entre las sábanas, y yo soy rubia... Yo sé que estuvo con Olga mientras estaba conmigo, y que por eso lo ficharon en Esfinge, eso lo sabe medio Madrid. Pero es que había más, había otras, no sólo Olga. Seguro que nos enviaba los mismos mensajes a todas, los mismos mails... Siempre sospeché que no eran sólo para mí. Porque eran tan impersonales, muy apasionados en apariencia, pero muy impersonales a la mínima que los leyeras dos veces. Te quiero, bombón. Te adoro, cielo. Eso se lo puedes escribir a cualquiera. Creo que le dábamos todas igual. O sea, si de alguien creo que estaba enamorado, y de verdad, era de Romano, se lo digo en serio. O sea, era verdadera obsesión lo que sentía por él. Cuando Pumuky y yo nos liamos, Romano y él se distanciaron bastante, no le digo que dejaran de hablarse, pero como que se veían menos, y sé que a Pumuky le dolía muchísimo la ausencia de Romano. Yo sé que Sonia dice que yo digo esto para quitarme de encima la responsabilidad, sé que ella insiste en que se mató por mí, pero yo sé lo que me digo. O sea, que yo creo que Pumuky era un poco raro. Mire, yo me he acostado con muchos hombres y una mujer con un poco de mundo estas cosas las nota, qué quiere que le diga, como que no le voy a dar detalles porque no estaría bien y mucho menos con un muerto, pero yo lo sospeché desde el principio, y a mí nadie me lo va a quitar de la cabeza. O sea, que lo que pasaba era que él no podía reconocerlo porque el ambiente este de la música va de muy moderno, pero luego todos son muy machistas, es así. Y además, él quería vivir la misma vida de sus amigos, no apartarse de ellos, y creo que si se lo hubiera dicho claro a Romano, lo habría perdido, o al menos ésa es mi impresión, a ver si me explico: o sea, como a Pumuky le molaba Romano, quería estar siempre cerca de él, pero si se llega a declarar a Romano, o si éste sospechase que lo de Pumuky hacia él iba más allá de la amistad, Romano se habría apartado. O eso creo yo. No creo que Pumuky se hubiera tirado jamás a un tío, de verdad. Pero creo que adoraba a Romano. O sea, una cosa que no tenía que ver con el sexo, ¿me sigue?, que iba más allá del sexo. Además, Pumuky era un tío muy atormentado, eso se lo habrá dicho todo el mundo. ¿Sabe usted de dónde venía el nombre del grupo, Sex & Love Addicts? Me lo contó el propio Pumuky. Resulta que cuando Pumuky era un jovencito, a su madre la ingresaron en una clínica inglesa, una clínica de desintoxicación. Allí una de las reglas era que los parientes de los pacientes debían escuchar las historias de adicción de otros pacientes, no me pregunte usted por qué, cosas de la terapia. Pues bien, Pumuky viaja a Londres a ver a su madre y resulta que le encierran en una sala con una señora que no es su madre. O sea, que es una paciente a la que Pumuky debe escuchar. Y como que la señora era eso, una* sex & love addict, *una sexoadicta, y era la primera vez que Pumuky escuchaba el término en su vida, se trataba de un término muy nuevo, en España casi no se escuchaba. O sea, el pobre Pumuky sólo tenía diecisiete o dieciocho años y se tuvo que tragar una hora con la señora contándole cómo se lo hacía con cualquiera que se le ponía a tiro, cómo se tiraba en el cuarto de baño del pub a viejos malolientes y sin nombre, y encima la señora todo el rato mirándole con ojos de querérselo comer. Cuando él me lo contaba lo hacía con gracia, y casi conseguía hacerme reír, pero se notaba que lo había pasado muy mal, porque sabía que su madre hacía lo mismo, que se follaba a cualquiera a cambio de un chute, eso al final, cuando peor estaba la madre. La madre falleció al poco de salir de la clínica, supongo que usted ya sabe que fue Pumuky el que la encontró, fría y rígida, en el cuarto de baño, con la aguja todavía clavada en el brazo. Me contó que se pasó la noche abrazado al cuerpo antes de atreverse a llamar a sus abuelos. Sufría mucho Pumuky, aunque también gozaba mucho. O sea, que lo vivía todo muy intensamente. Y en esa misma intensidad yo ya adivinaba que no podía durar mucho. Él mismo lo decía. Había un poema que a él le encantaba, y creo que hasta lo adaptó para una canción:* My candle burns at both ends, it will not last the light, but oh my foe and oh my friends, it gives a radiant light. *Yo creo que le gustaba tanto porque, en realidad, como que se trataba de un autorretrato.*

Coeficiente de fuga del objeto deseado

*V*erá usted, no sé si recuerda cuando hubo aquel accidente en Barajas, aquel en el que hubo ciento cincuenta muertos, yo acabé realmente hasta el mismo nabo de la gente diciendo que estaba conmocionada por los familiares de las víctimas y que se sentía solidaria y demás zarandajas de mierda. Qué cojones, a las víctimas no las conocían de nada, y en principio no se tendrían que sentir más o menos cercanos a esas víctimas que a las seis mil víctimas anuales de accidentes automovilísticos o que a las dieciséis mil anuales por enfermedades directamente relacionadas con la contaminación del aire. Si uno lo piensa a fondo se debería sentir más cercano a las dos segundas clases de afectados, porque, quieras que no, el coche o el taxi o el autobús los coges todos los días y el aire contaminado lo respiras a diario, y estadísticamente, es mucho más fácil que te acabe matando un coche o una insuficiencia respiratoria a que la palmes en un avión. Pero es que el accidente de avión salía *a todas horas en la tele, durante una semana no se habló de otra cosa, ponías la radio, encendías la tele, abrías Internet, y que si la caja negra, y que si la identificación forense, y que si las imágenes, y que si las declaraciones de los familiares, y que si las del ministro del Interior, y que si las del presidente de la compañía aérea. La hostia del puto avión ya pertenecía a la hiperrealidad, ya era más real que lo real, los espectadores, los oyentes, los internautas sentían más cercano el accidente que los problemas de su vecino o de su compañero de trabajo. Imagínese que los medios nos dieran la chapa una semana entera, veinticuatro horas al día, con la contaminación, y nos sacaran cada dos por tres a la mujer de uno que la ha palmado de un ataque de asma, o de una neumonía, y así nos tienen siete días, que si la saturación del dióxido de carbono, y que si las declaraciones de Al Gore, y que si las de Ecologistas en Acción, y que si las de un neumólogo... Pues al cabo de una semana la gente se pensaría un ratito lo de coger el coche, digo yo. Pero eso no le interesa al sistema, porque hay que vender coches. Al sistema le conviene que te preocupes por las víctimas del accidente aéreo, no que te preocupes por las de Palestina, o por los niños soldado de Nigeria, o por las niñas prostitutas de Camboya o por la trata de blancas en tu misma ciudad. A eso se refería Baudrillard cuando hablaba de la hiperrealidad, a que los medios construyen una realidad que es más real que la realidad.*

La imagen de los medios tiene que ser de consumo, rápido, desechable, y por lo tanto confortable. O sea, el accidente es triste, pero confortable, no te hace pensar. El problema surge cuando la imagen deja de ser confortable y complaciente. Porque en este momento el público reacciona, toma conciencia y la conciencia entra por los ojos. Por eso nadie vio en la tele a los niños iraquíes destrozados por las bombas, ni los féretros de los soldados regresando al país. No, qué va. Pero a los pobres yanquis les dieron la brasa a muerte con el caso Terri Schiavo. No sé si se acuerda, una tipa que estaba en coma y el marido quería desconectarla y los padres no. Día a día, hora a hora; el presidente y el gobernador firmaron excepciones, el juez las rechazaba, el marido salía en la tele, salían los padres... hasta que esta pobre mujer la palmó de una puta vez sin saber la cantidad de imágenes obscenas que había provocado, en el peor sentido de la palabra obsceno, el que nada tiene que ver con el sexo. Sin embargo, durante esas mismas semanas continuaron muriendo cientos de iraquíes, e incluso de soldados americanos, y ni siquiera fueron noticia, más allá de las estadísticas diarias que se publicaban. ¿Por qué? Porque no eran personas, no eran más que putos números. Y una sensibilidad que sólo se conmueve por las imágenes no se conmueve con los números. Los dos únicos momentos en que el público yanqui reaccionó indignado fue cuando se publicaron las fotografías de Abu Ghraib y cuando se emitió un vídeo que mostraba a un soldado americano disparando contra un herido. Porque el público es gilipollas, ¿alguien piensa que en la guerra no pasan esas cosas?, ¿alguien cree todavía en ese cuento posmoderno de las guerras higiénicas?, ¿alguien cree de verdad que en una guerra no hay sangre, muerte y dolor? Sí. Muchos. Joder, una mayoría.

Decía Steiner, creo, que lo que no se nombra no existe. Pero eso ha cambiado. Y ahora es: lo que no se ve en la tele no existe. Lo dijo Baudrillard: La Guerre du Golfe n'aura pas lieu. Y demostró que son los medios los que crean la opinión pública desde la hiperrealidad, que no es más que un puto simulacro, un simulacro infinito de una realidad que se desvanece en las imágenes digitales. Si usted lo piensa, en la hiperrealidad el 11 de septiembre fue mucho más dramático y espectacular que la invasión a Irak, que en la realidad fue mucho, pero mucho muchísimo más chunga. En fin, y dicho en bonito, como lo escribiría Mario en su tesis: es la burbuja digital, producida por los medios, la que forja los imaginarios sociales. No sé si me explico, o si lo dejo claro. Viene a ser que creemos lo que nos cuentan, y no lo que vemos.

Se lo pongo en un ejemplo más claro: me acuerdo de que Olga Díaz, la directora de Esfinge, me contó hace mucho tiempo, en Barcelona, una historia de cuando ella era pequeña y se murió Fofó, el payaso de la tele, y ella llegó al colegio y veía a todas las niñas llorando y no entendía por qué las niñas lloraban, si *no conocían al puto payaso de nada, si no era ni su tío ni su abuelo. Olga era lo suficientemente mayor ya como para saber que el payaso estaba en la tele y no en su vida. Pero las otras niñas no hacían distinción entre ficción y realidad. Para ellas, lo que había en la tele era real. De eso hace treinta y pico años. Hoy en día todo el mundo piensa como niños de cuatro años, no saben que la tele no es real. Porque la tele atonta, hipnotiza. La lectura, la radio, el periódico necesitan una interpretación, que el que lee o escuche decodifique lo que lee o imagine lo que escucha; pero con la televisión es diferente, la imagen equivale a la verdad, no hay tiempo para pensar, para abstraer, para reflexionar sobre el contenido.*

Entiéndame, no creo que la alienación y el atontamiento sean una cualidad exclusiva de la televisión. La simplicidad de los mensajes, la selección premeditada de los temas, la pleitesía al orden establecido, el aborregamiento más absoluto..., eso lo ve usted en todos los putos medios de comunicación. Pero la tele tiene algunas cualidades que la hacen perfecta como sistema de control. La capacidad hipnótica, por ejemplo: encienda una tele en una sala, bar o espacio, y la acabará mirando enganchado. El periódico tiene una duración limitada, y la radio acaba aburriendo si uno no se pone a hacer otra cosa. Sí, se supone que nosotros intentábamos, desde la música, alimentar la capacidad crítica, cuestionar los fondos, las formas y hasta lo incuestionable. Pero es difícil, cuesta y resulta agotador.

Lo bueno, y lo malo, es que no hay marcha atrás. El día que empiezas a insultar al telediario, que boicoteas CSI porque te descubres justificando la brutalidad policial y te das cuenta de que todas las muertas son chicas que salieron por la noche, se drogaron o follaron o enseñaron las tetas; el día que reniegas de las series nacionales porque no son más que costumbrismo cutre, arcaico, reaccionario y machista..., ese día, has dado un paso decisivo. La vida es, entonces, más amarga, más chunga a veces, pero mucho, mucho más real, más viva, si es que entiende lo que quiero decir.

Quiero decir que los medios en general destruyen la capacidad de pensar de forma abstracta, y así el sistema consigue lo que se quiere: la participación irreflexiva. Que todos seamos como ovejas que balan al son que el puto rebaño impone. Por eso es imposible una verdadera democracia, porque las decisiones políticas no las puede tomar una masa de niños de cuatro años.

Y por eso hay tantas anoréxicas ahora, porque en el mundo hiperreal las mujeres son muy delgadas. Y las chicas creen más en el mundo hiperreal que en el real, se fijan en las modelos, en las actrices, en las presentadoras, y así se ven gordas. Si se fijaran más en su vecina o en su compañera de clase, la mitad de las tías que quieren adelgazar se darían cuenta de que ya están delgadas. Eso es lo que le pasó a Valeria. Y por eso yo acabé follándome a Olga y a Sonia, porque Valeria era y es guapísima, pero no vive en el mundo real.

Le estoy dando esta chapa con lo de la hiperrealidad en primer lugar porque Pumuky había leído a Debord y a Foucault y a Baudrillard. Y estaba obesionado. Hay frases de Debord en casi todas las letras de sus canciones, y en las proyecciones que poníamos en los conciertos, que las diseñaban entre Mario y Pumuky. El que le pegó la fiebre fue Mario, porque Mario quería hacer en principio la tesis sobre la hiperrealidad y la construcción del pensamiento desde el sistema, o sobre sistemas de vigilancia y control, o sobre lo que fuera, que ya ni me acuerdo, cada día era una cosa; un día nos vino diciendo que la quería hacer sobre la Kameradenwerk *y hasta nos llegó casi a convencer de que llamásemos al grupo* Kameradenwerk, *que es un nombre que mola todo, no digo yo que no, pero que suena a techno alemán, a Kraftwerk o algo así, y pasando millas, nos quedamos con el otro nombre. La verdad es que yo siempre tuve claro que Mario nunca iba a acabar la tesis, que la tesis no era más que una puta excusa para no currar, que a Mario no le sale del nabo, pero bueno, no me quiero ir por las ramas. Hubo una época en que estábamos tan metidos en el rollo ese de los posestructuralistas y de los anarquistas posmodernos que en lugar de decir que quedábamos en La Taberna Encendida decíamos que quedábamos en el Panóptico*, no le digo más, porque la Ta-*

---

* Se refiere al Panóptico de Foucault, una construcción arquitectónica de mirada omnipresente, diseñada originalmente por Jeremy Bentham, en la que el propio vigilante es controlado, y todo el sistema vigila al sistema.

berna es un sitio al que la gente va y se deja ver. Joder, y ya es casualidad que Pumuky en realidad se llamara Guy, como Debord, aunque nadie en la puta vida le llamó Guy, excepto los abuelos, siempre fue Pumuky. Pero si hubiéramos sido realmente coherentes con nuestro pensamiento, jamás habríamos colgado cosas en MySpace ni hubiéramos pasado por la MTV, ni habríamos trabajado para promocionar cervezas y móviles. Al final, nos traicionamos a nosotros mismos. Pero eso estaba cantado. Como bien decía Mario, no éramos más que un grupo mojabragas.

Por eso, al final, el propio Pumuky ya ha pasado a ser parte de la hiperrealidad. La gente llora por él como si lo hubiera conocido, las niñas llevan camisetas con su cara impresa, le dejan flores en la tumba, pero no le conocieron, no tenían ni puta idea, ni puta idea de quién era. Porque todos los que vivimos en un grupo necesitamos una realidad común, algo en lo que nos podamos poner todos de acuerdo, una realidad que creemos entre todos, a la que referirnos. Necesitamos creer, no sé, que en vacaciones no se trabaja, que el cielo es azul, que las manzanas son sanas. Necesitamos historias en las que todos estemos de acuerdo para poder coexistir, para relacionarnos, para crecer como grupo, y también como individuos. Necesitamos decir «Pumuky fue así» o «El accidente es una tragedia». Y así creamos una fantasía y le colamos el sustantivo de realidad, pero no es la realidad objetiva. El Pumuky del que usted habla no será un

Pumuky real, sólo una idea sobre la que se han puesto de acuerdo unos cuantos miles de niñatas. Verá, hay una frase famosísima de Baudrillard que dice que el crimen perfecto, el verdadero crimen es la perfección, es decir, la conclusión, lo acabado. Usted escribe un libro y lo cierra, lo acaba y dice: «Pumuky era esto». Y lo mata del todo, mucho más muerto de lo que ya estaba. Mentira. Pumuky no era así ni asá. Pumuky era mil cosas diferentes, y ninguna. Había muchos Pumukys y usted no va a atraparlos a todos en un libro, ni pa dios. Pumuky lo sabía. Pumuky era un seductor. Porque cada uno estaba en el grupo por una razón diferente. Yo, porque me gusta la música. Mario, porque tenía esa loca idea de hacer del arte un arma de comunicación política. Pumuky, que no tenía ni puta idea de música y menos de cantar, porque quería seducir. Y la seducción plantea espectáculo, escenario y un espectador que sea cómplice del engaño. Pumuky era un seductor en el escenario y fuera de él. Existía en tanto los demás le miraban, y era diferente para cada persona. Porque a medida que la necesidad es soñada, el sueño se hace necesario. Pero el espectáculo no conduce a ninguna parte, salvo a sí mismo. Y ésa fue, creo, la tragedia de Pumuky.

Y es absurdo que lloren tanto por él, es absurdo que usted haga un libro, es absurdo que vaya entrevistando a la gente. O sea, puede grabarme usted si le da la gana, pero quiero que deje claro que yo pienso que ningún libro va a poder reflejar quién era de ver-

dad Pumuky, que lo que usted va a hacer será en todo caso un retrato hiperreal de Pumuky, pero al Pumuky real no le ha conocido usted, no tiene ni puta de cómo era, y por mucho que vaya preguntándonos a todos, no se va a enterar de una mierda. Entre otras cosas, porque muchos le van a mentir, es así de simple. Yo me muero de ganas de hablar de Pumuky, de verdad, tengo mazo de cosas dentro que me quiero quitar de encima, y me vendría muy bien contárselas a una desconocida, porque hay cosas que no le quiero contar ni a mi madre ni a Sonia ni a Mario, porque no. Porque paso kilómetros de que los demás las sepan. O sea, que si quiere usted yo le hablo de Pumuky, se lo cuento todo. Pero pasando de grabadoras, deme usted esa grabadora, tráigala aquí, me la quedo yo. Esta cinta me la voy a quedar yo, me la quedo para mí. Y luego si usted cuenta algo de lo que yo le he contado lo negaré todo, y le advierto que los abuelos de Pumuky están más que forrados, o sea que le puede caer a usted una demanda de cojones si escribe algo que no esté contrastado. Por supuesto da igual que cuente usted que se metía de todo, si todo dios lo sabe, los abuelos los primeros, o que se follaba a todo lo que se ponía a tiro, pero hay cosas que usted no sabe, que nadie sabe.

Ya le dije que lo conocí en el Liceo. Nosotros éramos tres niños pijos que estudiábamos en el Liceo Francés. Yo, porque mi padre era francés. Pumuky, porque lo era su madre. Mario, porque su madre era y es una puta pija intelectual y le debía de parecer de lo más vistoso que su hijo estudiara en francés. Los tres éramos pijos, se lo he dicho, pero Pumuky era el más pijo de todos. Su familia estaba forrada a niveles inconcebibles, pero él era un pijo desclasado, hijo de una yonqui. Era un chico rarito, el Pumuky, muy rarito. Yo creo que al final nos hicimos tan amigos los tres porque éramos los únicos de la clase que no teníamos padre. Entonces había muchos menos padres separados que ahora. Yo tengo padre, claro, pero como si no lo tuviera, un tío borracho al que veo de higos a brevas. Mario tiene padre, sí, pero no es que se traten mucho. Pumuky no tenía siquiera un señor al que pudiera llamar padre como teníamos Mario y yo. No tenía padre, sin más. Y yo en el Liceo siempre me había sentido inferior a los otros niños porque mi padre nunca venía a buscarme al colegio, ni estaba presente en mis fiestas de cumpleaños, ni aparecía en las obras de fin de curso ni en las representaciones de Navidad. El muy cabrón no apareció siquiera el año en el que yo fui el protagonista de la obra de la fiesta de fin de curso, y aquello no fue porque tuviera que currar en París, porque él no curra, ni le faltaba dinero para pagarse el viaje, porque su señora está forrada, y podía haberse pagado el Palace entero si hubiera querido. Mi padre pasaba de mí, clarísimo lo tenía yo. Y me jodía. Mucho. Pero cuando conocí a Pumuky pude por fin pensar que había alguien peor que yo, que yo al menos a mi padre lo veía en verano. Creo que fue eso lo que me unió a él, a Pumuky, no a mi padre.

La madre de Pumuky sí que era la caña. Acabó fatal, pero cuando yo la conocí era una tía de puta madre, o eso creía yo. Guapa hasta decir basta, superdivertida, encantadora. La casa de Pumuky estaba siempre llena de gente, de amigos de la madre. Y daba unas fiestas increíbles, llenas de peña, con música, con copas, con gente de todo tipo, muchísimos artistas. Y con farla, por supuesto, con todas las drogas habidas y por haber. La Charlotte era una tía fuerte y llamativa, y como suele pasar en estos casos, era un poco mariliendre, o sea que tenía muchos amigos gays, una corte, de esos que la llamaban reina y le decían que qué divina de la muerte que era. A mí me encantaba ir a la casa de Pumuky, me parecía divertidísimo, pero comprendo ahora, que soy más mayor, que tiene que ser muy chungo tener una tía así por madre, porque no puedes contar con ella para nada, ni para que te haga la comida ni para que te tenga la ropa lista ni para que te cuente cuentos antes de dormir. En realidad, era la abuela la que se ocupaba de Pumuky. Charlotte era más bien algo así como una hermana mayor muy divertida pero un poco loca a la que había que aguantar.

Pumuky empezó a beber y a meterse desde muy joven. Yo recuerdo que con trece años ya experimentábamos con las pastillas del botiquín de su madre, en el que había de todo. Nos cogimos una vez un ciego de haloperidol que no le quiero ni contar, se nos caían encima las paredes. Más tarde me enteré de que *el haloperidol se lo dan a la gente que tiene delirios, es el fármaco antipsicótico típico, se lo dan a los esquizofrénicos, a saber por qué tenía eso Charlotte en casa, mejor no hacer cábalas. Probamos también los neorides, que te dejaban así como blando, los Tranxilium, los Valium, el Lexatin. Y ya cuando Marié llevó a Mario al médico y el muy bestia le recetó a Mario anfetaminas para adelgazar —que hay que ser bruto, joder, ni Mengele—, eso fue la fiesta total. Anfetas para subir, tranxilium para bajar, la vida era un tiovivo químico. En fin, que a los catorce años ya éramos politoxicómanos. Legales, eso sí. Y Charlotte ni se enteraba de que le desaparecían las pastillas. Y si se enteraba se la debía de soplar, porque nunca nos dijo nada. Aparte, Pumuky bebía muchísimo, también, como su madre.*

Lo que le voy a contar ahora le pasó a Pumuky con trece años, pero no me lo contó a mí hasta mucho, mucho más tarde, un año antes de palmarla, o algo así. Creo que mi madre también lo sabe, porque fue a mi madre a la primera que se lo contó. A mi madre, con eso de su trabajo, la gente cree que le puede contar cualquier cosa. Yo nunca se lo he contado a nadie, hasta hoy. Y se lo cuento a usted porque le ha tocado, porque a alguien se lo tengo que contar, joder, porque me está quemando por dentro, porque no me deja vivir. Pero si usted lo cuenta, ya le digo, lo negaré todo. Por dónde empiezo. A ver... Cuesta... Cuesta hablar... Fue en una de las fiestas de Charlotte... Pumuky bebió muchísimo y se ve que se había metido algo, una de las pastillas de su madre, lo de siempre... Como fuera, que se cogió un pedo brutal. Y acabó en la cama con dos tíos mayores, en la misma cama de su madre. No, no se lo follaron, pero le tocaron por todas partes y se la chuparon y así. Su madre estaba en la casa, y tuvo que enterarse, seguro que se enteró. O no se quiso enterar, o iba muy puesta. O le dio igual. Imagínese, Pumuky tenía trece años. No, no pensó que habían abusado de él. Pensó que era su culpa, que él se había dejado. Y pensaba que su madre lo sabía. La historia ya es chunga y fuerte de por sí, pero lo peor es que la cosa no quedó ahí. Se ve que estos dos tíos lo contaron a toda la corte de reinonas y que contaron de paso que a Pumuky le había encantado. Y Pumuky con trece años, imagínese, un bombonazo. Les faltó a los otros prisa para apuntarse a probar el juguetito. En cada fiesta, alguno le daba de beber y luego se iba a un cuarto con él. Y hubo otro que se lo llevaba de paseo en coche... Y usted dirá: ¿por qué no se negaba Pumuky? Pues porque era un crío, porque no entendía nada, porque creía que su madre lo sabía, porque se sentía culpable, por lo que sea, miles de razones y ninguna. La historia es chunguísima, chunguísima, pero creo que lo peor no es decir «Aquí tenemos a un chico del que han abusado sexualmente los amigos de su madre» sino «Aquí tenemos a un niño con una madre que pasa mucho de él, y con unos abuelos, que son los que en teoría le cuidan, los que ejercen de adultos responsables, tan fachas como para que el niño no se atreva a decir nada porque les tiene pánico, y porque no quiere traicionar a la madre». Yo creo que entiendo un poco de qué va la historia porque hace tiempo me leí un artículo de mi madre sobre terapias para pacientes que han sido víctimas de abusos sexuales en la adolescencia y joder, es que era el retrato de Pumuky calcado: de adultos suelen tener problemas de adicción y promiscuidad, comportamientos autodestructivos, intentos de suicidio... Ya le digo, clavado.

En la primera sobredosis de Charlotte, cuando la enviaron a Londres y tal, Pumuky se vino a vivir una temporada a mi casa. Al principio dormía en el sofá cama del salón, pero nuestro salón da a la calle y es un segundo en pleno Serrano, y el ruido y las luces son insoportables. Así que dijo que se venía a dormir a mi habitación, porque mi cama es muy grande, y yo dije que bueno. Le juro que no vi venir lo que iba a pasar. Pero pasó. Yo tenía dieciocho años y estaba más salido que el pico de una mesa, y él me lo puso muy fácil. Yo no me arrepiento de lo que hice en plan qué horror, soy gay, qué va, yo siempre he tenido claro que me gustan las tías, pero entonces no tenía tías, tenía a mano al Pumuky y me hice el apaño. No me arrepiento de haber tenido un rollo con un tío, me arrepiento porque creo que yo le utilicé sin darme cuenta, que no supe ver lo frágil que era él. Porque Pumuky estaba tan acostumbrado a que los tíos le usaran que yo creo que pensó que le tocaba hacerlo, que las cosas eran así. Joder, yo entonces no tenía ni puta idea de lo que le pasaba a Pumuky, no veía las cosas como las veo ahora, no calculé. Y aquel mes que estuvo en casa, no le voy a dar detalles, pero hicimos de todo, o más bien, él me hacía a mí. Yo me dejaba hacer, y poco más. Follar, lo que se dice follar, no follamos, si es eso en lo que usted está pensando. Eran más bien como..., no sé..., juegos. Lo que es importante es que Pumuky me llevó al pinar de marras. A aquel pinar solía llevarle uno de los amigos de su madre, el del coche. Por allí no suele pasar un alma, hay un claro cómodo y no está vedado. De eso conocía el pinar Pumuky, no había ido nunca allí con su abuelo en la puta vida, diga Mario lo que diga.

En mi casa había una manta roja muy bonita, de lana, y cuando él vivió allí ésa era la manta que usábamos para dormir. Cuando él se fue, me di cuenta de que se había llevado la manta. No le pedí explicaciones ni que me la devolviera. Pero desde entonces Pumuky siempre dormía con esa manta. En verano la doblaba a los pies de la cama, pero no la guardaba en el armario.

Al poco tiempo yo me saqué la primera novia y ya no quise más con Pumuky. Yo al principio pensaba muy inocentemente que lo que había habido entre nosotros era una cosa entre amigos, que luego cada cual se sacaría una novia y que nos olvidaríamos del puto tema. Pero no. Pumuky se puso celosísimo. No me habló durante meses. Y al final, me robó a la no-

via. Y así inició una tradición que seguiría hasta su muerte, hasta Valeria: la de follarse a las tías que me follaba yo.

Mi madre me contó una vez que había tratado en terapia familiar a una madre que no aceptaba que su hija era lesbiana. Y que la señora no hacía más que repetir que era imposible, que a su hija le encantaban los chicos, que hasta se había intentado suicidar por uno. Lo que la madre no entendía era que la hija estaba tan obsesionada por negar su homosexualidad que sobreactuaba interpretando su heterosexualidad, y que no se intentó suicidar porque amaba a un chico, sino porque no podía amarlo. Quería ser más hetero que cualquier hetero. Un poco como las drag queens, *que no son creíbles precisamente porque exageran en demasía lo que se supone que son atributos de la feminidad. Intentan ser más mujeres que las propias mujeres, y por eso, clavado, se sabe que son hombres. Yo a veces sospecho que algo así le pasaba a Pumuky. Pero es que he leído tantos libros de los de mi madre sobre conflicto edípico y demás que a veces pienso que sólo he aprendido a mirar la realidad a través de lo que dice mi madre y que ella habla a través de lo que dicen sus libros. A veces pienso que Pumuky estaba tan enamorado de su madre que por eso nunca se enamoraría de otra mujer. A veces pienso que iba de tía en tía para que nadie pensara que era gay. A veces pienso que no tengo ni puta idea de nada. Pero hay una* cosa que tengo muy clara: tía que yo me tiraba, tía que Pumuky se iba a tirar después.

Olga Díaz, por ejemplo, la de Esfinge. A mí me encantaba esa mujer, me daba un morbo tremendo. Pero justo cuando me acababa de liar con ella me robaron el móvil y perdí toda la agenda. O sea que no pude llamarla en una temporada y no sé si ella me intentó llamar a mí. Le estaba dando vueltas a la idea de presentarme un día en su oficina a buscarla cuando, tachán, el mismo Pumuky me cuenta que se la está follando. Coño, que no era inocente la cosa, que yo ya le había dicho que nos habíamos liado en Barcelona. Mire, un detalle que le dará una idea de cómo era Pumuky. Como soy un bocas y un gilipollas, le conté que a Olga le ponía que le chupasen los dedos de los pies. Vale, pues ya se puede imaginar qué fue lo primero que hizo Pumuky cuando se la tiró. Y encima el cabrón va y me lo cuenta, todo ufano. Y me jodió una barbaridad porque a mí la tía me molaba un huevo, es una de las tías que más me han puesto en la vida, por cuerpo y por cabeza, aunque luego resultara ser una auténtica hija de puta, pero yo estaba loquísimo por ella, qué mujer, follando era increíble... Perdone que lo diga de esa manera, pero es que era así... Le habría dado de hostias a Pumuky allí mismo cuando me lo dijo, pero qué iba a hacer, si yo no era su novio ni nada, si ella estaba casada. Callarme la puta boca.

Y yo estaba con Valeria, y bueno, la verdad es que Valeria me gustaba mucho al principio, pero me dio un *poco de miedo. Le he hablado antes de las anoréxicas que no distinguen el mundo hiperreal del real. Pues eso es lo que le pasaba a Valeria. Verá, una tarde estábamos tan tranquilos paseando por el mercado de Fuencarral cuando de repente, así, de golpe, Valeria que hace plof y se cae redonda. Y yo, claro, la meto en un taxi y la llevo a urgencias. Y luego me llama la doctora y me coge en un aparte y me dice que si soy un familiar. Le digo que soy el novio. Me dice que si conozco a los familiares de Valeria. Le digo que no, que no los trato. Me pregunta si vivo con mi novia. Le digo que sí para simplificar, aunque la verdad era que no pero que me pasaba el día en su casa. Y me empieza a hacer preguntas. Que si Valeria vive muy pendiente de su báscula. Que si en su botiquín he visto laxantes. Que si toma vitaminas. Que si come. Y sí, Valeria vivía obsesionada con su báscula, es cierto que en su casa había laxantes de todo tipo y que eso me había llamado siempre mucho la atención, es verdad que se metía pastillas de vitaminas de todos los colores para las uñas y para el pelo y para la piel. Y no, no comía, no comía casi nada. Y la doctora me dice algo así como que mi novia tiene un infrapeso alarmante, que casi con seguridad sufre un serio trastorno de alimentación, que está desnutrida y deshidratada, que ellos no son una unidad de trastornos mentales y no pueden hacer nada, y que cree que debo llamar a sus familiares porque ellos no pueden hacer más.*

Y me da vergüenza reconocerlo, pero a partir de entonces le empecé a coger miedo a Valeria. Y asco.

A mí la doctora no me había dicho nada nuevo, yo tengo ojos en la puta cara y ya había notado que Valeria estaba flaca como un silbido y que no comía, y ya había hablado con ella de eso, pero la muy jarta se cerraba en banda, no quería ni oírme, y yo sabía que no la podía convencer, y que ella era mayorcita y que no se le podía obligar a nada. Si se quería matar de hambre, pues a joderse, su puto problema, que se comiera ella su marrón, porque aparte de desmayarse no parecía que le pasase nada más serio o que la cosa fuera muy grave. Y cada vez me daba más asco el cuerpo huesudo de Valeria y más me ponía el de Sonia. A Valeria he acabado por verla como a una belleza de porcelana o de cristal, lisa y resplandeciente, de ver pero no tocar. No sé cómo decirle, Valeria era y es muy bella, pero no pone. Al menos no a mí, ya no. No me pone porque el deseo está ligado a otras cosas, a fuentes más turbias y oscuras, porque remite a veces al tacto, al olor, al tono de una voz, al timbre de una risa, qué sé yo, incluso remite a la ternura, y Valeria no inspira ternura, nunca la sentí ni próxima ni cómplice, no sabría cómo explicarlo. Y acabé con Sonia y Valeria nos cazó. Y claro, no faltó un segundo para que Pumuky la pillara, a Valeria. Y si no pilló a Sonia fue porque la palmó antes, fijo. Si no, habría ido también a por ella. Lo de Valeria en realidad no me jodió nada, pero yo fingí que sí, porque me había jodido mucho lo de Olga, pero como Olga no era en realidad nada mío no tenía, digamos, derecho a mostrarme ofendido, y con Valeria sí. Ahora me jode haberme apartado de Pumuky porque pienso que si hubiera estado cerca de él las cosas no habrían acabado así.

Cuando el funeral de Pumuky vi aparecer a Olga y no dije nada. Estaba muy guapa, toda vestida de negro. Flipé en colores cuando vi que Valeria aparecía de la mano de David Martín. Haría cualquier cosa por chupar cámara, la tía. El caso es que Pumuky era igual, le encantaba chupar cámara, así que al principio me cabreé, pero luego me hizo hasta gracia, cuando lo pensaba en casa.

Cuando Mario me llamó y me contó lo del pinar lo primero que pensé es que habían ido allí a follar. Yo había ido al pinar muchas veces con Pumuky, hacía muchos años, y no para disparar latas precisamente, aunque a veces también, y sabía que Mario había estado prácticamente viviendo en el piso de Pumuky, así que sumé dos y dos y pensé lo que pensé. Que aquellos dos se habían liado. Y que Mario se lo había cargado. Por lo que fuera. Porque Mario está chalado, porque los dos iban puestos, por una pelea de amantes o por lo del nombre del grupo.

Lo del nombre del grupo, que usted no lo sabe, claro. Verá, todo empezó cuando nos enteramos de que nuestro mánager y nuestra promotora nos estaban tangando dinero. Habían creado una sociedad fantasma y en cada uno de nuestros conciertos descontaban conceptos absurdos, como promoción de zona o relación con medios, y así se llevaban parte de nuestro caché. Para colmo, como ya le he dicho, lo de servir de plataforma para anuncios de móviles y cervezas, lo de aparecer en los 40 Principales y eso... no estaba muy en consonancia con nuestro ideario político, que dijéramos, y Mario no quería continuar con la promotora. Así que fuimos a un abogado y nos dijo que la cosa podía llevar años, y que entre que el asunto se aclarara o no en tribunales, el caso es que estábamos unidos a Marina y a Esfinge por contrato, y, claro, eso podía suponer un parón de años en nuestra carrera. Mario dijo que daba igual, que les pusiéramos un pleito. Que si hacía falta nos íbamos a vivir a París y seguíamos con el grupo en Francia. Pumuky dijo que no. Y ahí nos enteramos de que Pumuky había registrado el nombre del grupo, de forma que si Mario y yo nos íbamos Pumuky podía seguir con el grupo contratando a músicos mercenarios. Imagínese. Mario se le tiró a Pumuky encima, y le juro que le dijo clarito aquello de te voy a matar, te juro que te mato y se liaron una agarrada a hostia limpia, en serio. Eso fue en la casa de Pumuky, y al rato Mario se fue dando un portazo descomunal. Y a los diez días o así fue cuando lo del pinar. Como comprenderá, me pareció raro que los dos estuvieran allí juntos, y claro, claro que en algún momento pensé que Mario se había cargado a Pumuky. Sobre todo cuando a la noche siguiente estaba Mario, el tío, bailando pogo en la Sol, como si no hubiera pasado nada.

Pues eso... he pensado mucho tiempo que Mario mató a Pumuky, pero quiero creer que no fue a mala hostia, no, que no fue premeditado. Que fue un accidente, una pelea. Lo pienso todavía muchas veces. Sobre todo porque Mario siempre dijo a la policía que no sabía que Pumuky tenía una pistola, y lo sabía perfectamente, todos lo sabíamos. La pipa de su abuelo.

Uno de los juegos favoritos de Pumuky era acojonar a la peña con la puta pipa de los huevos. Estabas cualquier noche·en su casa y allí te salía el Pumuky apuntándote con el machingón, como si fuera muy gracioso. Pero es que había otro juego peor, que no tenía ninguna gracia, y que me había hecho a mí una vez, precisamente en el pinar. El tío disparó a cuatro latas y luego se puso la pistola en la sien y... clic. Creí que me moría allí mismo de un infarto. Pero es que la pipa sólo tenía cuatro balas, y él lo sabía. Pienso a veces que igual hizo el mismo jueguecito aquel día y se apuntó en la sien, pero no cayó en la cuenta, porque iba puesto o resacoso o flipado o lo que fuera, que en la recámara había una bala más de las que él había contado. Puede ser también que se suicidara. Pero, desde luego, no me creo que lo siguieran unos colombianos para cargárselo. Creo que eso se lo inventó Mario. En fin, lo pudo matar Mario, se pudo matar él solito, puede que estuviera jugando, puede que se quisiera matar, puede que de verdad le persiguieran unos colombianos... Iria dice a veces que fue Olga la que se lo cargó, pero eso a mí me parece una salvajada, aunque, qué quiere que le diga, a mí ya, en esta vida, nada me sorprende.

El otro día, en casa, me atreví por fin a escuchar las maquetas que Pumuky dejó incompletas. Ya sabe usted que la compañía nos está agobiando para que las publiquemos, pero ni Mario ni yo queremos, es muy fuerte. Cuando pasó lo de Pumuky teníamos el disco casi acabado, y nos podrían pagar muchísimo por la maqueta, y para colmo, ya lo sabrá usted, Pumuky me dejó a mí de heredero, no sé si la cosa es muy legal o si esa nota que dejó vale de testamento o no, pero el caso es que los abuelos han querido respetar su voluntad, y parece que lo van a arreglar con unos abogados, me llamó Clara para explicármelo, pero yo no quería ni enterarme, no estaba con la cabeza para eso, así que supongo que convendría sacar el disco, pero yo no quiero. Y Mario tampoco. Cuando llegué a la última canción... Verá, era un tema compuesto por Pumuky que a mí, en principio, ni siquiera me gustaba demasiado, no encontraba la letra particularmente bien escrita y la melodía me parecía previsible. Sin embargo, durante la última semana he escuchado la canción cientos de veces, cientos, sin exagerar. Supongo que tenía razón Wagner y que la música contiene lo eterno y lo ideal, porque no se refiere a la pasión, al amor o a la desesperación de tal o cual individuo, sino a la pasión, al amor y a la desesperación en sí. A mí no me han entrado ganas de invadir

Polonia escuchando a Wagner, como le pasaba a Woody Allen, pero sí que he llorado, y mucho, escuchando La Costa Azul, porque la pasión, la tristeza, la nostalgia, la pena a las que se refería la canción, a las que se refería Pumuky, son las mías. Todo lo que ha sido mío es mío, aunque también lo sea de otro. Todo lo que ha sido de Pumuky es de quienes lo escuchan. Y la canción también es un paisaje visto desde el asiento del coche, un paisaje que Pumuky recorrió con su madre, pero yo no. Y también son unas manos de dedos largos de Charlotte que a mí no me han acariciado, pero supongo que los dos echamos de menos las mismas caricias, aunque vinieran de manos distintas. Pumuky y yo recordaríamos el mismo beso pero distinto, besos que queremos creer distintos pero que suponen en ambos casos lo mismo, un subidón mágico. El mismo beso, un beso para siempre, que nos hizo sentirnos fundidos en cuerpos siameses. Supongo que si llevara una vida más ordenada, más estructurada, no lloraría tanto cuando escucho una canción escrita por un niño de veintisiete años para niñas de veinte. Pero si llevara una vida organizada y previsible, menos enferma, menos neurótica (o eso dice mi madre), ¿habría podido experimentar ese beso? En otra vida sin drogas y sin marcha —si hubiera estudiado Económicas, si estuviera a punto de casarme con la misma chica a la que conocí en primero de carrera y a la que nunca le he puesto cuernos— mi mejor amigo no habría acabado en un pinar con la puta cabeza abierta *de un balazo, pero yo nunca le habría querido, ni él a mí. Creo que Pumuky se preguntaba lo mismo, porque un poco más adelante la canción dice que el placer se puede comprar pagando con dolor, y es cierto que yo envidio muchísimo a tanta gente que conozco cuyas vidas no son una montaña rusa sino más bien una plácida llanura de obligaciones y contratos, de enlutadas profesiones y oficios, de previsibles alegrías domésticas, de cerraduras protegidas y rituales de domingo, de serenidad con que las hojas esperan su inevitable caída y su conversión en polvo, pero también sé que ellos no podrían ni imaginar algunos de los paisajes que he visto, de las caricias que he dado y recibido, de los besos que me han hecho quedarme sin respiración, y que por eso no pueden cantarlos o escribirlos. Y me pregunto, como tantas veces, si merece la pena pagar el placer con dolor, pagar la capacidad de contar tantas cosas con esta sensación de vacío que llega de pronto, con las depresiones.*

«Le spectacle est le gardien de ce sommeil», «La révolution au service de la poésie», «La poésie au service de la révolution», «Tout ce qui était directement vécu s'est éloigné dans une représentation», «Dans le monde réellement renversé, le vrai est un moment du faux», «A mesure que la nécessité se trouve socialement rêvée, le rêve devient nécessaire», del libro *La societé du spectacle*, de Guy Debord.

«Camarade bourgeois, camarade fils-à-papa, la Triumph en bas d'chez toi, le p'tit chèque en fin de mois...», parte de la letra de la canción *Camarade bourgeois*, de Renaud.

«Revolution is my boyfriend» y «Join the global Intifada», de la película *The Raspberry Reich*, de Bruce LaBruce.

«Your body is a battleground», cartel de Barbara Kruger.

«Anatomía es destino», frase de Sigmund Freud, reinterpretada por Jean Baudrillard. «Contre le déterminisme freudien "l'anatomie c'est le destin, la séduction c'est le travail du corps par l'artifice et non par le désir"», del libro, *De la séduction* de Jean Baudrillard.

«My candle burns at both ends, it will not last the light, but oh my foe and oh my friends, it gives a radiant light», de Edna Saint Vincent-Millay.

«Ya son las nueve de la noche, no ceno, luzco tacones y minifalda, escuálida, gordísima, quemando grasa sobre la pista, ay, qué mareo, ¡dame pastillas!», extracto de la canción *Viva la anorexia*, de Ultraplayback.

«Hallé sin duda largas las noches de mis penas», de Amado Nervo.

«Pues la belleza no es nada sino el principio de lo terrible». Un verso de «La primera elegía» de las *Elegías de Duino*, de Rainer María Rilke.

«Nadie establece normas, salvo la vida», del poema *Desde los afectos*, de Mario Benedetti.

«Había desperdiciado parte de su vida, había querido morirse y había sentido el amor más grande por una mujer que ni siquiera le gustaba, que no era su tipo», de *Un Amor de Swann*, en *En busca del tiempo perdido*, Marcel Proust.

«Cuando se despertó, el dinosaurio todavía estaba allí», del microrrelato *El dinosaurio,* de Augusto Monterroso.

«La sangre sonará por las alcobas / y vendrá con espada fulgurante, / pero tú no sabrás dónde se ocultan / el corazón de sapo o la violeta», del poema de Federico García Lorca, *Casida de la mujer tendida.*

«Unas cuantas veces he tenido una experiencia extracorpórea mientras tocaba. Estaba a mi lado, o detrás de mí, mirándome tocar mientras tocaba, y sabía que la magia estaba actuando», palabras de Russ Freeman en la biografía *Chet Baker: his life and music,* de Jeroen de Valk.

«Love is a black storm breaking out of its season», de la novela *Under the Volcano,* de Malcolm Lowry.

«La guerre du Golfe n'aura pas lieu», artículo de Jean Baudrillard en *Libération,* 4 de enero de 1991.

«La perfection du crime réside dans le fait qu'il est toujours déjà accompli», del libro de Jean Baudrillard, *Le crime parfait.*

El título *La Costa Azul* y las frases «fundidos en cuerpos siameses» y «un beso para siempre», de Sidonie.

«Lo que no se nombra, no existe», de George Steiner.

Búscanos en Facebook con estas identidades:

Romano Debord
Pumuky Guy Debord
Lucía Etxebarria

SLA en MySpace:
www.myspace.com/sexandloveaddicts

Coge palomitas de SLA en YouTube:
www.youtube.com/watch?v=fqRe5V2QbdA

Este libro
se terminó de imprimir
en los talleres gráficos de
Printer Industria Gráfica, S. A. (Barcelona)
en el mes de enero de 2010

Suma de Letras es un sello editorial del Grupo Santillana

www.sumadeletras.com

Argentina
Avda. Leandro N. Alem, 720
C 1001 AAP Buenos Aires
Tel. (54 114) 119 50 00
Fax (54 114) 912 74 40

Bolivia
Avda. Arce, 2333
La Paz
Tel. (591 2) 44 11 22
Fax (591 2) 44 22 08

Chile
Dr. Aníbal Ariztía, 1444
Providencia
Santiago de Chile
Tel. (56 2) 384 30 00
Fax (56 2) 384 30 60

Colombia
Calle 80, 9-69
Bogotá
Tel. (57 1) 635 12 00
Fax (57 1) 236 93 82

Costa Rica
La Uruca
Del Edificio de Aviación Civil 200 m al Oeste
San José de Costa Rica
Tel. (506) 22 20 42 42 y 25 20 05 05
Fax (506) 22 20 13 20

Ecuador
Avda. Eloy Alfaro, 33-3470 y Avda. 6 de
Diciembre
Quito
Tel. (593 2) 244 66 56 y 244 21 54
Fax (593 2) 244 87 91

El Salvador
Siemens, 51
Zona Industrial Santa Elena
Antiguo Cuscatlan - La Libertad
Tel. (503) 2 505 89 y 2 289 89 20
Fax (503) 2 278 60 66

España
Torrelaguna, 60
28043 Madrid
Tel. (34 91) 744 90 60
Fax (34 91) 744 92 24

Estados Unidos
2023 N.W 84th Avenue
Doral, FL 33122
Tel. (1 305) 591 95 22 y 591 22 32
Fax (1 305) 591 74 73

Guatemala
7ª Avda. 11-11
Zona 9
Guatemala C.A.
Tel. (502) 24 29 43 00
Fax (502) 24 29 43 43

Honduras
Colonia Tepeyac Contigua a Banco Cuscatlan
Boulevard Juan Pablo, frente al Templo
Adventista 7º Día, Casa 1626
Tegucigalpa
Tel. (504) 239 98 84

México
Avda. Universidad, 767
Colonia del Valle
03100 México D.F.
Tel. (52 5) 554 20 75 30
Fax (52 5) 556 01 10 67

Panamá
Vía Transísmica, Urb. Industrial Orillac,
Calle Segunda, local 9
Ciudad de Panamá
Tel. (507) 261 29 95

Paraguay
Avda. Venezuela, 276,
entre Mariscal López y España
Asunción
Tel./fax (595 21) 213 294 y 214 983

Perú
Avda. Primavera, 2160
Surco
Lima 33
Tel. (51 1) 313 40 00
Fax. (51 1) 313 40 01

Puerto Rico
Avda. Roosevelt, 1506
Guaynabo 00968
Puerto Rico
Tel. (1 787) 781 98 00
Fax (1 787) 782 61 49

República Dominicana
Juan Sánchez Ramírez, 9
Gazcue
Santo Domingo R.D.
Tel. (1809) 682 13 82 y 221 08 70
Fax (1809) 689 10 22

Uruguay
Juan Manuel Blanes, 1132
11200 Montevideo
Tel. (598 2) 402 73 42 y 402 72 71
Fax (598 2) 401 51 86

Venezuela
Avda. Rómulo Gallegos
Edificio Zulia, 1º - Sector Monte Cristo
Boleita Norte
Caracas
Tel. (58 212) 235 30 33
Fax (58 212) 239 10 51